Alexandra Ivy vit avec sa famille à Ewing, dans le Missouri. Elle dit avoir découvert la passion de la lecture en se rendant à la bibliothèque, avec les aventures de Nancy Drew. Elle demeure une grande passionnée de lecture.

www.milady.fr

Alexandra Ivy

Jagr

Les Gardiens de l'éternité – 5

Traduit de l'anglais (États-Unis) par Hélène Assens

Milady

Milady est un label des éditions Bragelonne

Titre original : *Darkness Unleashed*
Copyright © 2009 by Debbie Raleigh

Suivi d'un extrait de : *Beyond the Darkness*
Copyright © 2010 by Debbie Raleigh

© Bragelonne 2012, pour la présente traduction

ISBN : 978-2-8112-0657-4

Bragelonne – Milady
60-62, rue d'Hauteville – 75010 Paris

E-mail : info@milady.fr
Site Internet : www.milady.fr

PROLOGUE

J agr savait qu'il semait la panique dans le club sélect
de Viper. Cet élégant établissement, avec ses lustres
de cristal et ses fauteuils de velours rouge, était destiné
à accueillir les membres les plus raffinés du monde
démoniaque. Jagr était tout sauf raffiné.

Ce vampire d'un mètre quatre-vingt-dix avait autrefois
été un chef wisigoth. Mais ce qu'il avait de plus effrayant
n'était pas ses cheveux, une tresse d'or pâle qui lui retombait
presque jusqu'à la taille, ni ses yeux bleu glacier au regard
perçant qui faisaient s'écarter de son chemin toutes
les créatures dotées d'un minimum d'intelligence. Ni
même le long manteau en cuir qui flottait autour de son
corps musclé.

Non, c'était la froide perfection de ses traits austères et
la fureur sauvage qui émanait de lui.

Trois cents années de torture implacable l'avaient
dépouillé de tout raffinement.

Sans prêter attention aux divers démons qui renversaient
fauteuils et tables en tentant de s'enfuir loin de l'endroit où
le portaient ses grandes enjambées, Jagr se concentra sur
les deux Corbeaux qui gardaient la porte du bureau. Un tel
degré de sophistication lui donnait de l'urticaire.

Il préférait la solitude de sa vaste bibliothèque, cachée sous les rues de Chicago, où il avait la certitude absolue qu'aucun humain, bête ou démon n'était capable d'entrer.

Non qu'il soit le parfait reclus que ses frères vampires imaginaient.

Peu importaient sa puissance, son habileté ou son intelligence, car pour survivre il devait comprendre la technologie en perpétuelle mutation du monde moderne. Et être en mesure de se fondre dans la société actuelle.

Même un reclus devait s'alimenter.

Tout au fond de son repaire, il conservait un téléviseur plasma relié à toutes les chaînes connues de l'humanité et le genre de vêtements quelconques qui lui permettaient de rôder dans les quartiers les plus miteux sans provoquer une émeute.

Les prédateurs les plus redoutables savaient se camoufler quand ils se mettaient en chasse.

Mais cet endroit…

Il préférerait recevoir un pieu dans le cœur plutôt que se pavaner en minaudant comme un crétin.

Satané Styx. Le vieux vampire n'ignorait pas que seul un ordre royal pouvait l'obliger à entrer dans un club bondé. Jagr détestait se mêler aux autres, ce n'était un secret pour personne.

Ce qui soulevait la question des raisons qui avaient poussé l'Anasso à choisir un tel cadre pour leur rencontre.

D'une humeur si massacrante qu'un froid glacial s'abattit sur le vaste établissement, Jagr ne tint pas compte des deux Corbeaux en faction près du bureau et leva la main, laissant son pouvoir arracher de ses gonds la solide porte en chêne.

Les Corbeaux menaçants émirent un grondement de mise en garde et leurs lourdes capes tombèrent au sol,

6

dévoilant les nombreux poignards, épées et pistolets dont ils étaient armés.

Jagr ne ralentit pas. Styx ne permettrait pas que ses vampires favoris blessent une personne qu'il avait convoquée. Du moins, pas avant d'avoir obtenu ce qu'il désirait d'elle.

Et si Styx ne rappelait pas ses gardes… eh bien, par l'enfer, Jagr avait attendu des siècles de se faire tuer au combat. C'était le destin d'un guerrier.

Il entendit un murmure provenant de l'intérieur de la pièce et les deux Corbeaux le laissèrent passer à contrecœur. Ils le foudroyèrent du regard, mais Jagr avait connu plus douloureux.

Après avoir enjambé la porte fracassée, il s'arrêta pour jeter un coup d'œil prudent dans la pièce bleu pâle et ivoire. Comme il s'y attendait, Styx, un Aztèque imposant qui se trouvait être l'actuel roi des vampires, occupait tout l'espace derrière un lourd bureau en noyer, ses traits hâlés impassibles. Viper, le chef de clan de Chicago, qui, avec ses cheveux d'argent et ses yeux noirs, ressemblait davantage à un ange qu'à un redoutable combattant, se tenait juste derrière lui.

—Jagr.

Styx s'enfonça de nouveau dans le fauteuil en cuir, le menton appuyé sur ses doigts.

—Merci d'être venu si vite.

Jagr plissa les yeux.

—Avais-je le choix ?

—Doucement, Jagr, le prévint Viper. C'est ton Anasso.

Jagr retroussa les lèvres mais fut assez sage pour garder ses mots vibrants de colère pour lui. Même s'il parvenait à égaler la célèbre puissance de Styx, il serait mort avant de quitter le club s'il défiait celui-ci.

— Qu'est-ce que tu veux? gronda-t-il.

— J'ai une mission pour toi.

Jagr serra les dents. Au cours du dernier siècle, il était parvenu à conserver ses distances avec le clan qui le considérait comme un frère; il n'avait jamais importuné personne et en attendait autant en échange. Mais depuis qu'il s'était montré assez stupide pour ouvrir son repaire à Cezar, il semblait ne plus pouvoir se débarrasser de ces satanés vampires.

— De quel genre? demanda-t-il.

Son ton signifiait clairement qu'il n'appréciait pas de jouer les lèche-bottes.

Styx sourit en lui indiquant le canapé d'un geste de la main. Son sourire fit courir un frisson d'appréhension le long de la colonne vertébrale de Jagr.

— Assieds-toi, mon ami, dit l'Anasso d'une voix traînante. Nous pourrions en avoir pour un moment.

L'espace d'un fol instant, Jagr envisagea de refuser. Avant d'être transformé en démon, il avait eu des milliers d'âmes à ses pieds. Et, alors qu'il ne conservait aucun souvenir de cette époque, il avait hérité de toute son ancienne arrogance. Sans parler de ses problèmes avec l'autorité.

Heureusement, il avait aussi gardé la majeure partie de son intelligence.

— Eh bien, mon Anasso, je me suis empressé d'obéir à ton ordre royal.

Il abaissa son corps massif sur un délicat canapé de brocart, se promettant intérieurement de tuer le designer si le meuble cédait sous son poids.

— Qu'attends-tu de ton sujet dévoué?

Viper poussa un grondement guttural ; son pouvoir rendit l'air mordant. Jagr ne cilla pas, même s'il banda ses muscles, sur ses gardes.

— Tu devrais peut-être t'occuper de tes invités, Viper, suggéra Styx d'un ton doucereux. L'entrée… théâtrale de Jagr a perturbé ton charmant spectacle et nous a attiré plus d'attention que je ne le désirais.

— Je ne serai pas loin.

Viper décocha un regard menaçant à Jagr avant de disparaître par l'embrasure de la porte fracassée.

— Tu le prends à l'essai comme Corbeau ? railla Jagr.

De petites pointes acérées lui picotèrent la peau lorsque Styx libéra un peu de son pouvoir.

— Tant que tu restes à Chicago, Viper est ton chef de clan. Ne commets pas l'erreur d'oublier sa position.

Jagr haussa les épaules. Sa dette envers Viper et la loyauté qu'il lui devait ne le laissaient pas indifférent. En vérité, il était d'une humeur exécrable, et être coincé dans ce club précieux sans le moindre truc à tuer à part une poignée de putains de fées de rosée n'arrangeait rien.

— Comment le pourrais-je, quand on m'ordonne sans cesse de m'occuper d'affaires qui non seulement ne me concernent pas, mais ne m'intéressent pas.

— Qu'est-ce qui t'intéresse vraiment, Jagr ?

Il soutint le regard scrutateur de Styx, le visage impassible. Finalement, le roi grimaça.

— Que ça te plaise ou non, tu as offert ton épée quand Viper t'a accepté dans son clan.

Ça ne lui plaisait pas, mais il ne pouvait pas le contester. Être accueilli au sein d'un clan constituait le seul moyen de survivre parmi les vampires.

— Que veux-tu de moi ?

Styx se leva, contourna le bureau et s'y jucha. Le bois ploya sous son poids considérable mais ne se fendit pas. Jagr ne pouvait que supposer que Viper avait fait renforcer tous les meubles.

Un vampire intelligent.

— Que sais-tu de ma compagne ? s'enquit abruptement Styx.

Jagr se figea.

— S'agit-il d'un piège ?

Un sourire ironique se dessina sur la bouche de son chef.

— Je ne fais pas dans la subtilité, Jagr. Contrairement au précédent Anasso, je ne suis pas doué pour manipuler et tromper les autres. S'il me prenait l'envie de te défier, je te le dirais en face.

— Alors pourquoi m'interroges-tu sur ta compagne ?

— Lorsque j'ai rencontré Darcy, elle ignorait tout de son ascendance. Elle avait été placée chez des humains dès son plus jeune âge. Ce n'est que quand Salvatore Giuliani, l'actuel roi des garous, est arrivé à Chicago que nous avons découvert qu'elle était une sang-pur génétiquement modifiée.

Jagr haussa brusquement les sourcils. Voilà un petit détail que l'Anasso avait gardé secret.

— Génétiquement modifiée ?

— Les garous cherchent désespérément à engendrer une progéniture en bonne santé. Leurs femelles ont perdu leur aptitude à contrôler leurs métamorphoses pendant la pleine lune, ce qui les rend incapables de mener une gestation à terme. Ils ont modifié Darcy et ses sœurs pour qu'elles ne se transforment pas.

Jagr croisa les bras. Le sort des clébards le laissait de marbre.

—Je suppose que tu vas me dire pourquoi tu m'as convoqué, avant que le jour se lève ?

Styx plissa les yeux.

—Cela dépend entièrement de ta coopération, mon frère. Je peux faire en sorte que cette entrevue dure aussi longtemps que je le désire.

Jagr pinça les lèvres. S'il y avait une chose qu'il respectait, c'était le pouvoir.

—Continue, je t'en prie.

—La mère de Darcy a mis bas une portée de quatre filles génétiquement modifiées qui ont été enlevées peu de temps après leur naissance.

—Pourquoi les a-t-on volées ?

—Cela demeure un mystère que Salvatore n'a jamais vraiment élucidé.

À l'intonation de sa voix, Jagr comprit que cette zone d'ombre contrariait l'Anasso.

—Nous savons par contre qu'une des sœurs de Darcy a été retrouvée à Saint-Louis, où un sidhe du nom de Culligan la retenait prisonnière.

—Il a de la chance qu'elle soit incapable de se transformer. Une sang-pur pourrait arracher la gorge d'un sidhe.

—D'après les informations qu'a pu recueillir Salvatore, ce Culligan a réussi à mettre la main sur Regan alors qu'elle n'était qu'une enfant et l'a gardée enfermée dans une cage enduite d'argent. Enfin, quand il ne la torturait pas pour se faire de l'argent facile.

Torturer.

Les chefs-d'œuvre hollandais accrochés aux murs s'écrasèrent au sol sous l'accès de fureur de Jagr.

—Tu souhaites que je sauve cette garou ?

Styx grimaça.

— Salvatore l'a déjà délivrée, même si ce satané sidhe est parvenu à filer avant qu'il ait pu en faire son repas.

Le bref espoir que Jagr avait eu que cette nuit ne soit pas totalement sans intérêt disparut brusquement. Massacrer les salauds qui maltraitaient les faibles constituait l'un de ses rares plaisirs.

— Si cette femme a été libérée, pourquoi as-tu besoin de moi ?

Styx se redressa, faisant immédiatement paraître la pièce plus petite.

— Salvatore ne s'intéressait à Regan que pour en faire sa reine et sa première reproductrice. Il est déterminé à asseoir son pouvoir en prenant une compagne capable de restaurer la population décroissante des sang-pur. Malheureusement, après avoir sauvé Regan, il a découvert qu'elle était stérile.

— Et donc inutile.

— Exactement.

L'imposant Aztèque prenait soin de garder son calme, mais même un imbécile aurait senti qu'il était prêt à ne faire qu'une bouchée du roi des garous.

— C'est pour cette raison qu'il a pris contact avec Darcy, poursuivit-il. Il comptait envoyer Regan à Chicago pour la placer sous ma protection en attendant que la meute de Saint-Louis l'accueille.

— Et ?

— Et elle est parvenue à s'enfuir pendant qu'il s'entretenait avec le maître de meute de la ville.

Jagr grogna, dégoûté.

— Ce Salvatore est d'une inefficacité lamentable. D'abord il laisse s'échapper le sidhe, puis la femme. Pas étonnant que le nombre de garous décline.

— Espérons que tu seras plus efficace.

Jagr se leva, une expression froide sur le visage.

— Moi ?

— Darcy s'inquiète pour sa sœur. Je veux que tu la retrouves et l'amènes à Chicago.

— Cette femme a fait clairement comprendre qu'elle ne souhaitait pas venir.

— Alors ton boulot sera de la convaincre.

Jagr plissa les yeux. Il n'était pas Mary Poppins. Par l'enfer, il dégusterait bien cette satanée nounou au petit déjeuner.

— Pourquoi moi ?

— J'ai déjà envoyé plusieurs de mes meilleurs traqueurs à Saint-Louis, mais tu es le plus puissant guerrier du clan. Si Regan a réussi à s'attirer des ennuis, elle aura besoin de toi pour la sauver.

Il existait bien pire que pourchasser une garou génétiquement modifiée qui ne désirait manifestement pas être retrouvée. Sûrement. Mais là tout de suite rien d'autre ne lui venait à l'esprit.

Dans la salle, un air de quatuor à cordes s'éleva, accompagné des « oh » et des « ah » étouffés des spectateurs alors que les fées de rosée reprenaient leur danse délicate. Jagr pensa subitement qu'il y avait pire que traquer la garou.

Rester enfermé dans cet enfer.

— Pourquoi le ferais-je ? s'enquit-il d'une voix rauque.

— Parce que ce qui fait plaisir à Darcy me fait plaisir.

Styx vint se mettre nez à nez avec Jagr et laissa son pouvoir s'enfoncer dans sa chair.

— C'est assez clair ?

— D'une clarté cuisante.

— Bien.

Styx recula. Glissant une main sous sa veste de cuir, il sortit un portable qu'il lança à son compagnon.

—Tiens. Il contient les numéros des frères qui recherchent Regan, ainsi que ceux de nos contacts à Saint-Louis. Et ma ligne privée. Appelle-moi quand tu l'auras trouvée.

Jagr rangea le téléphone dans sa poche et se dirigea vers la porte. Inutile de discuter. Styx s'efforçait d'obliger les vampires à rompre avec leur passé barbare, mais ils ne vivaient pas encore dans une putain de démocratie.

Pas même de loin.

—Je pars dans l'heure.

—Jagr.

Il se retourna avec une fureur virulente.

—Quoi?

Styx ne broncha même pas.

—N'oublie pas un instant que Regan est une cargaison précieuse. Si je découvre ne serait-ce qu'un bleu sur sa jolie peau, les conséquences ne te plairont pas.

—Alors, je suis censé traquer une garou enragée qui ne veut pas être retrouvée et la traîner à Chicago sans poser la main sur elle?

—Manifestement, les rumeurs sur ton extraordinaire intelligence sont vraies, mon frère.

Jagr feula et sortit comme un ouragan.

—Je ne suis pas ton frère.

Viper surveilla de près la violente sortie de Jagr.

Finalement, cet entretien s'était mieux passé qu'il l'avait craint. Pas de morts ni de mutilations. Personne n'avait même été blessé.

C'était toujours ça de pris.

Néanmoins, il connaissait trop bien Jagr. Parmi tous les membres de son clan, il avait toujours su que ce Wisigoth extrêmement âgé était le plus farouche. Compréhensible, après ce qu'il avait enduré, mais pas moins dangereux. Il commençait à regretter d'avoir attiré l'attention de Styx sur lui.

Après s'être faufilé au milieu des démons qui s'étaient rassis et étaient de nouveau captivés par les fées de rosée, Viper revint dans le bureau, où il trouva Styx qui regardait fixement par la fenêtre.

— J'ai un mauvais pressentiment, marmonna-t-il, embrassant du regard les fragments de ses tableaux hors de prix qui jonchaient le sol.

Styx se retourna, les bras croisés sur la poitrine.

— Une prémonition ? Devrais-je prévenir le Conseil que nous avons un oracle potentiel ?

Viper haussa les sourcils en signe d'avertissement.

— Uniquement si tu veux que je t'enferme dans une cellule avec Levet pour le siècle à venir.

Styx éclata d'un rire mordant.

— Bien tenté, mais Levet s'est mis en tête qu'il était le seul capable de retrouver la sœur de Darcy. Il est parti pour Saint-Louis dès que Salvatore m'a appris qu'elle lui avait filé entre les doigts.

— Parfait, maintenant nous avons deux dangers publics dans le Missouri. Je ne suis pas sûr que les autochtones y survivent.

— Tu penses que Jagr est un danger public ?

Viper grimaça en se remémorant la nuit où ce vampire s'était présenté à son repaire pour lui demander asile. Il avait rencontré un grand nombre de démons redoutables, la plupart n'aspirant qu'à le tuer. Cependant, jusqu'à ce soir-là, il n'avait jamais encore plongé son regard dans les yeux de quelqu'un pour n'y voir que la mort.

— Je crois que, derrière cette maîtrise de soi inflexible, il est à deux doigts de basculer dans la folie.

— Et tu l'as malgré tout accepté dans ton clan.

Viper haussa les épaules.

— Lorsqu'il en a fait la requête, j'ai d'abord voulu refuser. J'ai senti qu'il était sur le fil du rasoir, et qu'en plus il était puissant et suffisamment agressif pour tenter de prendre ma place. C'est un chef par nature, pas un subordonné.

— Alors, pourquoi lui avoir permis de rester à Chicago ?

— Parce qu'il a prêté le serment de disparaître dans son repaire et de ne jamais causer de problèmes.

— Et ? insista Styx.

— Et je savais qu'il ne survivrait pas sans la protection d'un clan, reconnut Viper à contrecœur. Nous n'ignorons pas tous les deux qu'en dépit de tes efforts pour civiliser les vampires, certaines habitudes sont trop profondément enracinées pour être aisément changées. Tout chef considérerait un paria possédant un tel pouvoir comme une menace. Et l'éliminerait.

— Ainsi tu as eu pitié de lui.

Viper fronça les sourcils. Qu'on le prenne pour autre chose qu'un salaud impitoyable ne lui plaisait pas. Il n'était pas devenu chef de clan parce qu'il était sensible, merde. Mais parce que les autres vampires craignaient qu'il leur arrache leur cœur de morts-vivants.

— Non… c'était une décision réfléchie, grogna-t-il. Je savais que, si le besoin s'en faisait jamais sentir, il se montrerait un allié précieux. Bien sûr, je pensais faire appel à lui pour ses talents de guerrier, pas en tant que baby-sitter

d'une jeune garou vulnér▚
m'inquiète un peu.

Styx se mit à jouer avec son me▚
geste qu'il n'était pas aussi confiant qu'▚
croire à Viper.

— Je souhaite retrouver Regan, et Jagr p▚
l'intelligence et les aptitudes nécessaires pour la traquer
la protéger. Ainsi qu'une qualité encore plus importante.

— J'imagine que tu ne fais pas référence à sa pétillante
personnalité.

— Non, je parle de sa connaissance intime des supplices
que Regan a endurés. (Styx le dévisagea d'un air sinistre.)
Lui, mieux que quiconque, comprendra ce dont Regan
a besoin à présent qu'elle a été délivrée de son bourreau.

ble. Le charger d'une telle missi...

...daillon, révélant par ce

...il voulait le laisser

...ossède

...et

CHAPITRE PREMIER

L e camping à quelques kilomètres au sud de Hannibal, Missouri, n'avait rien de particulier.

D'énormes camping-cars garés sur le sol nu, des toilettes autonomes alignées dans le fond et, près de l'entrée principale, une petite cabane où les humains payaient pour jouir du privilège de s'entasser aux côtés de gens qu'ils voudraient étrangler avant la fin de leur séjour.

Ces envies meurtrières n'avaient plus de secrets pour Regan Garrett.

Certes, elle n'était pas humaine mais elle avait passé la majeure partie de sa vie dans ce genre d'endroits. De véritables viviers d'assassins.

Sans se soucier d'un éventuel tueur en série, Regan se faufila au pas de course entre les rangées de véhicules bien alignés. Elle avait attendu que les vieux mettent leurs dentiers dans un verre et leurs fesses ridées au lit et que les jeunes parents soient vannés après une journée d'infinis tourments aux mains de leur progéniture.

Minuit à Hannibal, et pas un chat.

À contrecœur, elle revint en courant vers la cabane, protégée de l'air frais de la fin mars par sa porte close. Regan n'était pas incommodée par le froid, même si elle ne portait qu'un jean et un haut en tricot sans manches. Elle était peut-être incapable de se transformer ou de se reproduire,

19

mais elle possédait la plupart des autres aptitudes des loups-garous.

Plus rapide et plus forte que les humains, elle ne souffrait pas plus des températures torrides que glaciales, voyait parfaitement dans le noir et était dotée de la remarquable faculté de guérir de toutes les blessures qui n'avaient pas été infligées avec de l'argent.

Elle hésita un instant. C'était cette faculté de guérison qui…

Non. Pas maintenant.

Elle devait rester concentrée. Elle pleurerait sur son passé lorsque Culligan serait mort.

Dix heures s'étaient écoulées depuis qu'elle s'était lancée à la poursuite du sidhe à Saint-Louis et avait suivi son odeur jusqu'aux abords de Hannibal. Elle percevait presque la saveur de la vengeance quand sa piste avait mystérieusement disparu à la périphérie de la ville. Elle ignorait comment ce fils de pute avait réussi à se volatiliser, mais ce n'était pas ça qui l'arrêterait.

D'une façon ou d'une autre, elle retrouverait l'homme qui l'avait retenue prisonnière au cours des trente dernières années et le lui ferait payer au centuple.

Sans prendre la peine de frapper, Regan poussa la porte de la cabane et entra. C'était une pièce exiguë, aux murs couverts de prospectus aux couleurs éclatantes vantant toutes les merveilleuses attractions de Hannibal et dont l'étroite fenêtre donnait sur le camping.

Au premier abord, le local semblait vide, mais Regan ne manqua pas de remarquer la fumée de cigarette qui s'attardait dans l'air. Elle se dirigea vers le comptoir en Formica dans le fond et pressa la petite sonnette en argent.

Un juron étouffé retentit puis une porte derrière le comptoir s'ouvrit brusquement et une tête hirsute apparut.

— Oui?

Le garçon, qui ne devait pas être âgé de plus de dix-huit ans et avait un nez trop gros pour son visage fin, se raidit lorsqu'il parcourut du regard le corps svelte de Regan et ses longs cheveux d'un blond doré. Lentement, il releva la tête pour observer les yeux verts qui illuminaient le visage pâle en forme de cœur de la jeune femme. Elle vit un sourire niais étirer les lèvres de l'adolescent, qui entra dans la pièce et s'appuya au comptoir.

— Bonjour, ma jolie. Qu'y a-t-il?

— Je cherche un ami.

— Tu viens de le trouver, poupée. Laisse-moi dix minutes pour fermer et je suis à toi.

Dans tes rêves.

Regan résista à l'envie de flanquer son poing sur ce trop gros nez, de justesse. Elle se contenta de sortir la page qu'elle avait arrachée dans un magazine avant de quitter Saint-Louis.

— Tu as vu un camping-car comme celui-ci?

Le gamin jeta à peine un coup d'œil à la photo.

— Je ressemble au flic névrosé de *Monk*? Je prends l'argent, je leur donne une carte pour leur tableau de bord et voilà. Je m'en balance complètement de leurs camping-cars.

— Celui-là, tu l'aurais remarqué. Le conducteur a de longs cheveux roux et des yeux de chat. Il est très... original.

— Tout le monde ici a les cheveux gris et un dentier. (Le garçon haussa les épaules.) Je fais des cauchemars où il ne reste plus sur le terrain que des cadavres et des camping-cars rouillés.

— Charmant.

Le garçon sourit de toutes ses dents.

—Tu pourrais m'aider à oublier ces affreux vieillards et leur mort imminente. J'ai un plumard à côté.

Regan observa de nouveau l'appendice protubérant. Une cible aussi alléchante ne se présentait pas tous les jours. Malheureusement, elle ne pouvait pas se permettre d'attirer l'attention. Les humains faisaient toujours tout un plat d'un peu de sang versé et de quelques os cassés.

—Même pas en rêve, marmonna-t-elle en se tournant pour partir.

—Hé…

Sans attendre ce qu'il avait à dire, elle claqua la porte et rejoignit en courant la route qui conduisait à Hannibal.

C'était le dernier camping du coin. Il ne lui restait plus qu'à espérer retrouver la piste de Culligan en ville.

Il ne pouvait pas s'être évaporé.

Non seulement c'était un sadique cupide, mais également un sidhe pitoyable. Contrairement à nombre des siens, il ne possédait pas la faculté de créer des portails pour se déplacer. Par l'enfer, il parvenait tout juste à jeter un sort.

Donc, soit il se trouvait dans son camping-car, soit il se déplaçait à pied.

Cinq heures plus tard, elle avait parcouru au pas de course toutes les rues, pour ne rencontrer rien de plus que les poivrots habituels et une poignée de lutins dansant dans le brouillard naissant.

Bon sang. Elle avait faim, était complètement vannée et absolument pas en état d'affronter Culligan, même si elle tombait enfin sur lui. Que ça lui plaise ou non, il était temps d'arrêter pour la nuit.

En retournant vers l'artère principale qui serpentait à travers Hannibal, Regan ne prêta pas attention aux effluves de nourriture qui s'échappaient des rares fast-foods encore ouverts. Elle avait volé de l'argent à Salvatore avant de quitter Saint-Louis, mais il ne durerait pas éternellement. Pour l'instant, elle préférait dormir à l'abri entre quatre murs et derrière une porte verrouillée plutôt que d'apaiser son ventre douloureusement vide.

Elle revint à l'hôtel dont l'enseigne, à l'instar d'une dizaine d'autres, arborait fièrement le nom de Mark Twain. Elle y avait réservé une chambre un peu plus tôt en espérant avoir besoin d'un endroit où planquer le corps meurtri et sanguinolent d'un sidhe. Un espoir anéanti pour le moment, mais au moins elle pourrait savourer une douche chaude et un lit propre.

Gardant la tête baissée, elle se traîna dans le hall banal, adressa un signe au réceptionniste insignifiant et s'engagea dans l'escalier ordinaire. Elle avait beau être épuisée, il était hors de question qu'elle prenne l'ascenseur. Elle avait été enfermée la majeure partie de sa vie dans une minuscule cellule aux barreaux d'argent. Ni une catastrophe naturelle ni la promesse d'un rendez-vous avec les Jonas Brothers ne l'obligeraient à remettre les pieds dans une cage.

Parvenue au quatrième étage, elle se frotta distraitement les bras quand une sensation de fraîcheur s'insinua en elle. Étrange. Elle n'avait jamais froid. Manifestement, elle était encore plus fatiguée qu'elle le pensait.

Une fois devant sa porte, elle glissa sa carte dans le lecteur et ouvrit le battant. Ce ne fut qu'en sentant des bras d'acier se refermer sur elle qu'elle prit conscience du danger.

Merde. Ce n'était pas la température de l'air qui lui avait donné la chair de poule, mais un satané vampire. Et elle s'était jetée dans ses bras comme si elle n'avait pas plus de bon sens qu'un maudit humain.

Momentanément paralysée par le choc, Regan fut abruptement replongée dans la réalité quand le vampire repoussa la porte du pied et entreprit de la traîner plus avant dans l'obscurité de la chambre.

Rassemblant ses forces déclinantes, Regan s'affaissa volontairement entre les bras de son agresseur, jusqu'à ce qu'il les baisse suffisamment ; et lançant alors brusquement la tête en arrière, elle parvint ainsi à le frapper en plein visage.

Un juron étouffé retentit, mais son agresseur ne la lâcha pas. En fait, il resserra même brutalement son étreinte, la plaquant encore plus étroitement contre lui, avant de la faire tomber par terre et d'atterrir sur elle de tout son poids, lui coupant le souffle.

Elle était bel et bien prise au piège, ce qui ne l'empêcha pas de se débattre. D'accord, elle ressemblait à un poisson qui s'agiterait en vain sur la berge d'une rivière. Mais au moins elle avait l'impression de faire quelque chose. Comme quand elle raillait Culligan en sachant parfaitement qu'il lui mettrait une raclée en retour.

— Qu'est-ce que tu veux ? demanda-t-elle entre ses dents. Dis-le-moi tout de suite ou je jure que je te plante un pieu dans le cœur.

Le souffle du rire sinistre et intrinsèquement viril de son agresseur lui caressa le visage.

— Et ils prétendent que je n'ai aucun savoir-vivre.

Un silence suivit ; Regan sentit l'esprit du vampire se déployer pour effleurer le sien.

— Tiens-toi tranquille, murmura-t-il.

Elle tenta de dégager une de ses jambes pour lui donner un coup de genou dans les couilles.

— Ce sale tour ne marche pas sur moi, vampire.

Il poussa un grondement guttural.

— Regan, arrête. Je ne souhaite pas te faire de mal.

Elle se figea, stupéfaite.

— Comment connais-tu mon nom ?

Le pouvoir du vampire lui picota la peau et la lampe près du lit se mit subitement à briller.

— C'est Darcy qui m'envoie pour que je te conduise à Chicago.

Elle entendit à peine ces mots prononcés d'une voix basse légèrement voilée. *Nom de… Dieu.*

Elle avait passé sa vie entourée de démons, dont le physique aurait fait pleurer de jalousie des mannequins, pourtant aucun n'aurait pu rivaliser avec ce vampire.

Véritable régal pour les yeux, il était d'une beauté à couper le souffle.

Il avait un corps ferme et musclé. Ses longs cheveux, étroitement tressés, d'un or de deux nuances plus clair que ceux de Regan, mettaient en valeur son regard bleu glacier. Les traits de son visage semblaient ciselés dans le marbre le plus fin, avec des lignes et des angles si parfaits que seule la main d'un maître pouvait les avoir sculptés. Il avait un nez aquilin, des pommettes anguleuses, un front large et des lèvres… pleines mais dessinées avec précision. Le genre de lèvres dont toute femme se demanderait ce qu'elle ressentirait à les laisser explorer des zones moites et intimes.

Une chaleur insupportable envahit le bas-ventre de Regan, ce qui l'exaspéra au plus haut point. Bon Dieu, ce démon était là sur les ordres de sa sœur, pas pour assouvir les désirs d'une garou solitaire en manque de sexe.

Non qu'elle écarterait les cuisses même s'il s'agissait juste d'un homme qu'elle venait de rencontrer, se dit-elle avec sévérité. D'accord, il était assez chaud pour la faire fondre et son parfum de pure virilité lui faisait tourner la tête mais…

Arrête ça, espèce d'idiote. Ce n'est pas un homme. Mais un redoutable vampire qui pourrait te vider totalement de ton sang en un battement de cœur.

— C'est Darcy qui t'envoie ? répéta-t-elle d'un ton brusque.

Il plissa les yeux, les narines dilatées comme s'il percevait l'odeur de sa stupide excitation. *Ridicule. Non ?*

— Oui.

— Alors, qui est mort et a fait d'elle une reine ? railla-t-elle.

— L'Anasso.

Regan cligna des yeux, déconcertée.

— Quoi ?

Il parcourut un instant des yeux le visage pâle de la jeune femme avant de les plonger dans son regard furieux où se mêlait un certain trouble.

— Tu m'as demandé qui était mort pour que Darcy devienne reine, répliqua-t-il. Styx, son compagnon, a tué le précédent roi des vampires, ce qui lui vaut d'en être le chef actuel, et ta sœur la reine.

Eh bien, évidemment qu'elle était une putain de reine.

Elle n'avait jamais rencontré Darcy, pas plus que ses deux autres sœurs d'ailleurs, mais Salvatore lui avait appris qu'elle était unie à un vampire qui non seulement l'adorait mais venait juste de lui offrir un putain de manoir dans la banlieue de Chicago. Elle était à coup sûr couverte de diamants et se rendait régulièrement à l'opéra.

Non que tout ce luxe de pacotille lui fasse envie. Elle préférerait qu'on lui crève un œil que de mettre une robe. N'empêche, la belle vie de sa sœur lui foutait les boules.

Sa famille l'avait abandonnée aux mains d'un sidhe psychopathe qui l'avait maltraitée sans relâche pendant trente ans. En ce qui la concernait, ils pouvaient tous aller se faire voir.

— Génial, ma sœur est mariée à un dangereux psychopathe, dit-elle d'une voix traînante. Et on se demande pourquoi je ne saute pas sur l'occasion de rencontrer ma famille.

— Styx n'est pas plus un assassin que les autres vampires. Ou garous, en l'occurrence.

L'entendre lui répondre d'une voix parfaitement impassible lui arracha un ricanement.

— Tu essaies de me rassurer ? Parce que c'est pas gagné, là.

— Ma seule obligation est de t'escorter jusqu'à Chicago.

— Ton obligation ?

— Oui.

Absolument parfait. Ce magnifique spécimen de la gent masculine n'était qu'un larbin au service de sa sœur.

Elle tenta de repousser des deux mains le mur inflexible de son torse.

— Eh bien, considère que tu es officiellement déchargé de toute obligation, parce que je n'ai pas l'intention de te suivre.

— Ta sœur se fait du souci pour toi. Elle ne cherche qu'à te protéger.

Sa voix basse et ensorcelante envoya des frissons courir dans le dos de Regan alors même que ce qu'il disait l'exaspérait.

—Ouais, et où était toute cette sollicitude fraternelle quand un monstre me retenait prisonnière ?

Aucune pitié ne transparut sur le visage dur du vampire.

—Tu es libre maintenant, non ? Sois-en reconnaissante.

—Je n'ai pas envie d'être reconnaissante et je veux encore moins que ma soi-disant sœur prétende qu'elle s'inquiète pour moi au bout de toutes ces années. Dis-lui de prendre sa sollicitude et de se la foutre au…

Il baissa la tête et s'empara des lèvres de la jeune femme en un baiser brutal, exigeant, et terriblement déplacé.

Regan s'était préparée à recevoir un coup, comme d'habitude. Même à ce qu'il la morde au cou avec sauvagerie. Elle ne s'attendait pas à sentir des lèvres froides et habiles lui ouvrir la bouche, pas plus qu'à subir la pression étrangement érotique de canines.

La chaleur perfide dans son bas-ventre fit un retour en force et se répandit dans tous ses membres, la faisant frissonner à la promesse d'irrésistibles plaisirs.

Il avait le goût du cognac et de la tentation, son corps ferme collé à ses parties les plus intimes. Elle avait envie de lui arracher son tee-shirt noir qui semblait peint à la bombe sur son torse large et musclé, pour s'y frotter.

Elle avait envie…

Mon Dieu, elle avait juste envie.

Elle gémit en laissant sa langue s'introduire entre ses lèvres, et elle la suça doucement tout en soulevant instinctivement les hanches vers lui. Jamais au cours de sa vie la main d'un homme ne l'avait touchée. Sauf pour lui assener une correction. À présent son corps changeait, se métamorphosait au fur et à mesure que le baiser du vampire se faisait plus appuyé.

Jagr sentit les lèvres de Regan devenir plus douces, ses tétons durcir jusqu'à n'être plus que des pointes, suppliant presque qu'on les caresse, et elle écarta les doigts pour couvrir de ses mains les muscles ciselés de son torse.

Alors, aussi promptement qu'il l'avait embrassée, il mit fin à leur étreinte pour la dévisager avec une méfiance étrange. Comme si la réaction de la jeune femme le surprenait autant qu'elle.

Gênée, Regan le frappa à la poitrine. *Le salaud.* Elle venait de se ridiculiser et c'était entièrement sa faute à lui.

— Bon sang, qu'est-ce que tu fous ?

Il resta impassible.

— Darcy est ma reine. Tu n'es pas autorisée à l'insulter sans conséquences.

— Le viol fait partie de ces conséquences ?

— C'était un baiser, rien de plus, ainsi que l'unique moyen de mettre un terme à tes jérémiades puériles sans te faire de bleus.

— Espèce de salaud. (« Paf, paf, paf. ») J'ai parfaitement le droit de me plaindre, après ce que j'ai enduré. Tu n'imagines pas…

— Tu n'es pas bête au point de croire être la seule à avoir jamais souffert, l'interrompit-il d'une voix aux intonations glaciales. C'est du passé. Vis ta vie, maintenant.

Elle serra les dents. *Putain de salopard sans cœur.* Non seulement il l'avait allumée alors qu'il restait de marbre, mais il rejetait à présent ses années de tortures comme si elle n'était qu'une gamine boudeuse.

— J'adorerais vivre ma vie, mais c'est un peu compliqué avec un putain de monsieur Muscles qui m'écrase. Dégage.

Il plissa les yeux.

—Que sais-tu des vampires?

—Que vous êtes des salopards malfaisants, insensibles et nombrilistes.

—Nous sommes aussi plus forts, plus rapides et bien plus redoutables que les garous.

—Où tu veux en venir?

—Je vais te relâcher, mais sache que, si tu ne te tiens pas tranquille je n'hésiterai pas à te bâillonner et à t'attacher au lit.

Elle ne doutait pas qu'il mette sa menace à exécution. Pas même une seconde. Bien sûr, vu la vie qu'elle avait menée, être ligotée ne montait pas très haut sur l'échelle de la terreur.

—Charmant.

—Compris?

—Je comprends qu'un jour je te foutrai un pieu dans le cul.

Il haussa les sourcils.

—C'est pas ça qui me tuera.

—Non, mais ce sera super marrant.

L'ombre d'un sourire apparut sur les lèvres de l'homme avant de disparaître brusquement.

—Pas autant que de te voir essayer.

—Connard.

Il la dévisagea durant un long moment de silence, un peu comme s'il cherchait la jeune femme terrorisée qui se cachait derrière ce mur d'agressivité.

Ce qui était terriblement troublant.

—Tu seras sage? demanda-t-il finalement.

Elle soupira, consciente que cet homme exaspérant demeurerait étendu sur elle tant qu'elle n'aurait pas accepté. Et il fallait vraiment que ça cesse.

Peut-être qu'en esprit elle imaginait la meilleure façon de botter le cul d'un certain vampire, mais elle ne s'en délectait pas moins de le sentir sur elle.

— D'accord, lève-toi, marmonna-t-elle.

D'un seul mouvement fluide, le démon était debout et la dominait de toute sa hauteur. Elle disposa d'un bref instant pour admirer le jean délavé qui moulait ses jambes puissantes et les bottes de moto qui couvraient ses pieds taille basketteur avant qu'il se baisse pour la prendre par la main et la relever d'un coup sec.

Le souffle coupé par la décharge électrique qui lui remonta brusquement le long du bras, Regan lui arracha sa main et recula. Elle se fichait que ce soit un signe de faiblesse. Elle avait besoin d'espace.

Et peut-être d'un pieu en bois.

— Comment m'as-tu trouvée ? demanda-t-elle.

Il croisa les bras ; debout, il semblait d'une beauté encore plus dangereuse.

— Ça n'a pas été compliqué. (Sa voix basse et envoûtante emplit la chambre.) Une fois à Saint-Louis, je me suis contenté de suivre la piste du sidhe en me doutant que tu ne serais pas loin.

— Et qu'est-ce qui t'a fait croire ça ?

Il plongea son regard bleu glacier dans le sien.

— Comme je te l'ai expliqué, tu n'es pas la seule à avoir expérimenté la souffrance. Et je sais que, lorsqu'un démon qui a été retenu prisonnier est délivré, même un tout petit, il ne pense qu'à se venger. Tu veux la mort du sidhe.

Elle releva le menton. Qu'est-ce que ce vampire connaissait à la souffrance ? Il se trouvait tout en haut de la chaîne alimentaire.

— Si tu es si malin, alors tu as conscience que je n'ai pas l'intention de permettre à Culligan de s'échapper. Tu peux rentrer à Chicago et dire à ma sœur merci, mais… non merci.

— Rien ne me ferait plus plaisir que de retourner dans mon repaire en te laissant à tes affaires. Malheureusement, ce n'est pas une possibilité.

— Oh que si. Tu n'as qu'à franchir la porte.

— On m'a ordonné de t'amener à Chicago, ce qui signifie que je n'ai pas le droit de partir sans toi. À moins d'être prêt à affronter le courroux de mon roi. Ce qui…

De son regard, il traça un chemin brûlant sur le corps tendu de la jeune femme, puis il observa durant un instant terrifiant le pouls qui palpitait à la base de sa gorge, avant de la regarder dans les yeux.

— … n'est pas le cas.

Génial. Son preux chevalier sur son fier destrier ne s'était pas seulement pointé trente ans trop tard, mais il n'était venu que sous la menace de quelque horrible châtiment.

De quoi rendre une femme toute chose.

Eh bien, pas vraiment.

— Alors nous avons un gros problème, satané monsieur Muscles, parce que je ne te suivrai pas.

— Jagr.

— Quoi ?

— Je m'appelle Jagr.

— Mais bien sûr, marmonna-t-elle.

Ce nom était tout aussi dur, dangereux et beau que lui.

— Je pourrais t'obliger à m'accompagner.

— Faudra me passer sur le corps.

Un sourire fugace lui effleura les lèvres.

— Ne me tente pas.

Regan frappa du pied, à bout de patience.

— Bon sang, tu veux bien t'en aller ?

— Non.

— Bon.

D'un air décidé, elle traversa la minuscule pièce à la décoration datant des années 1970, au mobilier bon marché et aux murs agrémentés d'impressions de fleurs fanées. Parvenue devant la porte de la salle de bains attenante, elle l'ouvrit brusquement.

— Qu'est-ce que tu fais ?

Elle tourna la tête pour foudroyer l'intrus d'un regard noir empreint de frustration.

— Tu as réussi à transformer une journée vraiment pourrie en un chef-d'œuvre de misère ; alors, soit tu me ligotes pour me traîner à Chicago, soit je prends une douche chaude.

Jagr se tint parfaitement immobile tandis que Regan entrait dans la salle de bains et claquait la porte.

Pour la première fois depuis des siècles, il se sentait… tiraillé.

La raison froide – le seul moyen de contenir sa fureur meurtrière – lui conseillait de jeter la garou sur son épaule et de l'emmener à Chicago. Non seulement c'était ce qu'on lui avait ordonné, mais plus vite il en aurait terminé avec cette mission ridicule, plus vite il pourrait retourner à son existence paisible.

Mais une autre partie de lui-même, une partie qui ne s'était pas manifestée depuis des années et qu'il avait crue disparue avec soulagement, hésitait à recourir à une mesure si radicale.

Ce n'était qu'une question de bon sens, s'empressa-t-il d'avancer pour excuser son étrange réticence. À quoi bon la traîner à Chicago alors qu'elle s'enfuirait forcément à la première occasion ?

Les dieux savaient qu'il n'avait aucune chance que Styx choisisse quelqu'un d'autre pour la traquer.

Parfaitement raisonnable. Malheureusement, Jagr était trop intelligent pour nier totalement le chaos que cette belle femme provoquait en lui.

Il préférait que sa vie, ses combats et sa sexualité demeurent sans complications.

Regan était tout sauf « sans complications ».

Elle était un tourbillon inextricable de rage, d'agressivité, de vulnérabilité, d'ironie et de sensualité bridée.

Une sensualité qui éveillait en lui un désir qu'il entendait à présent hurler dans tout son corps avec une force brutale.

Il la voulait. Et il était absolument hors de question qu'il la livre à Styx avant d'avoir goûté à ses délices.

Plus d'une fois.

Jagr, qui comptait jusqu'à cent, ne fut pas pris au dépourvu lorsque Regan entrebâilla la porte et jeta un coup d'œil furtif dans la chambre. Il n'avait pas cru une seconde qu'elle avait réellement l'intention de se dévêtir pour se doucher alors qu'un redoutable prédateur se tenait à quelques mètres de là. Elle était furieuse, pas idiote.

Repoussant le battant d'un coup sec, elle le foudroya d'un regard où brillait une colère impuissante.

— Bon Dieu, tu es encore là ?

Il la dévisagea sans un mot. Il s'était aperçu au cours des siècles qu'il en fallait rarement plus pour déconcerter un adversaire. L'espace d'un fol instant elle tenta de soutenir son regard, puis elle lâcha un juron étouffé et s'avança d'un pas décidé pour se poster juste devant lui.

— Qu'est-ce qui va bien pouvoir me débarrasser de toi ? De l'argent ? Du sang ? Du sexe ?

Il baissa les yeux sur ses petits seins aux rondeurs parfaites.

— Qu'est-ce que tu offres ?

Elle recula précipitamment.

— Rien de ce que j'ai cité.

— Dommage. (Il releva les yeux.) Dans ce cas il semble que je vais rester. Parle-moi du sidhe.

— Quoi ?

— J'ai dit : parle-moi du sidhe !

Elle plissa les yeux en l'entendant détacher ainsi les syllabes.

— Pourquoi ?

— De toute évidence, tu ne partiras pas tant qu'il ne sera pas mort. J'ai donc l'intention de mettre un terme à cette farce pour pouvoir retrouver le calme de mon repaire.

— Non. (Elle mit les poings sur ses hanches.) Personne d'autre que moi ne tuera Culligan.

Il arqua les sourcils.

— Tu crois qu'il va entrer tranquillement dans ta chambre d'hôtel pour que tu puisses le battre à mort avec un oreiller ?

— Je compte lui arracher la gorge de mes mains.

— Qu'est-ce que tu attends ?

Elle pinça les lèvres.

— J'ai perdu la piste de ce salopard aux abords de Hannibal.

Un ange passa, puis elle s'avança soudain pour l'empoigner par le bras.

— Une minute. Tu as dit que tu avais traqué Culligan pour remonter jusqu'à moi. Où est-il ?

L'expression de Jagr ne changea pas, mais il sentit tout son corps se tendre et une chaleur torride l'enflammer au contact de Regan.

Ce n'était pas la première femme qu'il désirait. Loin de là. Mais il n'avait jamais éprouvé un désir d'une violence si implacable, brutale, primitive.

— Alors maintenant tu veux que je t'aide ? demanda-t-il d'une voix plus froide et maîtrisée que jamais.

C'était cette aptitude à dissimuler ses émotions qui lui avait permis de survivre à des siècles de tortures.

— Si tu me conduis à Culligan.

Elle resserra les doigts sur son bras ; elle possédait toute la force d'une sang-pur.

— Tu sais où il se cache, oui ou non ?

— Non.

— Mais…

— Comme toi, j'ai perdu sa piste aux abords de la ville. C'est à partir de là que j'ai suivi ton odeur.

— Bon sang.

Elle laissa retomber sa main et recula. Jagr réprima un grognement, déçu.

— Comment sa piste a-t-elle pu se volatiliser ? reprit-elle.

— La plupart des sidhes sont capables de créer des portails pour se déplacer sur de longues distances.

— Pas Culligan. (Elle esquissa un rictus satisfait.) C'est un petit tyran faible et pitoyable à peine fichu de jeter un sort.

Jagr haussa les épaules.

— Dans ce cas, il est peut-être mort, même s'il est bien plus probable qu'on l'ait aidé à masquer sa présence.

Il observa la frustration s'installer sur les traits délicats de Regan. Son visage n'était pas une réplique exacte de celui de Darcy. L'émeraude de ses yeux était plus sombre, ses sourcils plus dorés que blonds et son expression durcie par des années de maltraitance. Mais dans l'ensemble, elle partageait la beauté fragile et déchirante de sa sœur.

Elle était si frêle que même un reclus aux nombreuses cicatrices aurait envie de la jeter sur son épaule pour l'emmener dans un endroit sûr.

Inconsciente des pensées terrifiantes du vampire, Regan fronça les sourcils.

— Comment s'y serait-il pris ? Une sorcière ?

— Elle en aurait le pouvoir. Mais, évidemment, c'est aussi le cas d'un grand nombre de démons.

— Génial. (L'agacement brilla dans son regard vert.) C'est fou comme tu m'es utile. Ravie que tu te sois pointé.

— C'est parce que j'ai perdu la piste du sidhe que je t'ai demandé de me parler de lui. Je dois en savoir plus sur lui pour décider du meilleur moyen de l'attirer hors de sa cachette.

Il arqua les sourcils quand elle le dévisagea d'un air têtu.

— Regan ?

— Je ne veux pas de ton aide.

Il plissa les yeux, conscient qu'il devait réagir vite. Son désir de vengeance aveuglait tant cette femme qu'elle n'avait plus les idées claires. S'il ne souhaitait pas qu'elle finisse de nouveau entre les mains de Culligan, ou morte, il devrait s'arranger pour la distraire pendant qu'il réfléchissait à la meilleure façon de forcer le sidhe à se montrer.

— Et je ne veux pas me retrouver obligé de jouer les nounous d'une garou miniature encore moins sympathique que moi. (Sa voix était véritablement glaçante.)

Malheureusement on va devoir se supporter jusqu'à ce que je te remette à Darcy ; libre à toi alors de faire de sa vie un enfer.

Elle tremblait de fureur.

— Miniature ?

— Je crois que c'est le terme utilisé de nos jours pour décrire un objet plus petit que la normale.

— Pourquoi, espèce de fils de…

Des coups de feu interrompirent sa diatribe pleine de colère. Jagr s'attendait si peu à ces détonations que les projectiles brisèrent les vitres avant qu'il ait pu s'élancer et jeter Regan à terre. Il serra les dents de douleur, les pensées obscurcies par la rage.

Il avait protégé la garou, mais trois balles s'étaient logées dans son dos et la quatrième lui avait ouvert une vilaine entaille dans le bras.

Pas des blessures mortelles, mais elles le laissaient trop faible pour affronter ceux qui les attaquaient.

Merde.

S'il survivait, Styx le tuerait.

CHAPITRE 2

C hoquée par cette attaque soudaine, sans parler du vampire de près d'un mètre quatre-vingt-dix qui lui avait atterri dessus, Regan lutta pour chasser le brouillard qui lui embrumait l'esprit.

Nom de… ?

Elle avait bien compris qu'on avait tiré par la fenêtre. Et que Jagr lui avait très vraisemblablement épargné une vilaine blessure.

Ce qu'elle ignorait, c'était pourquoi.

Il ne pouvait s'agir de Culligan. Les rares fois où le sidhe avait tenté de se servir d'un pistolet, il aurait été incapable d'atteindre un éléphant dans un corridor. En plus, s'il était venu la chercher, il aurait apporté un lance-roquettes. Ce fils de pute savait qu'il ne disposait que d'une chance, et pas une de plus, de la tuer avant qu'elle lui tranche la gorge.

Le grognement du vampire arracha brusquement Regan à ses pensées ineptes et elle s'extirpa de sous son corps massif. Il était trop faible pour protester, étendu à plat ventre sur la moquette, offrant au regard les plaies profondes d'où coulait en ce moment même une quantité effrayante de sang.

Une pointe de terreur la transperça.

Jagr avait beau l'emmerder, il venait de recevoir plusieurs balles dans le dos à cause d'elle. Elle ne voulait pas avoir ce poids sur la conscience.

Sans compter que celui qui leur tirait dessus se trouvait probablement encore dehors. Ou montait vers la chambre pour les achever.

Elle ne pouvait pas juste s'enfuir en le laissant se faire assassiner alors qu'il était blessé. Il fallait donc qu'il guérisse, et vite.

Tandis qu'elle s'efforçait de se souvenir du peu qu'elle savait des vampires, elle se figea au bruit de pas qui approchaient et son cœur s'arrêta quand la porte s'ouvrit brusquement.

Prête à se battre, la jeune femme fut prise au dépourvu par l'étrange créature qui entra en se dandinant. La chose avait les traits grotesques d'une gargouille : une peau grise et épaisse, des yeux reptiliens, des cornes et des pieds fourchus. Une longue queue traînait même derrière elle. Mais même si Regan n'avait jamais vu de gargouille, elle avait toujours supposé qu'elles mesuraient plus d'un mètre et avaient des ailes en cuir, pas de délicats morceaux de gaze bien trop jolis pour un impitoyable monstre.

Néanmoins, inutile d'être un démon cracheur de feu de trois mètres de haut pour appuyer sur la détente. Cette créature minuscule pouvait parfaitement être celle qui leur avait tiré dessus.

—Va-t'en, lui lança Regan d'une voix rauque.

Instinctivement, elle se traîna entre l'intrus et Jagr.

Sans tenir compte de son ordre, la… chose s'avança pour inspecter le vampire blessé puis, pour couronner le tout, parla avec un mélodieux accent français.

— Que s'est-il passé, *mon ami**?

Jagr grogna.

— Satané Styx. Si je m'en sors vivant, il me le paiera.

Quelque peu rassurée de constater que ces deux-là semblaient se connaître, Regan transperça l'étranger d'un regard sévère.

— Qui tu es, toi?

— Un chef-d'œuvre de misère, grommela Jagr en reprenant l'expression que la jeune femme avait employée pour désigner la journée qui venait de s'écouler.

Sidérée, Regan regarda la créature tirer la langue et souffler au nez du vampire qui pouvait l'écraser en un tour de main.

— Je suis le démon qui s'apprête à sauver ta peau et celle de ton ami goth, annonça cette dernière pompeusement. Reste allongé et continue à saigner, Jagr, pendant que je fais mon petit tour de magie.

Jagr ouvrit soudain les yeux sous le coup d'une terreur sincère et tendit faiblement la main pour empoigner la créature. La petite bête fut trop rapide et, battant l'air de la queue, elle se précipita pour grimper sur le rebord de la fenêtre, ses minuscules bras écartés.

— Non!

Jagr gémit puis enlaça subitement la taille de Regan qui se retrouva brusquement attirée au sol près de lui.

— Ne te relève pas, commanda-t-il.

— Quoi? (Regan décocha un regard furieux au vampire.) Bon sang. Jagr, tu es blessé…

_____

* Tous les mots en italique suivis d'un astérisque sont en français dans le texte original. (*NdT*)

41

De nouveau, son sermon fut interrompu par un jet de lumière éclatante qui emplit la pièce, suivi de près par une explosion assourdissante.

— Bon Dieu, souffla-t-elle en se demandant si l'armée de l'air avait décidé que Hannibal devait être bombardée. Qu'est-ce que c'était que ça ?

Elle entendit un léger bruit de pas pressés et la créature grise revint se planter à côté d'eux.

— C'était le bruit du salut, *ma petite**, lui assura la gargouille en se penchant au-dessus de Jagr. Quels sont les dégâts, vampire ?

Jagr empoigna la bête par le bras.

— Tu les as tués ?

— Ils sont très certainement grillés, si ce n'est morts. Ils vont nous laisser tranquilles un moment.

Le soulagement détendit les traits du vampire.

— Tu les as vus ?

La créature battit des ailes.

— Non, mais j'ai senti leur odeur. Pouah !

— Et alors ?

— Des bâtards.

Il fronça les sourcils.

— Pas des sang-pur ?

— Tu as perdu la tête en même temps que ton sang, *mon ami** ? Je suis une gargouille aux dons exquis. Je sais faire la différence entre un bâtard et un sang-pur.

— Pourquoi des bâtards nous tireraient-ils dessus ? grommela Jagr.

— Tu devrais plutôt te demander qui ne souhaiterait pas te descendre.

Regan entendit à peine cet échange de propos caustiques alors qu'elle dévisageait l'étranger d'un air incrédule.

42

—Tu es vraiment une… gargouille ?

La créature exécuta une petite révérence en agitant les ailes, créant un éblouissant arc-en-ciel rouge, bleu et or.

—Levet, à ton service, ma beauté. Ta sœur m'envoie pour t'escorter jusqu'à Chicago.

Regan s'assit tant bien que mal.

—Nom de Dieu, elle n'a tout de même pas envoyé tous les habitants de cette ville ?

Levet haussa les épaules.

—Elle se fait du souci pour toi.

Avant que la jeune femme ait pu répondre, Jagr feula d'impatience.

—Nous pourrons parler de Darcy et de son sens de l'humour déplorable plus tard. Pour l'heure nous devons quitter cet hôtel avant que les humains appellent la police.

Levet ricana.

—Même si je serais très heureux de signer ton arrêt de mort, Jagr, il existe une toute petite chance de rien du tout que ton aide puisse m'être utile pour garder Regan en sécurité. Tu ne peux pas te déplacer dans cet état.

—Du sang…, souffla Jagr.

Levet leva les mains et recula précipitamment.

—Désolé, rupture de stock.

Jagr ferma les yeux, comme s'il était sur le point de s'évanouir.

—L'hôpital… la banque du sang…, murmura-t-il faiblement.

Regan serra les dents. *Bon Dieu*. Jagr avait raison au sujet de la police. La dernière chose dont ils avaient besoin dans l'immédiat, c'était une nouvelle fusillade.

—Oublie ça, on n'a pas le temps.

Elle poussa un soupir exaspéré et mit son poignet contre la bouche de Jagr. Elle détestait le reconnaître, mais elle lui était redevable.

— Tiens.

Il ouvrit les yeux, dévoilant ses superbes prunelles bleu glacier

— Dépêche-toi avant que je décide de te planter là et de laisser les flics te traîner à la morgue.

— Euh…

La gargouille se précipita vers la porte en battant des ailes.

— Je vais faire le guet et m'assurer qu'on ne te dérange pas pendant ton repas.

— Regan, tu es sûre ? demanda Jagr d'une voix plus rauque où transparaissait un étrange accent.

Sûre ? Nom de Dieu, non. Elle n'avait pas la moindre idée de ce qui se passerait. Enfin, à part la douleur causée par ces gros crocs lui perçant la peau.

Heureusement, elle n'était pas lâche, et si Jagr avait besoin de sang pour se remettre sur pied, alors, nom d'un chien, il allait en recevoir.

— Il te faut une invitation écrite ? railla-t-elle.

Elle ne fut pas surprise du tout quand il ouvrit grand la bouche et que ses canines s'enfoncèrent en douceur dans son poignet. Jagr n'était pas le genre de vampire à refuser un défi. Malheureusement, elle avait négligé un petit détail.

Elle s'était préparée à souffrir. Et même à lui arracher son bras de force s'il perdait la tête et tentait de prendre plus qu'elle n'était disposée à lui offrir.

En revanche, elle ne s'attendait pas à être envahie par une sensation, non pas de douleur, mais d'intense et implacable plaisir.

— Oh…

Elle ferma irrésistiblement les yeux lorsqu'elle le sentit boire son sang, chaque profonde succion accentuant la volupté qui s'était installée dans le bas de son ventre.

— Merde…

Elle se mit à trembler, brûlant d'une excitation semblable à celle qui l'avait enflammée lorsqu'il l'avait embrassée. Sauf que cette fois c'était plus puissant, plus impérieux, plus… explosif. Sa main libre retomba à plat par terre quand elle se pencha en avant, manquant de peu de s'écrouler sur le corps allongé de Jagr. Elle se noyait, perdue dans ce désir ténébreux, enivrant.

Dans un recoin éloigné de son esprit, elle entendit le gémissement satisfait de Jagr, à moins qu'il ne s'agisse d'extase. En cet instant, cela lui importait peu. Elle était entièrement absorbée par la tension grandissante et délicieuse qui l'entraînait avec une force renversante.

Il buvait encore et encore, et c'était si bon que c'en était presque douloureux. *Dieu tout-puissant.* Elle ne pouvait en supporter davantage. Il devait exister quelque chose… quelque chose…

Et soudain, elle atteignit l'orgasme avec une telle violence qu'elle en hurla presque.

Elle bascula en avant et son visage retomba sur le torse musclé de Jagr. Elle tremblait encore de tout son corps mais cela ne l'empêcha pas de sentir le parfum puissant de sa virilité.

Emportée dans une vague de douce torpeur, Regan s'efforça de recouvrer la maîtrise d'elle-même. *Nom de Dieu!* Elle inspira profondément. Puis releva péniblement la tête et s'obligea à ouvrir les yeux.

Pour rencontrer le regard bleu glacier du vampire.

— Bordel, lâcha-t-elle d'une voix rauque, son pouls battant toujours à ses oreilles.

D'un geste délibéré, il lécha délicatement les deux gouttelettes de sang sur son poignet avant de la laisser arracher son bras.

— Tu n'avais jamais été mordue par un vampire ?

Encore trop faible pour tenir debout, Regan se contenta de reculer à genoux et frotta son poignet déjà cicatrisé contre son jean, comme si elle pouvait effacer le souvenir de la volupté qu'elle avait goûtée.

Aucune chance.

Elle savait sans l'ombre d'un doute que ces sensations resteraient marquées au fer rouge dans son esprit pour l'éternité.

— Non, marmonna-t-elle. Culligan tenait à être le seul à me torturer.

Il demeura étendu sur la moquette, impassible.

— Tu attends des excuses ?

— Tu es désolé ?

— Pas le moins du monde. Ton sang est bien plus riche que celui d'un humain et, mieux encore… (il balaya du regard le corps tendu de la jeune femme), je connais maintenant les petits cris que tu pousses quand…

— Ferme-la avant que je fasse en sorte que tu aies besoin d'une nouvelle transfusion.

Le hurlement lointain des sirènes brisa la tension pesante qui emplissait la pièce. En un clin d'œil, Jagr était debout et se baissait pour la relever d'un geste plein d'aisance.

— La police. Nous devons partir d'ici.

Abasourdie par le rétablissement rapide du vampire, Regan se laissa tirer vers la fenêtre cassée.

— Tu peux sauter de cette hauteur ? demanda-t-il.

Elle le foudroya du regard pour la stupidité de sa question puis, prenant soin d'éviter les tessons de verre toujours accrochés au châssis, elle se hissa par l'ouverture et bondit sur le trottoir.

Après s'être glissée dans l'obscurité de la ruelle, elle huma l'air pour s'assurer qu'elle ne courait aucun risque immédiat.

Elle perçut la puanteur familière des ordures qui se dégageait des poubelles toutes proches, l'odeur des humains qui s'éveillaient et se préparaient à prendre leurs postes du petit matin et les relents caractéristiques de la chair brûlée et du sang.

Une partie d'elle-même la poussait à traverser la chaussée pour vérifier qu'aucun des bâtards n'avait survécu. Elle devait savoir pourquoi ils les avaient attaqués. Et s'ils étaient liés à Culligan.

Une autre partie, cependant, comprenait que les heures passées à chercher le sidhe, sans parler de son récent don de sang, l'avaient trop affaiblie pour qu'elle puisse affronter seule ses ennemis. Surtout quand ils étaient armés.

Même un bâtard pouvait la descendre d'une balle, à condition que celle-ci soit en argent.

Alors qu'elle maudissait son impuissance actuelle, Regan sursauta lorsque Jagr apparut soudain près d'elle. Un instant il n'était pas là, et le suivant, si. Pas de bruit, de déplacement d'air ni même d'effluve de son parfum.

Troublant.

Et exaspérant.

Et… tout un tas d'autres sentiments qui la faisaient bouillir intérieurement.

— Qu'est-ce qui t'a retenu tout ce temps ? cracha-t-elle.

Il jeta un lourd sac de cuir sur son épaule, indifférent à l'humeur massacrante de Regan.

— Allons-y.

Sans attendre son accord, il l'empoigna par le bras et la ramena dans la rue pour se diriger vers l'est. La louve en elle gronda en se voyant ainsi malmenée, mais la jeune femme réprima l'instinct qui la poussait à mordre.

Non seulement elle était suffisamment intelligente pour savoir qu'elle aurait besoin de ce vampire pour combattre d'éventuels agresseurs tant qu'elle n'aurait pas recouvré ses forces, mais elle redoutait – et espérait, ce qui était terrifiant – qu'il la morde encore.

Ils avaient à peine atteint le bout du pâté de maisons lorsqu'ils entendirent un battement d'ailes et la minuscule gargouille se posa juste devant eux. Regan s'arrêta, étonnée de constater qu'elle était contente de retrouver ce curieux personnage. Levet était... attachant à sa manière.

— Hé, vous pensiez me narguer ? demanda-t-il, manifestement froissé.

— Te narguer ? répéta Regan, perplexe.

— Je crois qu'il veut dire « larguer », expliqua Jagr en transperçant Levet d'un regard froid. Tu te trompes, gargouille, si tu t'imagines pouvoir jouer avec moi comme tu le fais avec Styx ou Viper. Je ne crains pas les châtiments que pourrait m'infliger l'Anasso si je décidais de mettre un terme à ta vie.

Loin de se laisser intimider par cet avertissement glacial, Levet gonfla le torse et réussit à prendre une apparence presque digne lorsqu'il rencontra le regard effrayant de Jagr.

— Tu as besoin de moi, que ça te plaise ou non, vampire. Tu te souviens peut-être que c'est moi qui vous ai débarrassés de ces bâtards ? (Il s'éclaircit la voix quand Jagr le dévisagea, muré dans ce silence perturbant.) Je peux vous conduire à une grotte. Je peux protéger Regan. Je pratique la magie…

—Assez.

D'un ton sec, Jagr mit brusquement fin à cette litanie de qualités.

—Je vais le regretter, ajouta-t-il.

—Regretter quoi ? s'enquit Regan avec méfiance.

Jagr ne quitta pas Levet des yeux.

—Attends ici avec Regan. Je reviens.

La gargouille se mit au garde-à-vous.

—Oui, chef, M. Terminator, chef.

—Levet, souffla Jagr.

—*Oui*[*] ?

—Moque-toi encore et je t'arrache les ailes pour te les fourrer au fond de la gorge.

—Tu as des problèmes de gestion de la colère, tu en as bien conscience, vampire ?

—Arrange-toi pour qu'il ne lui arrive rien.

Sur ce, Jagr se retourna et se fondit dans les ténèbres.

Regan s'appuya à la façade de briques d'un magasin d'antiquités, trop lasse pour s'offusquer du départ mystérieux de Jagr, ou même d'être ainsi fourguée comme une voiture d'occasion. Dès qu'elle aurait recouvré ses forces, elle se débarrasserait de ses gardiens importuns. Jusque-là…

Eh bien, elle avait enduré pire.

Pire puissance mille.

Elle sentit ses yeux se fermer irrésistiblement tandis qu'elle se reposait contre le mur, se fiant à son odorat particulièrement fin pour l'avertir du moindre danger. Cinq minutes s'écoulèrent, puis cinq de plus. Finalement Levet, manifestement doué de la capacité d'attention d'un moucheron, ne put plus supporter le silence.

—Alors comme ça... tu es la sœur de Darcy, murmura-t-il. La ressemblance est remarquable.

Regan ouvrit les yeux, et ne tint pas compte de la colère virulente qui lui gonfla le cœur à l'évocation de sa sœur. Des problèmes avec la famille ? *Bah.* Pas elle.

—Je croyais que les gargouilles étaient plus grandes ? répliqua-t-elle, plus pour changer de sujet que pour le blesser.

Levet remua la queue.

—Je suis peut-être une personne de petite taille mais je t'assure que je suis un guerrier extrêmement respecté parmi les vampires. En effet, j'incarne une sorte de preux chevalier sur son fier destrier. J'ai perdu le fil du nombre de demoiselles en détresse que j'ai sauvées d'une mort imminente et du démembrement. C'est bien évidemment pour cette raison qu'on m'a envoyé à ton secours.

Malgré elle, un sourire se dessina sur ses lèvres. Il ressemblait plus à un ornement de jardin qu'à un preux chevalier.

—Pourquoi aides-tu les vampires ?

—C'est une façon de passer le temps en attendant d'obtenir le poste de mes rêves.

—Le poste de tes rêves ?

—Eh bien, j'ai renoncé à animer *La Roue de la fortune* quand Darcy m'a fait remarquer que je n'étais pas assez grand pour atteindre les lettres de l'énigme, et du coup j'ai décidé de me rabattre sur *À prendre ou à laisser*. Ça serait vraiment un chouette boulot.

Regan réprima un rire. Culligan était accro au petit écran, qui restait allumé presque en permanence lorsqu'il se trouvait dans le camping-car. Non que Regan s'en soit jamais plainte. Elle avait ainsi pu découvrir le monde qui existait au-delà des barreaux d'argent de sa cage.

—Le présentateur sait qu'il va se retrouver sans emploi ? demanda-t-elle en chassant ces souvenirs cruels.

—Je préfère me montrer discret à ce sujet pour l'instant. Inutile qu'il pète les plombs à la Britney Spears tant qu'on ne m'a pas effectivement proposé le poste.

Cette fois, Regan ne put s'empêcher de rire.

—C'est très gentil.

—C'est tout moi, un cœur en or. À la fois une bénédiction… (pause théâtrale) et une malédiction.

—Oui, j'imagine.

Un silence s'installa, rompu uniquement par le chant des grillons et le coassement des grenouilles dans le lointain. Un silence agréable. Si agréable que Regan prit conscience avec stupéfaction qu'elle appréciait la compagnie de la gargouille. En fait…

Non. Elle chassa aussitôt ces pensées perfides. Elle ne voulait ni n'avait besoin d'un ami. Pas de Levet, qui la faisait rire, et encore moins de Jagr, qui à un moment l'excédait et à un autre causait des ravages sensuels en elle d'une simple morsure.

Malgré elle, la jeune femme scruta les ténèbres, cherchant à l'aide de ses sens un signe du vampire porté disparu. Elle se dit qu'elle s'en fichait que Jagr soit parti et se soit fait tuer. Un vampire de moins sur la terre ne pouvait pas faire de mal. Sa seule préoccupation était… était… de trouver un endroit où dormir avant que les humains commencent à envahir les rues.

Ouais.

C'était ça.

Absolument.

— Tu peux lui faire confiance, tu sais.

La voix mélodieuse de Levet interrompit ses sinistres ruminations. Quand elle se tourna, il la dévisagea d'un air entendu.

— Quoi ?

— Jagr. (Une grimace déforma son minuscule visage.) Je ne porte peut-être pas cette brute sans pitié dans mon cœur, mais c'est un guerrier redoutable qui s'est engagé à t'amener saine et sauve à Chicago. Il serait prêt à mourir pour qu'il ne t'arrive rien.

La gargouille la prenait à rebrousse-poil.

— Je n'ai demandé l'aide de personne.

Levet ricana.

— Comme si ça avait jamais arrêté ces petits arrogants.

— Tu fais allusion à Darcy ?

— *Sacrebleu*[*], non. (Levet fut choqué à cette seule suggestion.) Je faisais référence aux vampires. Darcy possède l'âme la plus douce, la plus belle que j'aie jamais rencontrée. Absolument tout le monde l'adore.

Regan ne prêta pas attention à la pointe de jalousie qui lui piqua le cœur.

— L'âme la plus douce ? Comment pouvons-nous bien sortir du même ventre ?

Levet haussa les épaules.

— La vie t'a donné une carapace plus dure, mais ton âme est tout aussi pure. Ce qui explique certainement pourquoi M. Froid-comme-la-glace est autant à cran. Sans compter, bien sûr, que tu es chaude comme l'enfer.

Regan s'étrangla à ces paroles ridicules.

— Tu es...

— *Oui*[*] ?

— Très particulier.

Le démon battit des ailes.

— Eh bien, c'est joli de dire ça à la gargouille qui t'a sauvé la vie.

Regan haussa les épaules.

— Je suis particulière moi aussi. Ce n'est pas si mal.

— Ouais, enfin tu ne qualifierais jamais Brad Pitt ou docteur Mamour de «particuliers».

— Tom Cruise.

Levet réfléchit, puis hocha la tête.

— Bien vu.

— Tu ne devais pas nous conduire à des grottes, gargouille? s'enquit une voix masculine glaciale, révélant la présence de Jagr qui avait surgi des ténèbres sans un bruit.

La gargouille glapit et se frappa la poitrine.

— Nom de Dieu! J'ai failli avoir une crise cardiaque, et pas pour de bonnes raisons.

Jagr plissa les yeux.

— Les grottes.

— Et moi qui trouvais que Styx était un ours.

Avec un mouvement de la queue, Levet se retourna et descendit la rue en se dandinant, manifestement de mauvaise humeur.

— Par ici.

Regan se dépêcha de suivre le petit démon. La dernière chose qu'elle voulait, c'était rester seule avec le vampire à la mine sévère.

Enfin, ce n'était pas tout à fait vrai.

La toute dernière chose qu'elle voulait, c'était qu'il perçoive les battements rapides de son cœur et le maudit désir qui lui colorait les joues.

Qu'est-ce qui ne tournait pas rond chez elle?

D'accord, sa morsure ne l'avait pas laissée de marbre. Pas plus que – même si elle détestait le reconnaître – son baiser.

Jagr était un vampire. Tout le monde savait que ces derniers se servaient de leur magnétisme sexuel pour séduire leurs proies. Et que même les démons les plus puissants y étaient sensibles. Ce qui aurait été surprenant, c'était qu'elle ne le soit pas.

Alors pourquoi se comportait-elle comme une maudite ado amoureuse de son professeur ?

Pitoyable.

Lorsqu'elle sentit que Jagr marchait à ses côtés, Regan se secoua mentalement et redressa les épaules. Il était temps de faire preuve de la maturité d'une sang-pur.

Quoi que ça puisse bien vouloir dire.

— Où es-tu allé ? demanda-t-elle.

Il la transperça de son regard froid.

— Je me suis occupé des corps.

— Oh.

— Levet avait raison, poursuivit-il d'une voix égale. C'étaient des bâtards. Trois. Deux ont péri dans son explosion et un est parvenu à s'enfuir.

Regan ralentit.

— Pourquoi on ne suit pas sa piste ? Il a peut-être été envoyé par Culligan.

— Je l'ai suivie. Elle a disparu quatre rues plus au nord.

— Comme celle de Culligan.

— Oui. (Il lui caressa le visage de ses yeux bleu glacier.) Le sidhe entretenait-il des relations avec les bâtards ?

— Plus ou moins. (Elle grimaça.) Pas plus qu'avec les autres démons inférieurs qu'on rencontrait au cours de nos déplacements.

— Vos déplacements ?

—Culligan ne restait jamais au même endroit plus de quelques nuits. Nous avons arpenté le pays de fond en comble une centaine de fois.

—Et Hannibal ? Vous vous y arrêtiez souvent ?

—Non.

Regan secoua la tête. Hannibal ne lui était pas totalement inconnue, bien sûr. Construite au bord du majestueux Mississippi, c'était la ville de Mark Twain et le cadre de nombre de ses plus célèbres romans. Jesse James s'était aussi caché dans ces grottes... la chaîne Histoire était une invention merveilleuse. Une cité charmante, mais pas vraiment une destination prisée des démons.

—Il n'a même jamais parlé de cette ville, ajouta-t-elle.

Jagr médita ses paroles tandis qu'ils traversaient un parking désert aménagé près du fleuve. Dans l'obscurité, Regan entendait les remous des eaux qui tourbillonnaient autour du bateau à vapeur arrimé au quai tout proche.

—Alors nous ne pouvons pas être sûrs que Culligan soit derrière cette agression, finit-il par conclure.

Génial. De mystérieux nouveaux ennemis. Exactement ce qu'il lui fallait.

—Pourquoi les bâtards voudraient-ils me tuer ? grommela-t-elle.

L'attitude indifférente de Jagr face aux dangers manifestes qu'elle courait la contrariait autant que le fait qu'on lui ait tiré dessus. N'avait-il donc pas été envoyé pour la protéger ?

—Je croyais qu'ils vénéraient les sang-pur ? ajouta-t-elle.

Il haussa les sourcils à son ton revêche.

—Si une meute de garous est installée dans le coin, ils pourraient te prendre pour une paria. Ces démons ont un comportement aussi territorial que les vampires.

— Mais cette piste qui s'est arrêtée ?

— C'est une similitude, mais pour ce que nous en savons, les bâtards pourraient avoir assassiné sauvagement Culligan avant de dissimuler sa mort à l'aide de la même magie qui masque leur odeur. Nous ne détenons pas suffisamment d'éléments pour conclure quoi que ce soit.

Il avait raison. Seul un imbécile oublierait qu'il était possible que Culligan ne soit pas la seule menace.

— Bon sang.

L'expression glaciale de Jagr s'adoucit quand la jeune femme se rangea à son avis avec lassitude. Sans ralentir, il lui fourra un sac en papier dans la main en la conduisant dans les broussailles qui longeaient le fleuve.

— Tiens.

Regan fronça les sourcils.

— Qu'est-ce que c'est ?

— Quelque chose à manger. (Il baissa les yeux sur son poignet.) Tu vas en avoir besoin pour reconstituer le sang que je t'ai pris.

Une chaleur torride l'envahit, lui coupant le souffle. Elle pouvait presque sentir ses canines lui percer la peau et l'extase sensuelle qui s'engouffrait en elle à chaque succion.

La tête penchée, elle déchira le sac et découvrit deux bagels encore chauds et un gobelet de jus d'orange.

Son ventre gargouilla de plaisir.

— Merci, marmonna-t-elle.

Elle engloutit rapidement son repas, le visage dissimulé derrière ses épais cheveux. Jagr se retira dans son mutisme habituel. Il eut la sagesse de ne pas lui offrir de l'aider lorsqu'ils parvinrent à un étroit chemin qui s'élevait jusqu'à une haute falaise surplombant le fleuve. La jeune femme était déjà sur les nerfs. Il en faudrait peu pour qu'elle le plante là sans se soucier des conséquences.

Ils grimpèrent en silence. Une fois arrivée au sommet, Regan s'arrêta pour jeter le sac vide et s'appuya discrètement contre la poubelle en plastique. Le sentier était escarpé, et la montée avait gravement miné ses forces déclinantes.

En moins d'une seconde Jagr fut à ses côtés. Passant un bras autour de sa taille, il l'attira contre son corps éminemment érotique.

— Pourquoi n'as-tu pas demandé de l'aide ? s'enquit-il.

Sa voix ténébreuse fit courir un frisson le long de la colonne vertébrale de Regan et elle sentit des ondes de volupté traverser son corps.

Oh... par l'enfer !

Elle voulait se laisser aller contre tous ces muscles virils. Fermer les yeux et se noyer dans sa puissance implacable.

Une envie aussi intense et importune que le désir qui s'éveillait en elle avec de minuscules décharges électriques.

Les mains à plat sur son torse, elle le repoussa.

— Je vais bien.

Il la dévisagea, les sourcils froncés, refusant de relâcher son étreinte.

— Tu as peut-être la tête qui tourne...

Elle le repoussa de nouveau.

— Je t'ai dit que j'allais bien. Arrête de me parler de ça.

— De quoi ? (Elle le vit réprimer un sourire.) Du fait que j'ai bu ton sang ou de la façon dont tu y as réagi ?

Elle leva le pied et lui donna un coup au genou de toutes ses forces.

Elle ne pouvait pas lui avoir fait mal. Même au summum de sa forme, il ne lui serait pas aisé de blesser un démon aussi âgé. Néanmoins, cela suffit à le prendre au dépourvu.

Mettant à profit sa nanoseconde de distraction, Regan se glissa hors de ses bras et courut vers la gargouille qui disparaissait dans les épaisses broussailles bordant la falaise.

— Je jure devant Dieu qu'un jour…, grommela-t-elle tout bas.

Elle ignorait ce qu'elle ferait.

Mais ce serait terrible.

CHAPITRE 3

La grotte creusée dans la falaise n'était pas vaste. La caverne principale, de la taille d'un salon, était si basse de plafond que Jagr risquait constamment de se cogner la tête. En revanche elle avait l'avantage de disposer d'une ouverture étroite qui obligerait d'éventuels agresseurs à entrer un par un et d'une cavité de dimension plus réduite dans le fond où un mince filet d'eau se déversait dans une cuvette.

Ce n'était pas le fait qu'elle soit aisée à défendre, pas plus que la présence d'une source d'eau potable qui en faisaient un petit paradis, constata Jagr, mais la garou chaude qu'il serrait fort contre lui alors qu'il était étendu sur le sol dur.

Appuyé sur le coude, il contemplait les traits finement ciselés de la jeune femme. Dans son sommeil, ils semblaient encore plus fragiles. Elle avait une peau d'ivoire parfaite, un front et un petit nez admirablement dessinés, des lèvres pulpeuses, quand elles n'étaient pas pincées sous l'effet de la colère, et des cils qui descendaient en un lourd rideau sur ses joues.

Tellement adorable.

Renversante.

Et fascinante au point d'en être effrayante.

Jagr secoua la tête. Il avait vécu des siècles. De belles femmes avaient traversé sa vie avec une régularité prévisible. Mais aucune n'avait possédé la merveilleuse innocence de l'âme de Regan. Une innocence dont les ténèbres torturées en lui avaient soif. Comme si sa pureté pouvait apaiser leurs grondements.

Et, bien sûr, elle avait fait preuve d'un courage farouche, implacable, qui lui avait permis de survivre à ses années de supplices.

Culligan l'avait blessée, mais jamais brisée.

Jagr faisait partie des rares êtres en mesure d'apprécier réellement ce que cela lui avait coûté.

Elle était absolument unique. Une créature comme jamais il n'en avait rencontré.

Il avait l'impression que son cœur lui murmurait un étrange avertissement. Une conscience instinctive que son comportement depuis son arrivée à Hannibal… ne lui ressemblait pas. Il sentait que la petite garou féroce actuellement pelotonnée contre lui ébranlait la maîtrise de soi inflexible et la raison froide dont il faisait montre depuis des siècles.

Il ne savait pas s'il devait être furieux ou terrifié.

Il n'aurait certainement pas dû éprouver de la… béatitude. Comme s'il avait découvert un trésor qu'il n'attendait pas et ignorait même désirer.

Percevant peut-être son conflit intérieur, Regan bougea contre son torse. Jagr resserra son étreinte.

À peine venaient-ils d'entrer dans la grotte que Regan s'était écroulée, épuisée. Malgré ses pouvoirs et sa détermination acharnée, elle s'était surmenée pendant trop longtemps et ses forces lui avaient tout simplement fait défaut.

Sans hésiter, Jagr l'avait portée au fond de la caverne pour la déposer contre la paroi avant de s'étendre entre elle et l'entrée. Rien n'atteindrait la jeune femme inconsciente sans lui passer d'abord sur le corps.

Sur le moment il s'était dit qu'il agissait ainsi pour sa protection. Il s'était engagé à la garder saine et sauve et, par tous les dieux, il n'en serait pas autrement.

Mais il avait beau se tenir des raisonnements tordus, il savait que ce n'était pas uniquement son devoir qui l'amenait à la tenir délicatement dans ses bras ou à se réveiller bien avant le coucher du soleil juste pour pouvoir contempler son visage pâle et parfait.

Il vit l'épais rideau de ses cils s'agiter avant de se soulever, dévoilant ses yeux d'émeraude encore embrumés par le sommeil.

Durant quelques instants, elle s'efforça de se souvenir des raisons pour lesquelles elle était étendue dans une grotte inconnue dans les bras d'un vampire, le regard assombri par une pointe rebelle d'émoi sensuel, puis elle revint à la réalité et le repoussa des deux mains avec colère.

—Qu'est-ce que… laisse-moi partir.

La réaction de Regan prit Jagr au dépourvu et il la lâcha presque avant de rouler au-dessus d'elle, se servant de son poids considérable pour l'empêcher de s'enfuir.

Avec ses forces, elle avait retrouvé sa soif de vengeance.

Ainsi que sa mauvaise humeur.

Dommage, car il avait en tête des façons bien plus agréables de passer les minutes suivantes que de se battre avec cette belle garou.

Sans tenir compte du désir qui s'était éveillé en lui, Jagr rencontra le regard furieux de Regan avec une détermination stoïque.

— Pas tant que la nuit n'est pas complètement tombée. Je ne te laisserai pas quitter la grotte avant de pouvoir t'accompagner.

Elle inspira brusquement.

— J'ai dormi toute la journée?

— Ton esprit est trop puissant. Je ne peux pas contrôler ton sommeil. Tu avais manifestement besoin de ce repos.

— Bon Dieu.

Elle se tortilla sous lui. Jagr réprima un grognement à ce frottement divin.

— Laisse-moi partir, reprit-elle. Culligan pourrait se trouver à des kilomètres à l'heure qu'il est.

Il dut mettre à contribution ses innombrables années d'autodiscipline et de retenue pour oublier le corps ferme et délicieusement féminin sous lui. Pour le moment, protéger Regan venait avant sa soif de sang.

Et il ne pouvait s'acquitter de son devoir si elle se précipitait dans le coucher de soleil qui s'éternisait.

— Dans ce cas, quelques minutes de plus n'y changeront rien, lui fit-il remarquer de ce ton froid qui semblait mettre Regan hors d'elle.

Tant qu'elle passait en revue les meilleurs moyens de lui planter un pieu dans le cœur, elle ne tramait pas un plan pour lui échapper.

De façon prévisible, le visage de la jeune femme s'empourpra de rage.

— Je ne pardonnerai jamais à ma sœur de m'avoir infligé ta présence. Je parie qu'elle t'a envoyé pour se débarrasser de…

Avant qu'il ait pu retenir ce mouvement impulsif, il baissa la tête pour s'emparer de sa bouche. De quel autre procédé disposait-il pour interrompre sa diatribe véhémente sans recourir à la force ? Une noble intention rapidement minée par la chaleur enivrante qu'il sentit s'engouffrer en lui.

Il se rendit compte que ce baiser n'avait rien à voir avec une quelconque volonté de réduire Regan au silence mais s'expliquait par la faim vorace, violente et cuisante, qu'il éprouvait.

Il voulait cette femme.

Il voulait laisser courir ses lèvres sur chaque centimètre de sa peau ivoirine. Il voulait embrasser, lécher et mordiller ses formes exquises. Il voulait s'enfouir loin en elle tandis qu'il plongerait les canines dans son cou et boirait son sang.

Plus que tout, il voulait entendre ces gémissements rauques qu'elle poussait en atteignant l'orgasme.

Elle referma les doigts sur son torse, les lèvres plus tendres alors que son baiser se faisait plus appuyé. Jagr respira les effluves du désir de Regan sur sa peau, et sentit ses canines s'allonger en réponse, et son sexe durcir de désir.

C'était... bien.

Son corps féminin doux et pourtant suffisamment robuste pour accueillir la passion d'un vampire de son âge s'emboîtait parfaitement dans le sien. Son parfum était exactement dosé pour éveiller ses appétits les plus profonds. Et son sang. Par l'enfer, il tremblait encore d'y avoir goûté.

Levant les mains, Jagr entortilla les doigts dans le satin des cheveux de Regan, noyé dans des sensations à la fois familières et néanmoins entièrement inédites de par leur intensité.

Après un enfer éternel, c'était... le paradis. Il n'existait pas d'autre terme.

Il lui tourmenta les lèvres, qu'il mordilla avec délicatesse et caressa avant d'explorer la ligne têtue de sa mâchoire. Elle enfonça les ongles à travers son fin tee-shirt, provoquant chez lui de vives pointes d'une douleur délicieuse, mais les sens de Jagr étaient trop aiguisés pour ne pas percevoir les petits gémissements de détresse qui lui échappaient.

Regan répondait peut-être avec une ardeur enivrante à ses caresses, mais elle ne lui faisait pas confiance.

En ce moment, il doutait qu'elle soit en mesure de se fier à qui que ce soit.

Il releva la tête pour la dévisager avec un calme qui masquait la frustration qui hurlait en lui.

— Je t'ai pourtant prévenue de ne pas insulter ma reine, murmura-t-il.

Un mélange de gêne et de colère empourpra le visage de la jeune femme.

— Je n'insultais pas ma sœur, mais toi.

L'ombre d'un sourire apparut sur les lèvres du vampire.

— Au temps pour moi.

Elle le foudroya du regard un long moment, furieuse d'être incapable de le repousser pour s'enfuir. Puis, au prix d'un effort manifeste, elle se drapa dans une dignité fragile.

— Où est Levet?

Le sourire de Jagr disparut à l'évocation de la minuscule gargouille. Après s'être occupé des cadavres des bâtards, il n'avait pas été ravi de découvrir à son retour que Regan et Levet bavardaient comme de vieux amis. Il ignorait pourquoi exactement ce spectacle l'avait exaspéré. Même un reclus qui passait plus de temps en compagnie des livres que des autres démons ne croirait pas un instant que la jeune femme puisse être sexuellement attirée par cette petite bête hideuse.

Il n'avait pas été capable de reconnaître la vérité plus tôt: il avait été jaloux de la maudite gargouille car elle avait réussi à faire sourire Regan.

— Encore sous forme de statue, grommela-t-il. Heureusement pour lui.

— Il nous a quand même trouvé ces grottes, répliqua-t-elle.

Elle parvint à garder une expression distante, comme si elle était allongée sur le sol dur par choix au lieu d'y être clouée par le corps lourd du vampire.

Jagr sentit un frémissement tout au fond de lui. Il n'avait jamais rencontré une femme aussi incroyablement courageuse.

— Je suis un vampire. Je suis capable de trouver n'importe quelle grotte.

Elle plissa les yeux.

— Alors pourquoi l'as-tu autorisé à nous accompagner ?

— Parce que les membres de mon clan ont des compagnes qui sont singulièrement attachées à ce casse-pieds.

Elle cligna des yeux, prise au dépourvu par cet aveu brutal.

— Le grand méchant Jagr n'est certainement pas effrayé par quelques femmes ?

— Je suis assez sage pour craindre une déesse, une Shalott, une oracle et même une sang-pur lorsqu'elle est enragée, répliqua-t-il d'un ton pince-sans-rire en baissant le regard vers la tentation voluptueuse que représentait sa bouche. Par ailleurs, rares sont les créatures plus dangereuses au monde que les femmes.

— Ça sent le vécu. Une jolie vamp t'aurait-elle brisé le cœur ? railla-t-elle.

D'un mouvement fluide, Jagr se leva, les traits froids et impassibles. Regan ignorait évidemment son passé, ainsi que le fait qu'une vampire l'avait torturé des siècles durant, mais ses sarcasmes avaient réveillé les cauchemars qui ne le laissaient jamais vraiment en paix.

—Il fait presque nuit. As-tu besoin de t'alimenter?

Regan se mit debout tant bien que mal, et recula avec méfiance en sentant le pouvoir glacial de Jagr tourbillonner dans la grotte.

—J'ai besoin de nouveaux vêtements et je voudrais prendre une douche.

—Bon. J'en ai pour un instant.

Il se dirigea vers le fond de la grotte et jura en percevant au parfum de Regan qu'elle était mal à l'aise. Bon sang, Styx avait été idiot de l'envoyer à la recherche de cette garou. Il était un guerrier versatile redouté par ses propres frères, pas une nounou. Qu'est-ce qu'il y connaissait, putain, en femmes blessées, trop fières et assoiffées de vengeance? Que dalle, rien que ça.

Alors pourquoi ne la traînait-il pas à Chicago pour enfin se laver les mains de cette situation ridicule?

Il se pencha pour ouvrir la fermeture Éclair de la sacoche en cuir qu'il avait apportée.

Derrière lui, il entendit Regan piétiner d'impatience.

—Qu'est-ce que tu fais?

Il sortit deux poignards en argent finement ouvragés qu'il glissa dans ses bottes. Rares étaient les créatures capables de battre un vampire de son âge, mais il n'avait pas vécu si longtemps en étant stupide. Si des bâtards rôdaient dans le coin, il y avait très certainement aussi des sang-pur. L'argent lui serait utile s'ils se faisaient attaquer par une meute entière.

Il se redressa avant de se diriger vers l'étroite ouverture.

—Je suis prêt.

Regan serra les dents alors que le vampire disparaissait par l'entrée de la grotte. Il s'imaginait qu'elle trottinerait derrière lui comme un chien bien dressé ?

Au pied, Regan. Assise, Regan. Couchée, Regan.

Sale suceur de sang arrogant.

Comme si ça ne suffisait pas qu'il l'ait clouée au sol avant de l'embrasser jusqu'à ce qu'elle fonde et se transforme en une flaque mortifiée de désir ? Et pour couronner le tout, il lui avait joué son petit numéro à la Mr. Freeze qui terroriserait toute créature sensée.

Elle ne lui avait pas demandé de se mêler de ses affaires. Et ne lui avait très certainement pas réclamé ces baisers qui lui faisaient les jambes en coton et la rendaient toute chose.

Pourquoi ne rentrait-il pas à Chicago en la laissant tranquille ?

Regan traversa la grotte d'un pas lourd, se glissa par l'ouverture et se précipita vers la silhouette de Jagr qui s'éloignait. Elle avait beau vouloir lui planter un gros pieu en bois dans le cœur, elle était assez intelligente pour comprendre qu'elle n'était pas assez forte pour se frotter à un vampire. Et d'autant moins quand ce vampire se révélait être une aussi gigantesque aberration de la nature que Jagr. Bon Dieu, saignait-il les accros aux stéroïdes ?

Non, si elle souhaitait échapper à cet emmerdeur fini, elle devrait faire preuve de patience et guetter constamment la moindre occasion.

Rien de bien compliqué. Elle avait trente ans d'expérience.

Marmonnant des jurons, elle allongea la foulée et rejoignit Jagr alors qu'il arrivait au pied de la haute falaise.

—Et Levet ? demanda-t-elle.

— Nous n'aurons jamais la chance de le semer. Il trouvera notre piste bien assez tôt.

— Notre piste ? Où allons-nous ?

Il tourna la tête : ses yeux réfléchissaient les étoiles qui parsemaient le ciel de velours noir au-dessus d'eux. Regan sentit son cœur se serrer. Elle n'avait jamais rien vu de si beau.

— Tu as dit que tu voulais des vêtements et une douche.

Elle haussa brusquement les sourcils. Il l'avait vraiment écoutée ? Et se rappelait les mots qui étaient sortis de sa bouche ?

Troublée, elle reporta son attention sur la rue qui s'étendait juste après le parking désert. Les boutiques habituelles qu'on s'attendait à rencontrer dans une ville touristique s'y alignaient. Artisanat d'art, souvenirs, antiquités, une cafétéria pittoresque. Toutes d'une rusticité charmante, avec de grandes vitrines pour exposer leurs articles.

Jagr les dépassa en silence, et ne remarqua heureusement pas que Regan admirait un joli collier avec nostalgie. Elle n'avait jamais rien possédé de sa vie à part quelques habits bon marché que Culligan lui jetait à travers les barreaux de sa cage. Même si elle était une louve par nature, elle n'en était pas moins une femme, et elle ne pouvait nier une envie instinctive de flâner dans les magasins, de se laisser tenter et… eh bien, franchement, de tout simplement acheter un tas de camelote qui lui appartiendrait.

Perdue dans ses pensées, elle fut prise au dépourvu quand Jagr s'arrêta subitement devant un bâtiment de briques rouges. Elle heurta son corps massif et recula précipitamment en le foudroyant du regard.

— Nom de Dieu, tu pourrais prévenir, quand même !

Il arqua ses sourcils dorés.

—Ça fera l'affaire?

—Pour quoi?

—Pour les vêtements.

—Oh.

Elle humecta ses lèvres soudain sèches en jetant un coup d'œil aux articles élégants exposés dans la grande vitrine.

—Je… je ne crois pas que ce soit ouvert, ajouta-t-elle.

Jagr s'avança et plaqua les mains sur la porte. D'abord, rien ne se produisit, puis elle vit le battant se replier à l'intérieur dans un grincement sourd.

—Maintenant si.

—Et l'alarme?

—Elle est désactivée.

—Et les caméras de sécurité?

Il la dévisagea de ce regard inexpressif qu'elle commençait à connaître. Finalement, elle haussa les épaules, vaincue.

—Très bien, mais si on te tire encore dessus, je ne t'offrirai pas une de mes veines, marmonna-t-elle.

À peine avait-elle atteint la porte que Jagr passa un bras autour de sa taille, l'attira contre son torse ferme et lui chuchota directement à l'oreille.

—Cela ne semblait pas te déranger quand je m'alimentais.

Regan ignorait ce qui l'exaspérait le plus. Se faire malmener par cette brute, ou sentir la chaleur délicieuse qui la submergeait à être ainsi rudoyée.

—Un mot de plus au sujet de cette… alimentation et tu vas pouvoir goûter de façon bien plus intime à ces poignards que tu portes, cracha-t-elle.

Comme pour démontrer que sa menace ne l'intimidait pas le moins du monde, il lui effleura la courbe de l'oreille du bout des lèvres, et le pouls de Regan s'accéléra. Elle frémit lorsqu'il fit glisser ses canines le long de son cou et ravala un gémissement quand mille pointes de désir la firent frissonner.

— Tu peux goûter de façon intime à ce que tu veux, petite, murmura-t-il tout contre sa peau.

— Va te faire voir.

S'arrachant à son étreinte, Regan entra comme un ouragan dans la boutique plongée dans l'obscurité et se dirigea vers le fond où étaient disposés les jeans et les tee-shirts de marque.

Qu'est-ce qui ne tournait pas rond chez elle ? Jagr n'était qu'un gigantesque emmerdeur fini, plein de suffisance et odieusement séduisant. Alors pourquoi le laissait-elle toujours lui taper sur les nerfs ?

Parce qu'elle était idiote.

Les dents serrées, elle s'obligea à ne pas prêter attention à la silhouette massive appuyée au montant de la porte qui observait le moindre de ses mouvements d'un regard trop perçant. Nom d'un chien, c'était la première fois, et peut-être la seule, qu'elle avait l'occasion de s'adonner à ce qui allait de soi pour la plupart des femmes. Qu'elle soit damnée si ce gardien infernal lui gâchait ce moment.

Alors qu'elle faisait tourner les cintres sur le portant circulaire, Regan s'arrêtait de temps à autre pour prendre ce qui avait attiré son regard. N'importe lequel de ces vêtements ferait l'affaire, bien sûr. Les jeans étaient tous délavés et avaient l'air d'être passés dans une trancheuse, tandis que les hauts étaient coupés pour montrer plus qu'ils ne couvraient.

Ah, le monde fou de la mode.

Néanmoins, elle ne pouvait s'empêcher de toucher les différentes étoffes et d'en imaginer la sensation sur sa peau.

Alors qu'elle examinait un minuscule pull rose avec une étoile métallique cousue sur le devant, elle se raidit en sentant dans son dos la caresse froide du pouvoir de Jagr qui s'était avancé.

— Il n'y a pas ta taille? demanda-t-il.

Regan replaça délibérément le pull et choisit un petit tee-shirt blanc.

— Bien sûr que si.

— Alors ces vêtements ne te plaisent pas?

— Mais si.

— Pourquoi continues-tu à chercher?

Elle soupira et tourna la tête pour lui jeter un regard furieux par-dessus son épaule.

— Laisse-moi tranquille, d'accord? Je n'ai jamais fait les magasins avant. Je veux… savourer ce moment.

Il se figea à cet aveu.

— Jamais?

Elle remit le tee-shirt sur le portant.

— Attention, c'est un scoop, Culligan et moi n'étions pas précisément les meilleurs amis du monde. Je suis restée enfermée dans une cage ces trente dernières années.

— Il a bien dû te faire sortir de temps en temps.

— Uniquement quand ce salopard avait besoin de moi pour convaincre son public qu'il était un authentique guérisseur.

Avant qu'elle ait pu réagir, Jagr la fit pivoter, les traits étrangement tendus.

— Comment s'y prenait-il?

La jeune femme vacilla sous l'intensité de son regard glacial. Bon sang, elle se sentait suffisamment monstrueuse sans qu'il la zieute comme si une deuxième tête lui avait poussé.

—Quand nous arrivions dans une ville, il dressait une grande tente dans un champ et distribuait des prospectus.

Elle serra les dents à en avoir mal, refusant de reconnaître la douleur brutale qui lui tordait le ventre à la seule pensée de Culligan. Elle s'était fait une promesse longtemps auparavant : jamais, au grand jamais, elle ne donnerait à ce putain de sidhe la satisfaction de la faire pleurer. Pas une larme. Jamais. Reprenant le contrôle de ses émotions, elle croisa le regard farouche du vampire.

—Avant le début du spectacle, il me tailladait avec son couteau, ou me cassait une jambe, et j'entrais en trébuchant dans la tente. Une fois que j'avais attiré l'attention du public, il se précipitait pour poser les mains sur moi et commençait à prier.

—Et tu guérissais, chuchota-t-il.

—Sous leurs yeux. Les humains pensaient assister à un miracle. Ils n'arrivaient pas à sortir leurs porte-monnaie assez vite. (Elle esquissa une moue de dégoût.) Les crétins.

—Les humains croient ce qu'ils voient.

—Ce sont des crétins quand même.

Il lui prit délicatement le visage entre les doigts pour l'obliger à rencontrer son regard. Regan sentit son cœur s'arrêter. Bon Dieu, elle trouvait que son calme glacial était troublant, mais à présent qu'elle voyait ses yeux perdre leur froideur et une rage féroce, presque sauvage, y couver, elle se rappelait que, même si ce vampire avait été envoyé pour la sauver, il n'en était pas moins un dangereux prédateur.

—Jagr ?

—Je vais l'écorcher vif et jeter son cœur aux vautours, déclara-t-il d'une voix rauque. À moins que je l'enchaîne dans les égouts près de mon repaire pour que les rats le dévorent… lentement.

Regan ne remettait pas sa menace en question. Ni son aptitude à l'exécuter.

Ce qu'elle ne comprenait pas, c'était l'étrange frisson qui fit vibrer son cœur à ces paroles dures. Comme si elle était… heureuse qu'il s'imagine avec arrogance pouvoir se mêler de ses affaires.

C'était encore plus terrifiant que sa redoutable rage.

Après s'être brutalement dégagée, elle lui lança un regard furieux empreint de frustration.

—Je te l'ai dit, Culligan m'appartient.

CHAPITRE 4

La colère de Jagr s'apaisa lorsqu'il vit Regan s'écarter précipitamment de lui. Oh, il avait toujours l'intention de tuer sauvagement le sidhe. Lentement, douloureusement et avec un talent exquis. Mais il ne pouvait nier ressentir un certain amusement en constatant à quel point sa sinistre déclaration la mettait mal à l'aise.

Au cours des trente années précédentes, elle avait appris sans ménagement qu'elle ne pouvait compter que sur elle. Ne faire confiance à personne. À présent, le seul fait de songer que quelqu'un d'autre puisse se battre à sa place heurtait son esprit indépendant.

Tout comme l'idée d'avoir une sœur et une meute qui tenaient à elle la révoltait.

— On verra, murmura-t-il en saisissant des vêtements à pleins bras. Ça devrait faire l'affaire.

Comme il l'avait espéré, l'attention de Regan fut aussitôt détournée. Jagr n'était pas un vampire particulièrement perspicace. Contrairement à Viper, il ne percevait pas les pensées les plus intimes des gens. Mais même un imbécile aurait remarqué les soupirs d'envie de la jeune femme et la convoitise avec laquelle elle avait examiné les articles accrochés au portant.

Elle voulait ces habits, et elle les aurait.

— Je ne peux pas prendre tout ça, protesta-t-elle.

—Alors je m'en charge.

Sans perdre une seconde, il se mit en quête des sacs rangés derrière le comptoir et y glissa son butin. Il y ajouta aussi plusieurs culottes et soutiens-gorge qui s'entassaient dans un grand bac, s'interdisant de s'imaginer l'effet que ces bouts de dentelle produiraient contre la peau d'ivoire de la jeune femme.

Il plongea la main dans la poche de son jean et en sortit une liasse de billets qu'il jeta près de la caisse, puis il se dirigea vers la porte et s'engagea dans la rue sombre.

Il se garda bien de demander ou, pire encore, d'exiger que Regan l'accompagne. Elle avait besoin d'avoir l'impression d'être maîtresse d'elle-même. Il était prêt à lui accorder une relative liberté tant qu'elle ne se mettrait pas en danger.

Après un moment de tension, il l'entendit jurer à mi-voix avant de se précipiter pour lui emboîter le pas.

—Pourquoi as-tu laissé de l'argent? s'enquit-elle. Voler te pose des problèmes de conscience?

Jagr déploya ses pouvoirs dans l'obscurité, à la recherche de la moindre menace.

—Non, mais j'aime autant éviter d'attirer sur moi une attention inopportune. J'ai laissé assez de billets pour dissuader le propriétaire d'appeler les flics.

—On va où maintenant?

—Prendre une douche.

Certain que rien de plus redoutable que les humains habituels et quelques naïades près du fleuve ne se trouvait dans les environs, il tourna au coin de la rue et se dirigea vers la route principale qui traversait la ville.

Malgré ses grandes enjambées, Regan n'avait aucun mal à rester à ses côtés et fouillait les ténèbres d'un regard méfiant, le corps tendu, prête à affronter toute attaque inattendue.

Jagr aurait dû s'en féliciter. De toute évidence, cette femme avait l'intelligence de se tenir sur ses gardes malgré l'absence apparente de danger.

Mais ce n'était pas le cas.

En fait, il avait carrément les boules. Comme si quelque partie primitive latente de sa nature s'offusquait que Regan remette en question sa légitimité et sa capacité à la protéger.

Jagr sentit un frisson glacé se frayer lentement un chemin le long de sa colonne vertébrale, mais refusa résolument de tenir compte de cet avertissement. De toute façon, la jeune femme déclenchait des alarmes en lui depuis le premier instant où il avait posé les yeux sur elle. Il ralentit devant le motel bon marché dont le panneau « chambres libres » clignotait.

Regan se renfrogna lorsqu'il se dirigea vers l'extrémité la plus éloignée du bâtiment.

— Qu'est-ce qu'on fait ici ?

— C'est la douche la plus proche.

— On va prendre une chambre ?

— Ce soir j'aimerais autant éviter la paperasserie. Le réceptionniste est certainement occupé à peaufiner ses talents à *Guitar Hero*.

— Bon Dieu, qu'est-ce qui cloche chez toi ?

— Quoi ?

Elle le dévisagea d'un air revêche.

— À un moment on dirait que tu sors d'une crypte moyenâgeuse et le suivant on croirait que tu es vraiment né dans les années 1970.

Il haussa les épaules et dissimula son sourire face au désir farouche de la garou de le garder à distance. Et les gens le trouvaient, lui, asocial.

—Je regarde la télé.

—Laisse-moi deviner. Tu es accro à *Dexter*.

—À vrai dire, je préfère *Gossip Girl*.

Il eut la satisfaction de voir Regan en rester bouche bée.

—Tu n'es pas sérieux.

Il s'approcha de la dernière porte.

—Cette chambre est vide.

Les mains plaquées sur le battant, Jagr attendit d'entendre le déclic de la serrure pour l'ouvrir. Il s'écarta pour permettre à Regan de passer.

Après avoir repoussé la porte derrière eux, il tendit les sacs à la jeune femme qui se tenait sur ses gardes.

—N'allume pas avant de t'être enfermée dans la salle de bains. Inutile d'alarmer le personnel.

Elle s'avança un peu ; de toute évidence, elle se méfiait des raisons pour lesquelles il l'avait amenée dans cet hôtel.

—Qu'est-ce que tu vas faire ?

—Monter la garde.

L'envie de rire de Jagr s'envola quand le parfum de jasmin de Regan l'enveloppa, attisant la soif qui couvait tout au fond de lui. La seule pensée de cette femme nue sous la douche, avec juste une mince porte entre eux… grands dieux. Il sentit une vague de chaleur le submerger, tourbillonner dans l'air et rendre sa voix rauque.

—À moins que tu aies besoin de moi ? ajouta-t-il.

Saisissant les sacs, Regan recula vers la porte ouverte à l'autre bout de la pièce.

—Je vais me débrouiller, merci.

Elle parla d'un ton cassant, néanmoins ni le fait que ses yeux s'étaient assombris ni le battement rapide de son pouls n'échappèrent à Jagr. Il s'éloigna de l'entrée, son sang en ébullition.

—Mon aide nous ferait gagner du temps. Je pourrais te frotter le dos. (Il balaya du regard ses rondeurs délicates.) Ou le devant, si tu préfères.

—Même pas en rêve, Jagr.

Oh, elle figurerait certainement dans ses rêves. Restait à savoir pour combien de nuits.

Ou de siècles.

—Tu as bien dit que tu étais pressée de te lancer sur la piste de Culligan.

—Ha! Est-ce que j'ai l'air si bête?

Jagr huma les doux effluves de son émoi dans l'air, ce qui ne l'empêcha pas de remarquer la lueur de panique qui brillait dans ses yeux d'émeraude. Elle le désirait, mais elle redoutait ce désir comme si toute autre émotion que la haine ou la vengeance lui faisait peur.

Bon sang. Il s'avança, et s'obligea à s'arrêter quand un tremblement secoua le corps de la jeune femme. Elle était sur le point de s'enfuir. Il le sentait aussi clairement que si c'était tatoué sur son front.

—Tu as l'air d'une femme qui a reçu assez de coups pour considérer tout le monde comme un ennemi. (Il s'exprimait d'une voix délibérément froide, sa soif bridée avec fermeté.) Je ne te ferai aucun mal.

Elle déglutit péniblement puis, de façon prévisible, transforma son malaise en colère.

—Parce que ça rendrait ta Darcy chérie furieuse? répliqua-t-elle d'un ton méprisant.

—Parce que je comprends.

—Ouais, d'accord. Contente-toi de monter la garde, monsieur Muscles, gronda-t-elle, la louve en elle à fleur de peau. Et ne t'avise pas de t'approcher de cette porte.

Elle claqua la porte avec une telle violence qu'un des panneaux de bois se fendit. Jagr demeura au centre de la pièce, occupé à se persuader que l'image de Regan se déshabillant avant d'entrer dans la cabine de douche ne resterait pas gravée au fer rouge dans sa mémoire. Puis, une fois convaincu qu'elle saisissait vraiment cette occasion de se laver, il recula lentement hors de la chambre et balaya rapidement les alentours de ses sens pour s'assurer qu'on ne les avait pas suivis.

Ne trouvant rien d'inhabituel, il se glissa à l'arrière du bâtiment et s'adossa aux briques usées.

Près d'une demi-heure s'était écoulée quand la fenêtre à côté de lui s'ouvrit et qu'un certain nombre de grands sacs furent lancés sur le trottoir. Il retint un sourire lorsqu'il comprit que Regan était incapable de laisser ses vêtements neufs derrière elle, malgré son envie désespérée de lui échapper.

Après avoir coincé les sacs sous un bras, il se redressa, se retourna et attendit que Regan balance ses jambes – vêtues d'un nouveau jean – par la fenêtre. D'un mouvement si prompt que même une garou ne pouvait le suivre, il la cueillit sur le rebord.

—La fenêtre, Regan ? railla-t-il doucement. Tu me déçois. Je pensais que tu ferais preuve d'un peu plus d'imagination.

Regan glapit, puis hurla quand il la jeta aisément sur son épaule avant de se diriger à grands pas vers la grotte.

—Connard.

Elle abattit son poing dans son dos avec une force surprenante qui lui rappela que c'était une vraie sang-pur, même si elle ne pouvait pas se métamorphoser.

— Repose-moi.

— Non.

— Bon Dieu, tu me fais perdre mon temps avec ces maudits jeux de vampire.

Se déplaçant à une vitesse défiant l'œil humain, Jagr se rapprochait rapidement de leur repaire temporaire. Il avait été idiot de croire que céder à ses exigences en lui fournissant de nouveaux vêtements et la possibilité de se doucher diminuerait sa méfiance.

Elle était déterminée à jouer à Zorro ; sans Bernardo. Et à présent Jagr était de nouveau obligé de la tenir si étroitement que le parfum de sa peau propre et de son sang chaud le tourmentait.

Il resserra les bras autour de ses jambes quand elle continua à se débattre.

— Ce n'est pas un jeu, petite. Mon Anasso m'a ordonné de t'amener à Chicago et c'est exactement ce que je compte faire.

— Je pensais que c'était ma sœur qui t'avait envoyé ?

— Darcy veut que tu viennes à Chicago, et Styx veut que Darcy soit heureuse. Il en va ainsi entre compagnons.

Les coups dans son dos cessèrent soudain.

— Et ta compagne ? Je ne peux pas imaginer qu'elle soit enchantée par ton petit voyage.

Jagr s'arrêta devant l'entrée de la grotte et posa brusquement l'exaspérante garou.

— Je n'en ai pas.

Une lueur brilla un instant dans les yeux de Regan. Soulagement ? Incertitude ? Mal au ventre ?

Quoi que ce soit, elle le chassa aussitôt et passa les doigts dans ses cheveux humides.

— Pas de compagne ? Si c'est pas un scoop… (Son sourire était railleur.) Avec ta remarquable absence de charme et ta tendance à traiter les femmes comme si tu étais un homme de Neandertal, j'aurais cru que les jolies démones se bousculaient au portillon.

Les canines de Jagr l'élançaient, son érection devenait douloureuse et son humeur massacrante.

— Ce n'est pas les femmes qui manquent, protesta-t-il d'un ton glacial.

— C'est quoi alors ?

— Je n'ai pas envie de m'unir.

— Mais bien sûr. Les hommes comme toi…

Il baissa la tête et lui scella les lèvres d'un baiser bref et brûlant avant d'avoir pu retenir ce geste impulsif. Peut-être parce que, pour la première fois depuis des siècles, sa maîtrise de soi implacable était minée par un minuscule bout de garou dotée de la langue d'une harpie ivre et des manières d'un blaireau enragé.

Quand il releva brusquement la tête, il rencontra son regard abasourdi.

— Pourquoi tu fais toujours ça, putain ? grommela-t-elle, les joues empourprées par un feu qu'elle ne pouvait cacher.

Il poussa un grognement guttural.

— Si je le savais, je tomberais à coup sûr sur le pieu le plus proche.

Il vit ses yeux d'émeraude briller.

— Ça peut toujours s'arranger.

— Vous voilà.

Sortant de la grotte d'un pas lourd, Levet les dévisagea d'un œil mauvais, agitant les ailes de contrariété.

— Je croyais que vous m'aviez abandonné. Encore.

Jagr réprima un grondement féroce et résista à l'envie de jeter la gargouille dans le fleuve en contrebas. Son corps avait beau hurler d'être ainsi dérangé, la minuscule partie de son cerveau qui continuait à fonctionner comprenait qu'il se laissait dangereusement distraire par l'étrange fascination que Regan exerçait sur lui.

Grands dieux, il allait les faire tuer tous les deux.

— Levet, j'ai besoin de toi, ordonna-t-il d'un ton glacial, son instinct de guerrier étouffant sa frustration bouillonnante.

— Bien sûr que tu as besoin de moi. (Levet sourit d'un air suffisant.) Pars donc faire ce que les vampires font et je serai heureux de protéger Regan.

Comme si Jagr allait quitter Regan du regard ne serait-ce qu'une seconde. *L'imbécile.*

— Je veux que tu trouves la meute de bâtards du coin.

— Oh, je vois. (Levet plissa les yeux.) À moi les tâches ingrates pendant que tu restes avec la jolie femme. Classique.

— Je pense qu'un démon ou une sorcière les aide à se dissimuler.

— Et quel rapport ça a avec moi ?

— Tu es le seul capable de percevoir la magie.

Le petit démon balbutia ; il avait envie de protester mais ne pouvait nier la vérité. Finalement, il leva les bras au ciel, vaincu.

— *Sacrebleu**. Très bien, je vais le faire.

— Lorsque tu auras repéré les bâtards, ne t'approche pas d'eux, le prévint Jagr. Je ne souhaite pas qu'ils prennent peur avant que j'aie découvert pourquoi ils nous ont tiré dessus et quels liens ils entretiennent avec le sidhe.

—D'accord, mais je ne vais pas suivre la piste d'une bande de chiens galeux gratuitement.

Le vampire empoigna Levet par l'une de ses cornes atrophiées et le souleva pour plonger son regard noir dans ses yeux écarquillés.

—Pour toute rémunération, tu gardes tes ailes. Compris?

—Hé, lâche-moi!

Il laissa retomber la minuscule gargouille par terre.

—Ne reviens pas tant que tu ne les auras pas dénichés.

—Sale brute goth.

Avec un mouvement de la queue, Levet s'éloigna en se dandinant.

Jagr grimaça. À coup sûr, Darcy et Shay lui passeraient toutes deux un savon lorsqu'il rentrerait à Chicago. Elles nourrissaient une affection singulière pour la gargouille. Mais, pour l'instant, trouver les bâtards et mettre un terme à la menace qu'ils représentaient pour Regan était tout ce qui lui importait.

À ses côtés, la jeune femme fit courir son regard sur sa grande silhouette.

—Pourquoi n'arrête-t-il pas de te traiter de Goth? Je dirais que tu as plus le style… ghetto chic.

Ghetto chic?

—J'ai autrefois été un chef wisigoth.

—Bon Dieu. (Elle écarquilla les yeux, stupéfaite.) Quand exactement as-tu été transformé en vampire?

Jagr tressaillit avant de se retourner pour entrer dans la grotte, les sacs de vêtements lui tapant dans les jambes. Il n'évoquait jamais la nuit de sa métamorphose.

Avec personne.

Écœurée, Regan lui emboîta le pas.

— Hé ho, Mr. Freeze. Qu'est-ce que tu vas faire maintenant?

— Je dois parler à Salvatore.

La chambre élégante dans le manoir de Saint-Louis constituait une fête décadente pour les sens. Des murs de marbre veiné d'or réfléchissaient la lueur des lustres hors de prix, le mobilier laqué était conçu pour satisfaire les fantasmes sexuels les plus audacieux et même le haut plafond arborait des satyres lubriques séduisant des anges aux formes généreuses.

Étendu au milieu du lit aux dimensions olympiques, tout en satin doré et velours noir, Salvatore Giuliani fut brusquement arraché à son plaisir fugace par la sonnerie persistante de son portable.

Il tendit la main vers le téléphone au moment même où la femme qui chevauchait son corps nu s'apprêtait à s'empaler sur son membre raide.

— Ne répondez pas, gémit la belle bâtarde à la longue chevelure cramoisie et aux yeux vert pâle, faisant courir ses lèvres sur son torse. Je vous en prie, mon amour.

— Va-t'en, Jenna, gronda-t-il.

Ses yeux d'un brun doré flamboyèrent comme le loup en lui s'éveillait avec colère.

— Rappelez plus tard.

— Tu vas dégager, oui?

D'un geste circulaire du bras, Salvatore fit basculer la bâtarde et descendit du lit d'un mouvement plein d'aisance.

— Salaud, souffla Jenna, vautrée bras et jambes écartés sur les draps froissés, les yeux pétillants d'excitation à être ainsi malmenée.

— Tu n'imagines même pas, répliqua-t-il d'une voix traînante.

Tournant le dos à la femme, il prit le téléphone et fronça les sourcils en découvrant le numéro inconnu. Seule une poignée de gens étaient autorisés à composer sa ligne privée. Ceux qui l'appelaient sans y être invités perdaient en général la vie. Et parfois la tête. Il ouvrit le clapet et porta le téléphone à son oreille.

— Qui est-ce ?

— Jagr.

Un vampire. Ils avaient tous une voix froide et sinistre pleine d'une révoltante arrogance. On les reconnaissait à ça autant qu'à leurs crocs. *Les sales sangsues.*

— Styx m'a chargé de traquer la garou.

— Vous l'avez trouvée ?

— Évidemment. Nous sommes à Hannibal.

Salvatore retroussa les lèvres à cette réponse suffisante. *Cristo.* Il détestait les vampires.

— Et ?

— Et je veux savoir pourquoi vos bâtards ont tenté de nous tuer.

— Mes bâtards.

En quelques enjambées rapides, Salvatore rejoignit le lourd bureau installé à l'autre bout de la chambre. Il se mit à parcourir les dossiers de son ordinateur portable.

— Il n'y a pas de meute près de Hannibal.

— Alors vous avez des chiens errants qui tirent au jugé sur les touristes.

Salvatore serra les poings, les yeux brillants de rage. En tant que roi des garous, il avait imposé des règles simples : obéir ou mourir. On ne peut plus clair.

—Un problème facile à régler. Je serai là demain soir.

—Quand on les aura repérés, je veux en garder au moins un vivant pour l'interroger.

Salvatore serra les dents face à cette demande formulée d'un ton froid. Un jour proche…

—Je ne vous garantis rien.

D'un mouvement du poignet, il referma le clapet du téléphone, puis il se dirigea vers la porte.

—Ne revenez-vous pas au lit ? s'enquit Jenna d'une voix geignarde.

Il ne prit pas la peine de regarder de son côté.

—Rhabille-toi et va-t'en.

Il ouvrit brusquement la porte et fit signe au garou massif au crâne rasé qui montait la garde dans le couloir.

—Hess.

Tombant à genoux, l'homme colla le front au tapis écarlate avec déférence.

—Oui, sire ?

—Nous rencontrons des difficultés à Hannibal. Je veux que vous rassembliez trois de nos meilleurs soldats et chargiez le Hummer avec un arsenal suffisant pour nettoyer une meute de bâtards parias. Nous partons après mon déjeuner avec le maire.

CHAPITRE 5

R egan regarda Jagr glisser le téléphone portable dans la poche de son jean. Un jean taille basse qui adhérait à ses jambes musclées avec une délicieuse détermination…

Merde.

Relevant le menton, elle tenta de ne pas prêter attention au désir qui vibrait constamment en elle comme une décharge électrique. D'accord, ce satané vamp était la plus belle créature qu'elle ait jamais vue. Et il transpirait le sexe du sommet de sa tête dorée jusqu'au bout de ses grosses bottes en cuir. Et ses baisers éveillaient en elle un tel émoi qu'elle avait l'impression qu'elle allait hurler s'il ne se dépêchait pas de la soulager.

Mais il n'en était pas moins la brute la plus odieuse, arrogante, imprévisible et obstinée qu'elle ait jamais eu le malheur de rencontrer.

— Si tu avais l'intention d'appeler Salvatore, pourquoi as-tu lancé Levet sur la piste des bâtards ? s'enquit-elle d'un ton rendu acerbe par…

Rendu acerbe par la frustration. Par l'enfer, autant se l'avouer, ne serait-ce qu'à elle-même.

Il haussa les épaules.

—Salvatore n'est pas plus capable que moi de percevoir la magie. Une gargouille est une créature magique. Il n'existe pas de sort, même jeté par le plus puissant des démons ou des sorcières, que Levet ne puisse identifier.

—Eh bien, je ne vais pas rester dans cette grotte à attendre le retour de Levet.

Elle croisa les bras, prête à – non, brûlant d'envie de – se battre.

—Comme tu l'as souligné, on ignore même si Culligan se trouve avec les bâtards, ajouta-t-elle.

Il arqua les sourcils et lança les sacs de vêtements dans un coin. Des vêtements qu'il lui avait achetés juste parce qu'il savait qu'elle les voulait. La frustration de Regan devint carrément cuisante. *Putain de vampire.*

—Et quel est ton plan ? railla-t-il. Traîner dans les rues en espérant tomber sur le sidhe ?

—Tu as une meilleure idée, ô grand chef ?

—Oui. Je pense qu'on devrait chercher le camping-car. Les bâtards ont peut-être les moyens de cacher un sidhe, mais ils n'ont probablement pas gaspillé la magie dont ils disposent pour dissimuler aussi son véhicule.

Elle renifla avec dédain.

—À quoi ça nous avancera s'il ne se trouve pas à l'intérieur ?

—De toute évidence, Culligan était pressé de disparaître. Il pourrait avoir oublié quelque chose derrière lui qui nous apprendrait pourquoi il est venu à Hannibal.

Malgré elle, Regan se remémora les heures chaotiques qui avaient suivi sa libération. Elle avait été sûre que Salvatore Giuliani était une sorte d'ange gardien terriblement séduisant envoyé pour la sauver des griffes de Culligan. Exactement ce dont elle avait rêvé des années durant.

Jusqu'à ce que, évidemment, ce putain de garou laisse s'échapper le sidhe et qu'elle découvre l'existence de sa famille étendue qui, manifestement, n'en avait eu rien à faire qu'on l'exploite et la maltraite. Et, pour couronner le tout, Salvatore lui avait annoncé qu'elle ne lui était d'aucune utilité car il «sentait» qu'elle n'était pas féconde.

Le salaud.

—Pourquoi Culligan serait-il pressé? (Elle ne prit pas la peine de dissimuler son amertume.) Salvatore m'a fait clairement comprendre qu'il ne perdrait pas son temps à poursuivre un simple sidhe pour le punir. Pas alors que je suis stérile et que je ne lui sers à rien.

Jagr esquissa un rictus.

—Culligan n'avait pas peur de ce satané roi des garous. Mais bien de toi.

—Ça vaut mieux pour lui, grommela-t-elle.

De son regard glacé, il balaya rapidement le corps tendu de la jeune femme.

—Tu veux t'alimenter avant qu'on s'y mette?

Elle mourait de faim, mais elle n'était pas près de le reconnaître. Laisser ce vampire prendre soin d'elle était… perturbant.

—Peut-être plus tard.

Il la foudroya du regard.

—Ce n'est pas une réponse.

—Eh bien, dommage, parce que tu n'en auras pas d'autre.

—Si tu dois manger, fais-le tout de suite. Faible, tu ne m'es d'aucune aide.

Regan péta les plombs. Il n'y avait pas d'autre mot.

Un instant elle se tenait près de l'entrée de la grotte et le suivant elle volait à travers les airs pour saisir à bras-le-corps le vampire d'un mètre quatre-vingt-dix et de cent dix kilos.

Lorsqu'ils s'écroulèrent sur le sol dur, la jeune femme ignorait qui était le plus stupéfait, Jagr ou elle.

Elle sut en revanche qui s'en remit le premier.

Elle avait à peine réussi à esquisser un petit sourire suffisant en s'apercevant qu'elle se trouvait au-dessus de lui que Jagr poussa un grondement sourd et, d'un mouvement plein d'aisance, la fit rouler sous lui et la cloua sur le sol de terre battue.

Elle cessa de respirer. Évidemment, qui ne suffoquerait pas, écrasé par un homme aussi massif ?

Voir l'épaisse chevelure qui s'était libérée de la tresse du vampire dégringoler autour d'eux comme un rideau de satin doré n'y était bien sûr pour rien. Pas plus que sentir sa puissance à l'état brut.

Non. Jamais de la vie.

Alors pourquoi l'éclat glacial des yeux bleus du vampire se réchauffait-il comme si Jagr percevait le flot brûlant de son sang et l'alanguissement de son corps ?

— Nous savons tous deux que je pourrais t'obliger à venir à Chicago si je le voulais, dit-il d'une voix rauque en saisissant le menton de la jeune femme d'un geste entièrement possessif. Malheureusement je comprends ta soif de vengeance et je suis prêt à t'accorder un jour ou deux pour l'assouvir. Mais pas si tu as une attitude suicidaire. Si tu prends un risque inutile ou tentes encore de filer, je te mettrai dans un sac pour te porter à ta sœur.

Regan avait tellement envie de se frotter contre le membre dur de Jagr qu'elle en tremblait.

— Tu me fais vraiment chier, cracha-t-elle.

Il baissa le regard sur ses lèvres.

— Marché conclu ?

— Va te faire foutre.

Murmurant des mots inintelligibles, Jagr enfouit le visage dans la courbe de son cou ; sentir ses canines lui effleurer la peau envoya en elle une décharge de plaisir bouleversante.

— Tu joues avec le feu, petite.

Elle écarta les lèvres et enfonça ses doigts dans les bras de Jagr alors qu'il suivait délicatement de la langue la ligne de sa clavicule que son nouveau tee-shirt rose laissait apparente.

— Jagr, souffla-t-elle.

— Tu as l'odeur des nuits chaudes et du jasmin.

Il l'effleura de la bouche en parlant, la caresse froide de ses lèvres s'inscrivant au plus profond d'elle-même.

— Un parfum exquis.

Regan ferma les yeux de toutes ses forces, tentant désespérément de retenir la vague de désir qui menaçait de l'emporter. D'accord, elle désirait Jagr. Elle le désirait avec une violence explosive.

Mais ce n'était que sexuel. La réaction d'une femme qui s'était vu refuser les plaisirs de la chair toute sa vie.

— Je n'ai pas dit que tu pouvais m'embrasser, murmura-t-elle en frissonnant de volupté quand il fit remonter ses lèvres le long de son cou pour tourmenter le creux juste en dessous de son oreille.

— Tu veux que j'arrête ?

Arrêter ? Par l'enfer, non. Elle voulait qu'il lui arrache ses vêtements et la couvre de baisers de la tête aux pieds. Elle voulait qu'il la lèche, la mordille et la morde jusqu'à ce qu'elle hurle de jouissance. Elle voulait saisir son sexe dans sa main pour le guider en elle. Elle voulait…

Elle voulait.

Et c'était le problème.

—S'il te plaît, Jagr.

Il lui mordilla le lobe de l'oreille.

—Quoi, petite ? Qu'est-ce que tu veux ?

—Bon Dieu.

Faisant appel à la force considérable qu'elle avait héritée de ses ancêtres, Regan, prise de panique, repoussa des deux mains avec violence le mur d'acier de son torse et réussit à gagner assez d'espace pour se libérer du poids de son corps. Elle se remit debout tant bien que mal, frotta la terre qui couvrait ses vêtements neufs et foudroya du regard le vampire qui s'était relevé avec une grâce ondoyante.

—C'est quoi qui tourne pas rond chez toi ? s'écria-t-elle. Un coup tu me files des engelures avec ton regard glacial, et l'autre tu fourres ta langue dans ma bouche. Tu es un psychopathe ou juste cinglé ?

Un sourire froid sur les lèvres, Jagr se dirigea vers l'entrée de la grotte.

—Je pense qu'il vaudrait mieux se demander pourquoi une femme qui a de toute évidence si désespérément envie de mes caresses est aussi effrayée par ses propres désirs.

Chapitre 6

L a haute falaise qui dominait le Mississippi au sud de Hannibal constituait un endroit idéal pour cacher une meute de bâtards rebelles. La cabane en bois abandonnée se trouvait à des kilomètres de l'habitation la plus proche et seuls les randonneurs les plus déterminés osaient affronter les épaisses broussailles. Mais Sadie et sa bande n'avaient pas été attirées uniquement par l'isolement de ces rochers escarpés.

En effet, la magie qui imprégnait la riche terre noire et l'impétuosité des eaux bouillonnantes en contrebas avaient fini de les convaincre. Dans les temps anciens, ce territoire avait appartenu aux Amérindiens et des traces de leur dévotion à la nature subsistaient avec une force puissante, qui résonnait comme un diapason en Sadie.

Non qu'elle n'aurait pas préféré un manoir élégant, tout de marbre et regorgeant d'œuvres d'art hors de prix. Elle avait beau être un animal, elle convoitait les biens les plus raffinés que l'existence avait à offrir. Comme quand elle faisait des passes dans les ruelles malfamées de Saint-Louis, trente ans auparavant.

C'était là qu'elle avait rencontré Caine, le bâtard qui lui avait promis de la faire reine, avant de la mordre et de changer sa vie pour toujours.

Elle attendait encore cette histoire de reine, reconnut-elle avec ironie en arpentant la pièce principale de la cabane plongée dans l'obscurité. Celle-ci ne contenait qu'un canapé miteux, deux chaises rembourrées, un lourd buffet et une cheminée en pierres. Pas même un tableau n'était accroché aux murs de bois rudimentaires.

À peu près aussi éloignée du palais de ses rêves que la pension sordide qu'elle partageait jadis avec trois autres prostituées.

Mais bon, les révolutions se déroulaient rarement sans sacrifices.

Ou sans verser le sang, se souvint-elle lorsqu'un hurlement rauque retentit dans l'appentis adjacent.

Elle esquissa un petit sourire qui renforça l'impression de cruauté qui se dégageait de son visage fin. Cela dit, les hommes dérangés par cette indication de la malveillance qui brûlait tout au fond d'elle n'étaient pas nombreux. Les humains étaient peut-être attirés par sa peau pâle contrastant avec ses cheveux d'ébène qui lui descendaient jusqu'à la taille et ses yeux noirs de braise, mais les bâtards tombaient à genoux devant les muscles fermes de son corps svelte et son aura de violence rentrée, promesse d'exquises douleurs.

Passant les mains sur son pantalon en cuir taille basse assorti à son minuscule dos nu, Sadie hésitait entre retourner dans l'appentis pour savourer le plaisir de torturer avec expertise son prisonnier et se mettre en chasse, quand elle traversa la pièce à toute vitesse en percevant une odeur familière.

Ouvrant vivement la porte, elle se rembrunit alors que le grand et mince bâtard émergeait des ombres épaisses des arbres.

Un joujou délicieux à la chevelure sombre coiffée de part et d'autre de son visage, qui lui arrivait au-delà de la ligne résolue de la mâchoire. Il avait des yeux indigo entourés de cils fournis et des traits de mauvais garçon ciselés à la perfection. Une vision sublime encore rehaussée par son bouc coupé avec précision.

Un Celte noir.

Divin.

Ce soir-là, cependant, sa première pensée ne fut pas de le chevaucher comme un taureau mécanique. Elle sentit une rage folle l'envahir en constatant qu'il avait manifestement échoué dans sa mission.

Sadie s'écarta et attendit que Duncan entre avant de claquer la porte et de s'appuyer contre le panneau de bois.

Dehors, une demi-douzaine de bâtards et sa sorcière personnelle parcouraient la forêt et montaient la garde en permanence. Elle percevait parfois un bruissement quand ils contournaient la cabane. Aucun d'eux ne la dérangerait sans son autorisation.

—Où est la salope? gronda-t-elle.

Les civilités n'avaient jamais été son truc. Pourquoi se servir d'un scalpel quand on s'amusait tellement plus avec un marteau?

Avec la familiarité d'un amant de longue date, Duncan traversa la pièce sans se presser pour prendre une bouteille de whisky sur le manteau de la cheminée et en but une grande lampée avant de se retourner pour rencontrer le regard flamboyant de Sadie.

—Il y a eu des… complications.

—J'ai l'air d'en avoir quelque chose à foutre, des complications? Je t'ai dit de m'amener la garou.

Duncan grimaça.

— Elle n'était pas seule.

Sadie cracha en se redressant.

— Salvatore l'a suivie à Hannibal ?

Une autre lampée de whisky.

— Pire. Un vampire l'accompagnait.

— Qu'est-ce qu'elle peut bien faire avec un suceur de sang ?

— Pas juste un suceur de sang. (Le rire mordant de Duncan résonna dans la cabane, alourdissant l'atmosphère.) Je mettrais ma main à couper qu'il s'agissait du légendaire et solitaire Jagr. Je l'ai aperçu une fois quand j'étais à Chicago et ce n'est pas un démon qu'on oublie.

— Jagr ? Je croyais que c'était un mythe.

— La petite souris est un mythe. Jagr est une force de la nature que même les autres vampires redoutent.

Sadie s'avança comme un ouragan, arracha la bouteille de la main de Duncan et en avala les dernières gouttes.

Parfait. Absolument putain de parfait.

Comme si ça ne suffisait pas que Regan lui ait filé entre les doigts, à présent le Hannibal Lecter des vampires lui servait de garde du corps ?

Merde, Caine allait l'écorcher vive.

Littéralement, pas au sens figuré.

— Pourquoi protégerait-il la fille ?

Duncan s'appuya contre le manteau de la cheminée, les bras croisés.

— Oh, je ne sais pas, dit-il d'une voix traînante. C'est peut-être lié au fait que sa sœur est l'actuelle reine des vampires ?

À la pensée que Darcy avait été découverte après tant d'années pour leur être enlevée par le roi des morts-vivants, Sadie fut submergée par une autre vague de rage, qui l'obligea à lutter contre son besoin instinctif de se transformer.

— Sales sangsues qui se mêlent de ce qui ne les regarde pas. J'ai prévenu Caine qu'on aurait des ennuis si cette garou écervelée restait entre les mains des vamps.

Duncan esquissa un rictus en effleurant du regard son corps tendu, s'attardant sur le superbe tatouage en forme de serpent qui s'enroulait autour de sa taille.

— Je t'ai entendue te plaindre, mais j'ai remarqué que tu ne t'étais pas proposée pour devenir de la chair à canon dans l'échauffourée qui a opposé les vampires et les garous, Sadie chérie.

Sadie recula loin de la chaleur vibrante qui se dégageait de Duncan. Ce n'était pas le moment de se laisser distraire.

— Où sont les autres? demanda-t-elle.

— Morts.

Elle se retourna pour lancer la bouteille vide dans la cheminée et regarda avec satisfaction le verre voler en éclats, même si cela n'apaisa en rien sa rage virulente.

Elle n'en avait rien à faire des bâtards décédés. Ils n'étaient que des ressources renouvelables. Mais le fait qu'ils aient failli à leur devoir lui donnait envie de déchiqueter leurs cadavres morceau par morceau.

— Le vampire?

Duncan se frotta le flanc comme s'il se souvenait d'un coup douloureux.

— Non, on a été frappés par un sortilège.

Elle inspira vivement.

— Une sorcière les accompagne?

— Pas une humaine. Une sorte de démon.

— Merde. De quel genre?

— Je ne suis pas resté pour pratiquer des tests ADN.

Sadie empoigna Duncan par le devant de son pull en cachemire bleu qu'il avait assorti à un pantalon de toile noir. Cet homme était accro à la mode.

— Tu es sûr qu'on ne t'a pas suivi ?

Il serra les dents, mais eut l'intelligence de ne pas se débattre.

— J'ai toujours l'amulette que la sorcière m'a donnée et, pour plus de précautions, je me suis dirigé plein sud avant de revenir sur mes pas. Si quelqu'un s'est lancé sur ma piste, il se trouve à Saint-Louis à l'heure qu'il est.

Sadie envisagea un instant d'écraser son poing sur la figure du bâtard, ne serait-ce que pour soulager la frustration coagulée au creux de son ventre. Dommage qu'elle ait encore besoin de cet imbécile incompétent.

Elle le repoussa et arpenta la pièce exiguë.

— Nous devons nous emparer de la garou avant l'arrivée de Caine.

— Ne me regarde pas comme ça, chérie. (Il lissa son pull, son arrogance naturelle faisant un retour en force.) J'ai suffisamment frôlé la mort pour la semaine.

Sadie montra les dents.

— Attention, Duncan. Si tes couilles rétrécissent davantage, elles pourraient disparaître complètement.

— Au moins, elles seront intactes. (Il posa la main sur ses impressionnants bijoux de famille.) Tu veux la fille ? Va la chercher.

— Oh, j'y compte bien.

— Et le vampire ?

Elle haussa les épaules, manigançant déjà son prochain coup.

— Derrière tous ces crocs et cette fureur, ce n'est qu'un homme.

—Redescends sur terre, Sadie, dit Duncan d'une voix traînante. Tu incarnes peut-être le fantasme sexuel des bâtards, mais tu ne joues pas du tout dans la même cour que les vamps. N'importe quel démon sait qu'ils ne sont attirés par rien de moins que la perfection.

Sadie se contenta de sourire. Ses années passées à faire le trottoir lui avaient appris que tout homme pouvait être manipulé. Il s'agissait juste de trouver ses points faibles.

—Je pourrais mettre le vampire à genoux si je le voulais, susurra-t-elle, mais les faiblesses des hommes ne se résument pas à leur incapacité à penser avec autre chose que leur bite.

—Et quelles sont-elles?

—Un ego surdimensionné et un besoin insatiable de faire étalage de leur testostérone. (Elle rejeta ses boucles d'ébène en arrière.) Je pose le piège et il y tombe. Entraînant l'adorable petite garou avec lui.

—Tu es complètement dépassée, chérie.

—Contrairement à toi, Duncan, j'ai des couilles.

—Jusqu'à ce que Jagr te les arrache.

Le sourire de Sadie s'évanouit tandis qu'un frisson impitoyable se frayait un passage le long de sa colonne vertébrale. Elle gronda tout bas, repoussant cette sensation de malaise ridicule.

L'époque où elle était une victime impuissante était révolue depuis longtemps. Désormais elle était le chasseur, pas la proie.

Plongeant la main dans la poche de devant de son pantalon en cuir, elle sortit un trousseau de clés qu'elle lança à un Duncan interloqué.

—Tiens.

Il haussa les sourcils.

—Ma belle, tu n'aurais pas dû.

— Détrompe-toi. Ce sont les clés du camping-car du sidhe.

Les dents de Duncan étincelèrent dans l'obscurité qui s'épaississait.

— Je suis plus un homme à conduire une Lamborghini.

— Caine veut qu'on mette le feu à son véhicule avant que les humains le découvrent.

Une lueur sinistre passa dans les yeux du bâtard. Il était suffisamment alpha pour ne pas apprécier la position supérieure de Caine au sein de la meute.

— C'est en dessous de mes fonctions. Demande à un des sous-fifres de jouer au pyromane.

— Aurais-tu peur, Duncan ? railla Sadie en se tournant lentement vers la petite porte.

Elle mourait d'envie de frapper quelqu'un. Et elle disposait d'un délicieux joujou qui l'attendait, ligoté. *Quelle chance.*

— Ne t'inquiète pas, je vais envoyer Silk avec toi. Sa magie gardera le grand méchant vampire à distance.

— Pétasse.

Sadie franchit la porte donnant sur l'appentis exigu en gloussant. L'ampoule nue suspendue aux poutres apparentes par un fil électrique se balança à son entrée, déversant une lumière crue et dévoilant des pelles, haches et marteaux cassés ainsi que des boîtes à café remplies de clous qu'on avait laissés rouiller dans les coins.

Ni les outils abandonnés ni l'épaisse couche de poussière qui recouvrait l'intérieur du bâtiment n'intéressaient Sadie. Toute son attention se concentrait sur le sidhe entièrement dévêtu, aux longs cheveux roux et aux yeux verts, enchaîné au mur.

Un sourire de plaisir anticipé lui étira les lèvres tandis qu'elle faisait courir son regard sur son grand corps musclé. Il ne restait que quelques petites taches de sang séché sur la douce peau d'ivoire de Culligan qui avait parfaitement cicatrisé. Les mains de Sadie en tremblaient d'avance. Couper dans la chair vierge était aussi délectable que plonger le doigt dans un nouveau pot de beurre de cacahuète.

D'ailleurs…

Son sourire s'élargit alors qu'elle se dirigeait vers le tonneau renversé sur lequel elle avait laissé son caramel au beurre de cacahuète préféré. Elle en fourra un gros morceau dans sa bouche avant de prendre un poignard en argent accroché au mur et de s'approcher du sidhe terrifié.

Il ressemblait à une ancienne offrande sacrificielle, avec ses bras et ses jambes écartés, et ses cheveux de feu ruisselant sur son corps nu. Et, ah… son odeur. Riche, relevée de prune, avec une note capiteuse de terreur à l'état pur.

Assez pour faire palpiter de plaisir le cœur de Sadie.

Après s'être arrêtée juste en face du démon tremblant, elle se pencha en avant avec lenteur.

—Tu as été un très vilain garçon, Culligan, susurra-t-elle en lui effleurant le torse de la pointe de son arme. D'abord, tu laisses Salvatore te retrouver et découvrir la fille, puis tu conduis à ma porte le vampire le plus redoutable à avoir jamais foulé la terre.

Il roula ses yeux verts comme un cheval sauvage qu'on bride.

—Je vous en prie… madame…

Elle enfonça le poignard jusqu'à faire apparaître une perle de sang sur sa peau d'ivoire.

—Tu souhaites plaider pour ta vie, sale larve ?

— J'ai fait ce qu'on attendait de moi. (Culligan s'humecta les lèvres, la voix éraillée après des heures passées à hurler.) On m'a demandé de garder la fille en vie et de l'empêcher de s'échapper. Personne ne m'a prévenu que le roi des garous était en rogne et recherchait cette chienne.

— On t'a dit ce que tu avais besoin de savoir.

Sadie ouvrit une blessure superficielle du sternum au nombril, les cris de douleur de Culligan tintant à ses oreilles. *Le misérable.* Il n'était même pas capable de jeter un sort digne de ce nom, alors qu'il n'existait rien de plus simple dans la magie des sidhes. Cela dit, il produisait les sons les plus merveilleux quand on le découpait comme une dinde de Noël.

— Tu croyais pouvoir traiter avec le diable sans avoir à payer de ton sang ? ajouta-t-elle.

— Que me voulez-vous ?

— Pour l'heure, te voir souffrir fera l'affaire. Quel dommage qu'on m'ait avertie que tu pourrais nous servir d'appât. Je ne pourrai pas te taillader éternellement, mais j'ai suffisamment d'imagination pour te garder entier.

Avec un sourire, elle retira le poignard, pour le replonger dans son ventre jusqu'à la garde.

— Enfin, peut-être pas entier, mais en un morceau assez gros pour que ton cœur continue de battre.

Lorsqu'il eut fini de hurler, Culligan lutta pour parvenir à parler.

— Un appât ? Qu'est-ce que ça veut dire ?

Se souvenant que le sidhe n'avait pas uniquement perdu la sang-pur, mais lui avait causé une tonne de problèmes, Sadie fit tourner la lame.

— Mon chou, tu as réussi à te mettre à dos les vamps et les garous, déclara-t-elle d'une voix sifflante. Ils suivraient ton odeur jusqu'aux portes de l'enfer pour avoir le plaisir de te tuer.

La tête de Culligan s'affaissa, ses cheveux dégringolant devant lui comme une rivière cramoisie.

— Pourquoi tout le monde se préoccupe de cette maudite fille ? Elle ne vaut rien. Elle est même incapable de se transformer, au nom du ciel.

— Quel idiot tu fais, Culligan. Cette fille a une valeur inestimable. Et tu ferais mieux d'espérer que ton incompétence n'a pas nui aux expériences de mon maître, ou tu vas prier pour que les garous te tombent dessus avant.

— Si elle est si importante, pourquoi me l'avoir vendue ?

Sadie retira le poignard, dont elle positionna la pointe ensanglantée sous le menton du sidhe pour lui relever le visage. Elle se pencha jusqu'à ce que leurs nez se touchent presque.

— Elle constitue une… garantie.

— Contre quoi ?

La bâtarde gloussa.

— L'élite dirigeante du monde démoniaque s'apprête à connaître un changement de direction, sidhe. Dommage que tu ne sois plus là pour en apprécier les effets.

Avec souplesse, la lame pénétra dans la peau douce sous le menton de Culligan, traversa la chair et lui transperça la langue jusqu'à la voûte du palais.

Son hurlement d'atroce souffrance, bien qu'étouffé, ne s'en révéla pas moins délicieux.

Au sud et à l'ouest de Hannibal les hautes falaises laissaient progressivement place à des champs vallonnés et à des kilomètres de terrains fortement boisés. Accroupi pour examiner l'étroit sentier de terre, Jagr entendait les ratons laveurs et les opossums, ainsi que des cerfs. Précisément le genre de gibier qui attirerait une meute de bâtards affamés.

Dommage que ces derniers soient complètement invisibles. Pas la moindre odeur ou trace, pas même un poil.

Il perçut un bruissement et sentit le parfum nocturne du jasmin lui tourmenter les sens.

Regan.

Il serra les dents alors que son corps réagissait de façon cuisante à la proximité de la jeune femme.

Grands dieux, lui qui croyait que ses années de torture étaient derrière lui. Il avait massacré ses ennemis et s'était barricadé dans son repaire. Il était censé mener une existence paisible et contemplative.

Ouais… bien sûr.

La manière dont son corps brûlait pour une garou qui ne parvenait pas à décider si elle voulait lui arracher ses vêtements ou lui planter un pieu dans le cœur n'avait rien de paisible. Pas plus que savoir qu'il risquait la peine de mort en n'obéissant pas à l'ordre de Styx de ramener Regan à Chicago, pour que cette femme assoiffée de vengeance puisse tuer son bourreau. Ni le fait que la méfiance à l'égard d'autrui qu'il avait appris à ses dépens à développer soit lentement mais inexorablement ébranlée.

Pas étonnant qu'il soit d'humeur à mordre.

Après s'être relevé avec aisance, Jagr tourna la tête pour observer la femme à ses côtés.

Comme par magie, sa fureur et sa frustration se transformèrent en une résignation contrite.

Regan lui avait peut-être jeté un sort. Ou alors les solides barrières qu'il avait érigées autour de lui ne faisaient tout simplement pas le poids face à la puissante attirance que la jeune femme exerçait sur lui.

Quoi qu'il en soit, il savait qu'il était loin d'être aussi pressé qu'il le devrait de retrouver la solitude de son repaire.

Regan dansa d'un pied sur l'autre et s'éclaircit enfin la voix. Depuis qu'ils avaient quitté la grotte, elle avait farouchement refusé de prononcer un mot. Supposant certainement que son silence constituait une sorte de punition.

Il n'avait pas voulu lui dire que, avant l'avènement de la technologie, il avait passé des dizaines d'années sans qu'un bruit ne dérange son étude. En plus, il s'était douté que son mutisme ne durerait pas. Ce n'était pas le genre de femme à garder ses émotions pour elle.

Plutôt une fille à vous cracher à la figure et à vous botter le cul.

Exactement comme il les aimait.

— Eh bien ? dit-elle.

Jagr dissimula un sourire à son ton cassant.

— J'ai perdu la piste du sidhe ici. Et toi ?

Elle parcourut le champ vide du regard, les sourcils froncés.

— Par là. Peut-être plus près des arbres.

— Dans ce cas, on va commencer nos recherches ici.

Avant qu'il ait pu avancer d'un pas, Regan avait croisé les bras d'un air obstiné.

— Ça irait plus vite si on se séparait.

Il haussa les sourcils à sa suggestion.

— Pour que je passe la fin de la nuit à te chercher ? Hors de question. Tu restes avec moi.

— Bon Dieu.

Il vit ses yeux miroiter au clair de lune. Il ne s'agissait pas de la lueur d'une garou sur le point de se transformer, mais de celle d'une femme excédée. Tout aussi dangereux.

—N'est-ce pas assez d'avoir été emprisonnée au cours des trente dernières années? Suis-je obligée de quitter un enfer pour un autre?

Il plissa les yeux.

—Mon seul but est de te protéger, Regan, pas de t'enfermer.

—Eh bien, je ne vois pas vraiment la différence.

Jagr poussa un feulement et l'empoigna pour la dévisager avec colère. Il était prêt à supporter beaucoup de choses, mais pas à être comparé à un lâche qui torturait une jeune femme.

—Prends garde, petite.

—Va te faire foutre, grand chef.

Brusquement, il la lâcha et recula. Simplement sentir sa peau douce sous ses doigts contractait tout son corps de désir.

—Tu veux être débarrassée de moi, alors laisse-moi t'emmener à Chicago, la défia-t-il avec une maîtrise de soi qu'il était loin d'éprouver. Tu n'auras plus jamais à poser les yeux sur moi.

Elle pinça les lèvres tout en se frottant distraitement les bras à l'endroit où il l'avait tenue.

—Je ne partirai pas tant que je n'aurai pas écorché Culligan et jeté son cœur aux poissons.

—Dans ce cas, il semblerait que nous soyons coincés ensemble.

Tournant les talons, Jagr se dirigea vers la ligne d'arbres.

Regan lui emboîta le pas en marmonnant d'ignobles menaces comme celles de lui couper ses parties les plus précieuses ou de lui faire subir une horrible décapitation.

Jagr ne les releva pas. Même si la jeune femme possédait le don inégalé de l'excéder au plus haut point, il comprenait sa frustration. Elle venait juste d'échapper aux griffes de Culligan : elle ne voulait dépendre de personne. Même s'il était là pour la garder en vie.

En approchant de la forêt, il s'arrêta soudain, les sens en alerte.

—Attends.

Regan vola à ses côtés, le corps tendu, prête à attaquer.

—Qu'est-ce qu'il y a ?

—Je sens l'odeur du sang. (Il lui montra les arbres.) Là-bas.

—Humain ?

—Sidhe.

Elle inspira profondément.

—Est-il encore là ?

—Impossible à dire.

—Allons-y.

Jagr réprima l'instinct qui le poussait à protester. Regan avait gagné le droit d'affronter Culligan. Tant qu'il n'était pas trop loin pour éviter une catastrophe.

—Par ici, lança-t-il.

Sans un mot, ils entrèrent dans les bois touffus, faisant à peine remuer les feuilles. Dans le lointain, Jagr entendait les bruissements d'animaux nocturnes et le gazouillement d'un ruisseau peu profond mais, dans les ténèbres, il ne percevait aucun signe d'humains ou de démons.

L'odeur enivrante de sang les conduisit vers l'ouest. Ils ne rencontrèrent que des arbres sur plusieurs mètres puis, brusquement, ces derniers laissèrent place à un grand chemin ouvert au cœur même de la forêt.

De toute évidence, l'agriculteur du coin s'en servait pour transporter son matériel d'un champ à un autre, mais Jagr n'avait d'yeux que pour le long camping-car qui détonnait dans le paysage.

—Merde.

Lorsqu'il s'arrêta, le vampire ressentit vivement les violentes émotions qui assaillaient la jeune femme près de lui.

—Regan?

Elle secoua la tête, les bras croisés sur le ventre comme pour se protéger.

—Je ne peux pas. Je... ne peux tout simplement pas.

Avant même d'en avoir conscience, il l'avait prise dans ses bras. Étrange. Jamais par le passé il n'avait éprouvé l'envie de réconforter une autre personne, pas même les membres de son clan, mais en cet instant rien n'était plus important.

Caressant de la main son dos aux muscles noués, il se pencha pour lui chuchoter à l'oreille.

—Reste là et monte la garde. Tu t'en sens capable, petite?

Après quelques secondes d'un silence tendu, elle hocha énergiquement la tête.

—Oui.

—Bien.

Sans tenir compte de sa réticence irrationnelle à la laisser seule, Jagr recula. Ce besoin possessif de protéger Regan non seulement était dangereux, mais constituait en outre une source de distraction.

Un guerrier devait se montrer froid et logique, maître de ses émotions.

Cette peur pour la sécurité de Regan qui fermentait en lui pouvait nuire à sa vigilance.

Ce qui signifiait sa mort.

Il s'engagea sur le chemin raboteux en direction du camping-car. En approchant de la porte, il sortit un poignard de sa botte. Ses sens avaient beau lui apprendre que le véhicule était vide, il ne s'aventurerait pas à y entrer aveuglément. Les bâtards avaient déjà prouvé leur aptitude à masquer leur présence par un sortilège. Il ne prendrait aucun risque.

Alors qu'il contournait le long véhicule, il regarda par les vitres avec prudence. Personne. À moins que les bâtards aient aussi réussi à devenir invisibles.

Finalement il se dirigea vers la porte. Enveloppé de ténèbres, il l'ouvrit et se glissa silencieusement à l'intérieur. Il s'accroupit, prêt au combat. Lorsque rien ne se produisit, il se redressa et laissa courir ses yeux sur la cuisine encastrée et le salon qui occupaient l'espace exigu.

Tout cela semblait…

Humain.

Rien de commun avec le style de vie luxueux qu'affectionnaient les sidhes.

Bien sûr, Regan avait affirmé que Culligan était faible. S'il était incapable de créer des portails ou de jeter des sorts, il devait gagner de l'argent par d'autres moyens.

Comme en maltraitant une jeune garou vulnérable au cours de spectacles malsains.

Jagr poussa un grognement sourd en se dirigeant vers le fond du camping-car. Il savait déjà ce qu'il découvrirait quand il ouvrit brusquement la porte de la chambre.

Savoir et voir, cela dit, étaient deux choses très différentes.

Des barreaux d'argent pur entouraient la petite pièce. Recouvraient les murs, le plafond, les vitres et jusqu'à l'intérieur de la porte. Pire encore, des entraves faites dans le même métal se trouvaient sur le lit étroit qui constituait le seul ameublement, en dehors d'une minuscule télé et d'une étagère de livres écornés.

Regan avait vécu là au cours des trente dernières années. Élevée par un maître brutal qui la maltraitait régulièrement.

L'avait-on obligée à porter ces chaînes chaque fois qu'elle entrait dans cette chambre ?

À la limite du supportable, leur brûlure devait l'avoir affaiblie au point de presque l'empêcher de vivre.

Il sentit une rage froide, mortelle, le transpercer.

Quelqu'un paierait pour ça.

Avec son sang.

Alors qu'il était perdu dans ces pensées sinistres, il se retourna brusquement en percevant le parfum de jasmin et revint vers l'avant du véhicule.

— Regan. Non, s'écria-t-il d'une voix rauque où transparaissait l'accent de sa langue maternelle quand il la vit franchir la porte.

Il distinguait la peur maladive qui faisait tourbillonner l'air autour d'elle, emplissant l'espace exigu, mais lisait la détermination sur ses traits magnifiques.

— Je dois le faire.

— S'il y a quoi que ce soit à découvrir, je le trouverai. Inutile que tu…

— C'est nécessaire, Jagr, l'interrompit-elle d'une voix basse, éreintée.

— Pourquoi ?

— Pour me prouver que j'en suis capable.

Jagr s'avança pour prendre son visage transi entre ses mains.

— Tu n'as rien à prouver, Regan. À personne.

—Je le fais pour moi. Je ne serai pas hantée par l'image de Culligan, ou l'enfer qu'il m'a fait vivre. (Elle haleta.) Je ne lui donnerai pas ce pouvoir.

Le souvenir sinistre et pénétrant de s'être introduit dans une profonde caverne pour massacrer sans merci ses ennemis surgit dans son esprit avant qu'il parvienne à le chasser.

C'était de Regan qu'il était question.

Et de la souffrance encore vive qui coulait comme du poison dans ses veines.

—Il a perdu tout pouvoir sur toi quand tu as survécu, déclara-t-il d'une voix rauque en espérant qu'elle croirait à la vérité de ses paroles. Ta force et ton courage ont triomphé de tout ce qu'il a pu te faire endurer. Tu as vaincu tes démons. (Un tremblement lui agita les lèvres tandis que son regard montrait le feu toujours présent en lui.) Et je parie que tu en vaincras un autre.

Comme il l'avait escompté, Regan fut aussitôt distraite et ses joues s'empourprèrent tandis qu'elle se dégageait brusquement.

—Tu as dit que tu avais senti l'odeur du sang.

—Oui.

Il se rendit à l'avant du camping-car et dut se pencher pour examiner le siège du conducteur.

—J'ignore pourquoi Culligan est venu à Hannibal, mais son comité d'accueil était de mauvais poil.

—Il est mort ?

—Il était vivant quand il est sorti du véhicule, mais il souffrait.

—Bon Dieu.

Avec une rapidité inattendue, Regan s'enfonça plus profondément dans le coin salon et plongea le poing dans les fausses boiseries.

Jagr la rejoignit, esquissant un sourire alors que des fragments de celles-ci fendaient l'air. Rien de plus excitant qu'une femme puissante.

— Non que je n'approuve pas les destructions systématiques, mais il existe des moyens plus satisfaisants de libérer sa frustration, murmura-t-il.

— Culligan conservait ses papiers et son argent dans un coffre-fort… Ah!

Après lui avoir décoché un sourire suffisant, Regan ramena une petite boîte de métal du trou qu'elle avait fait. Son sourire s'évanouit tandis qu'elle s'efforçait de l'ouvrir.

— Merde.

— Laisse-moi faire.

Sans lui demander son avis, Jagr lui prit la boîte des mains et en arracha le lourd couvercle.

Sans surprise, il fut récompensé par un regard noir.

— Suis-je censée être impressionnée par tes muscles saillants et ta force brutale?

— Tu peux être impressionnée par tout ce que tu veux, petite, même si la plupart des femmes préfèrent d'autres parties saill…

— Beurk! (Elle leva la main.) Assez.

Jagr aurait pu s'en offusquer s'il n'avait perçu le parfum caractéristique de son désir chaque fois qu'il se trouvait près d'elle.

Lorsqu'il jeta un coup d'œil dans le coffre-fort, il grimaça et le tendit à Regan.

— Je crois que ça te revient.

— Bon Dieu, souffla-t-elle en écarquillant les yeux à la vue des bijoux, des montres et des billets soigneusement entassés. Les humains. On aurait pu penser que plusieurs milliers d'années d'évolution leur feraient enfin acquérir la faculté de reconnaître une escroquerie flagrante. (Elle frissonna, le regard rivé sur la boîte comme si elle était contaminée.) Je n'en veux pas. C'est sale.

— Alors, fais-en don à une organisation caritative ou lance tout dans le fleuve. Tant que ça ne retourne pas dans les poches de Culligan ou de ses amis.

La jeune femme grimaça.

— Tu as raison.

— J'ai raison? (Il porta la main à son cœur, feignant la stupéfaction.) Par tous les saints, le ciel va-t-il nous tomber sur la tête?

— Espèce d'imbécile…

Elle écarquilla les yeux quand Jagr se précipita pour lui couvrir la bouche de la main.

— Quelqu'un approche, chuchota-t-il près de son oreille.

Elle lui fit retirer sa main, mais veilla à parler à voix basse.

— Culligan?

— Impossible à dire. Son odeur doit être masquée par un sort.

Alors qu'il s'apprêtait à faire du chasseur sa proie, Jagr se raidit. Il disposa de moins d'une seconde pour distinguer les effluves de la fumée avant qu'une bouteille brise la vitre et s'embrase. D'instinct, il recula. Le feu représentait un ennemi contre lequel un vampire ne pouvait pas lutter.

— Il est temps pour toi de partir, Regan.

Il la poussa vers les flammes qui se déployaient à une vitesse redoutable.

—Cours!

Offusquée, elle virevolta pour le foudroyer du regard.

—Tu es cinglé?

—Ce feu n'est pas magique, tu guériras de tes brûlures, affirma-t-il d'une voix rauque, tremblant de tout son corps sous l'effet du besoin de l'emmener en sécurité.

—Ouais, pour être tuée par le putain de roi des vamps quand il découvrira que je me suis sauvée comme une mauviette en laissant son petit préféré se faire rôtir.

—Styx ne te fera jamais de mal et je ne suis pas son préféré, et encore moins son petit. Maintenant, barre-toi d'ici!

La fumée s'épaissit et des perles de sueur apparurent sur le visage de la jeune femme, mais elle s'obstina à refuser de fuir.

—Oublie ça, chef. C'est pas près d'arriver.

—Bon sang.

Grommelant des jurons anciens et plus que quelques commentaires désobligeants sur le cerveau des garous en général, et sur celui d'une en particulier, Jagr referma les bras sur sa bête noire personnelle et, d'un seul mouvement formidable, il enfonça la paroi du camping-car.

CHAPITRE 7

Même si sa chute fut amortie par le corps imposant de Jagr, Regan cessa de respirer lorsqu'ils traversèrent la paroi du camping-car pour atterrir violemment sur le chemin.

Avant qu'elle ait pu reprendre son souffle, Jagr l'avait remise sur ses pieds et s'était retourné pour faire face à leurs deux agresseurs, figés d'horreur par leur apparition subite.

Une humaine svelte à la crinière blonde et bouclée et aux yeux bleus inoffensifs ainsi qu'un bel homme grand et mince qu'elle identifia immédiatement comme un bâtard, avec des cheveux noirs et un bouc qui semblait parfaitement assorti à ses traits malicieux.

À peine Regan venait-elle de retrouver son équilibre qu'elle sentit une froide vague de pouvoir envahir l'atmosphère, et Jagr se lança dans la bataille.

La femme poussa un hurlement terrifié mais, au lieu de s'enfuir comme n'importe quelle créature intelligente, elle tendit les mains, comme pour tenter de chasser ce prédateur massif. Ce que Regan aurait pu trouver drôle si un jet de lumière éclatante n'avait pas frappé Jagr en pleine poitrine, l'envoyant valser en arrière.

Une sorcière.

Regan se précipita vers le vampire affalé sur le sol dur, le devant de son pull brûlé et encore fumant. *Que cette sorcière aille au diable !* Personne n'était autorisé à s'en prendre à Jagr.

Personne, à part elle.

Elle était à moins d'un pas du vampire blessé quand elle sentit un frisson le long de son dos.

Se laissant guider par son instinct, elle s'accroupit en virevoltant et lança la jambe pour faire trébucher le bâtard qui l'attaquait.

Elle évita ainsi un coup cuisant à la mâchoire alors que le poing de son agresseur lui passait au-dessus de la tête, mais celui-ci parvint à sauter par-dessus sa jambe, la lueur sinistre d'un loup flamboyant dans ses yeux. Après s'être retourné pour lui faire face, le bâtard leva les mains en signe de paix.

— Doucement, chérie, dit-il d'une voix apaisante qui trahissait des origines irlandaises. Je ne te veux aucun mal.

Regan serra les dents, trop furieuse pour être vraiment terrifiée.

— Ouais, c'est ça. (Son rire cassant résonna dans la forêt.) J'imagine que tu souhaites aussi me faire avaler des couleuvres ?

Il arbora un sourire bien travaillé.

— Je jure sur la tombe de ma chère mère que j'ai reçu l'ordre de te ramener vivante.

— Me ramener où ?

— Viens avec moi et tu le sauras, déclara-t-il en lui tendant la main.

Est-ce que « stupide » était écrit sur son front ?

Regan entreprit de contourner le bâtard peu à peu, en proie à un besoin désespéré de rejoindre Jagr.

— Qu'est-ce que tu me veux ?

— Rien de plus que te protéger.

—Me protéger? Vous avez essayé de me tirer dessus dans cette chambre d'hôtel, sans parler de presque me rôtir vivante il n'y a pas une minute.

—On cherchait à tuer le vampire, dans l'hôtel, pas toi. On croyait qu'il t'agressait.

Il promena son regard sur son corps avec lenteur, son expression arrogante révélant qu'il pensait que les femmes aimaient qu'on les inspecte comme des voitures d'occasion. *Le con.*

—Les garous et les vampires ne se fréquentent pas habituellement.

—Et ce soir? s'enquit-elle.

—Je ne me doutais pas qu'il y avait quelqu'un dans le camping-car. On m'a demandé de m'en débarrasser, pas de t'attaquer.

Regan se raidit. Elle avait supposé que le bâtard les avait suivis jusqu'à cet endroit isolé. Mais s'il disait la vérité, il était au courant pour le camping-car.

Et pour Culligan.

—Qui t'a envoyé? cracha-t-elle. Culligan?

L'homme ricana.

—T'es cinglée ou quoi? Comme si j'allais recevoir des ordres d'un sale sidhe.

—Mais tu sais où il est?

Il s'avança vers elle avec assurance, et s'exprima d'une voix basse et séduisante.

—Non seulement je le sais, mais il est emballé comme un cadeau d'anniversaire en attendant que tu viennes le punir.

Les idées de Regan bouillonnèrent. Qu'elle parte avec ce bâtard était tout aussi improbable qu'une boule de neige en enfer. Tous ses instincts lui hurlaient de se méfier.

Sans compter qu'elle ne laisserait pas Jagr. Quant à savoir ce qui la poussait à protéger un vampire qui la retenait prisonnière, sans parler de la rendre folle, elle ne souhaitait surtout pas y réfléchir dans l'immédiat.

Mais si elle parvenait à le faire parler, peut-être obtiendrait-elle des indices sur l'endroit où il cachait Culligan… et sur ses raisons de vouloir mettre la main sur elle.

—Comment tu connais Culligan ? s'enquit-elle.

Le bâtard haussa les épaules.

—Je ne l'avais jamais rencontré avant qu'il vienne à Hannibal.

—Bon Dieu, existe-t-il un démon qui arrive en ville que tu n'essaies pas de tuer ?

—On n'a pas essayé de tuer le sidhe. (L'homme s'approcha encore, comme s'il espérait brouiller son esprit avec la chaleur enivrante qui émanait de lui.) C'était un simple enlèvement.

Regan fit diminuer insensiblement la distance qui la séparait de Jagr et son cœur se serra. Pourquoi ne revenait-il pas à lui ? Il se désagrégerait s'il était mort, non ?

—Je ne le qualifierais pas de simple, répliqua-t-elle. Culligan ne vous a pas suivis de son plein gré.

Le bâtard retroussa les lèvres.

—Il y a peut-être eu un peu de sang.

—Pourquoi l'avoir kidnappé ?

—En plus du plaisir de l'entendre crier ? (Il gloussa.) On a découvert qu'il retenait prisonnière une de nos louves. Ce qui ne peut pas rester impuni.

Il mentait. Regan n'avait jamais éprouvé une telle conviction de toute sa vie.

—Génial. Où étiez-vous donc quand j'avais effectivement besoin de votre aide? railla-t-elle en continuant à contourner ce dangereux bâtard.

Soudain, elle fut assez proche de Jagr pour sentir son pouvoir, même s'il était faible. Elle fut submergée par un sentiment de soulagement à l'état pur.

Il était toujours en vie.

Elle ignorait pourquoi, mais elle avait l'impression qu'on venait brusquement de lui enlever un poids de la poitrine.

Sans s'apercevoir que la jeune femme était distraite, l'homme passa une main sur les muscles saillants de son torse, un sourire légèrement coquin sur les lèvres.

—Je suis là maintenant. Prêt à t'offrir mes services pour tout ce qui pourrait t'être utile.

Beurk, beurk, beurk.

Regan ne ressentit pas l'émoi vibrant que Jagr éveillait en elle quand il la regardait avec ce désir brûlant. Tout ce qu'elle éprouvait était… du dégoût.

Alors qu'elle s'efforçait de dissimuler sa réaction peu flatteuse, la sorcière empoigna le bâtard par le bras.

—Qu'est-ce que tu fais? demanda-t-elle d'une voix sifflante. Le vamp ne va pas rester à terre éternellement. Nous devons partir.

Regan gronda, mourant d'envie de renverser cette femme et de la rouer de coups. La sorcière glapit, mais avant que Regan ait pu l'atteindre, l'homme la poussa derrière son dos.

—Pas sans ma jolie petite louve. (Il tendit la main.) Viens avec moi, Regan. C'est ton unique chance de te venger.

—Dis-moi où il est et je te rejoindrai plus tard, répliqua-t-elle.

—Pas question. Je te conduis auprès de lui ou tu ne le trouveras jamais.

Elle serra les poings.

—Comment je peux…

Elle s'interrompit en percevant un bruissement alors que Jagr bougeait, se libérant de toute évidence du sort qui lui avait été jeté.

—Merde.

Soudain, le bâtard lui saisit le bras, son expression charmeuse se transformant en méchante colère.

—On n'a plus le temps, chienne. Tu m'accompagnes.

—Pas dans cette vie, cracha Regan en se dégageant et en lui décochant un coup.

L'homme arrogant l'esquiva, et la frappa au ventre avant qu'elle ait pu réagir. Regan grogna quand l'air fut expulsé de ses poumons mais, au lieu de s'efforcer de garder l'équilibre, elle se laissa emporter par la violence de l'impact et tomba près des jambes de Jagr.

Elle venait à peine de toucher le sol que déjà le bâtard était sur elle et lui empoignait la tête d'une main, attrapant ses cheveux de l'autre pour la remettre debout.

Luttant contre les vertiges qui l'assaillaient, Regan tendit le bras vers la jambe de Jagr. Elle avait été battue suffisamment souvent pour qu'un peu de souffrance ne la distraie pas. Même quand on la tirait par la racine des cheveux.

Feulant de rage, le bâtard agrippa le cou de la jeune femme et lui écrasa la trachée tout en tentant de la relever de force. Regan serra les dents et le frappa au genou tout en faisant descendre sa main le long de la jambe de Jagr jusqu'à sa botte.

Son agresseur hurla de douleur lorsque son talon entra en contact avec sa rotule en produisant un ignoble craquement, mais il l'étrangla encore plus.

Regan lutta pour respirer, ses doigts se refermant enfin sur le poignard que Jagr avait caché dans sa botte. Dès qu'elle l'eut sorti de son fourreau, elle entailla le bras qui la retenait.

La lame d'argent glissa aisément dans la chair et les muscles, et racla l'os lorsque le bâtard bondit brusquement en arrière, relâchant sa poigne de fer sur la gorge de la jeune femme.

Se tenant le bras, l'homme la foudroya d'un regard où brillait une rage meurtrière avant qu'une énergie chatoyante tourbillonne autour de lui et qu'il se métamorphose. Son pouvoir rencontra un écho dans le sang de Regan tandis qu'elle voyait le visage séduisant s'allonger, les vêtements se déchiqueter sur le corps qui se tordait et se transformait, pour finalement endosser la forme d'une gigantesque créature semblable à un loup, avec une fourrure sombre et des yeux rouges flamboyants.

Regan sauta sur ses pieds, préparée à l'attaque imminente.

Qui ne vint pas.

Alors même qu'elle se campait sur ses jambes et brandissait le poignard, un grondement sourd retentit près d'elle et Jagr se dressa soudain tel un ange vengeur derrière son épaule.

Le bâtard grogna en faisant claquer ses crocs, mais il lui restait suffisamment d'intelligence humaine pour comprendre qu'il ne faisait pas le poids face à un puissant vampire furieux. Même un qui venait tout juste de se libérer d'un sortilège.

123

L'espace d'un instant, ils demeurèrent figés en un étrange tableau, l'air vibrant d'une violence prête à éclater au premier mouvement.

Regan retint bêtement son souffle, le regard rivé sur l'animal toujours prêt à bondir. Ce qui se révéla une erreur. Pendant que le loup montrait ses énormes crocs en émettant un grognement guttural, la sorcière prit les choses en main.

Littéralement.

Les bras levés, elle psalmodia tout bas. Jagr jura et, d'un geste brusque, poussa Regan sur le côté. Un quart de seconde trop tard. Elle vit une lumière vive, et sentit une douleur terrible à la tête.

Jagr porta son léger fardeau à travers les rues silencieuses et grimpa la falaise jusqu'à la grotte. Rongé d'inquiétude, il ne se donna pas la peine de maîtriser son pouvoir glacial qui se répandit dans les ténèbres et insuffla un sentiment d'effroi aux infortunés habitants de Hannibal.

Que lui importait? Les humains n'avaient qu'à remuer, mal à l'aise, dans leurs lits, et les démons inférieurs fuir les parages, terrifiés. Sa seule préoccupation était de trouver la gargouille, et ranimer Regan.

N'ayant aucun mal à percevoir la présence du minuscule démon, Jagr se glissa par l'ouverture de leur repaire provisoire. Il s'était déjà préparé au hurlement d'horreur de Levet lorsqu'il installa la jeune femme inconsciente au milieu de la grotte.

— Regan.

Battant des ailes et agitant la queue, Levet se précipita à ses côtés.

— Qu'est-ce que tu lui as fait, espèce de reptile mort-vivant?

Jagr se dirigea vers le fond de la caverne pour chercher son long manteau en cuir et en couvrit délicatement le corps trop immobile de Regan. Puis, il s'agenouilla et prit l'une de ses mains fines.

—Elle a été frappée par un sort. (Il transperça la gargouille d'un regard féroce.) Enlève-le.

—Comment…

Levet ravala sa question lorsque le pouvoir glacé du vampire explosa et le fit presque basculer en arrière. Il ferma alors les yeux et posa un doigt noueux sur le front de la jeune femme.

—Une sorcière humaine. Un sort défensif.

—Je n'ai pas demandé des conneries comme on en entend dans *Les Experts*, lâcha Jagr d'un ton hargneux. Débarrasse-la du sort.

—*Sacrebleu**. (Levet ouvrit brusquement les yeux.) Je dois savoir quelle magie a été utilisée, pour le faire disparaître.

—Très bien, c'était une sorcière humaine. Maintenant, occupe-t'en.

Il pointa un index menaçant sur le vilain visage de la gargouille.

—Et, Levet ?

—*Oui**?

—Garde à l'esprit que, si tu fais une erreur, ce sera la dernière.

Levet plissa les yeux, la fierté farouche de ses ancêtres miroitant soudain dans leurs profondeurs grises.

—Je plongerais un poignard dans mon propre cœur plutôt que de faire du mal à la sœur de Darcy, affirma-t-il. Maintenant, ferme-la et laisse-moi prendre soin d'elle.

Jagr serra les dents pour faire face à la fureur qui le ravageait avec une force brutale.

La nuit s'était révélée catastrophique.

Être piégé dans le camping-car en flammes. Permettre à une sorcière, une sorcière humaine qui plus est, de lui faire perdre connaissance, obligeant Regan à affronter seule leurs agresseurs. Ne pas être assez rapide pour la protéger contre le sortilège qui la paralysait à présent.

Un immense merdier du début à la fin.

Et c'était Regan qui faisait les frais de son incompétence.

Les yeux rivés sur le visage pâle de la jeune femme, il ne prêta guère attention à Levet qui marmonnait et agitait parfois les mains. Pourtant il sut immédiatement quand le sort fut rompu.

Il vit le corps de Regan se détendre et un léger soupir s'échapper de ses lèvres entrouvertes. Levet se rassit sur ses talons, les ailes tombantes de lassitude.

— J'ai enlevé le sort mais elle aura besoin de beaucoup de sommeil pour guérir.

— Mais ça va aller ?

— *Oui*.

Il sentit l'étau qui comprimait son cœur figé se desserrer, sans pour autant disparaître. Regan s'en remettrait mais ceux qui en avaient après elle demeuraient en vie.

Pour le moment.

Après avoir porté les doigts de la jeune femme à ses lèvres, Jagr reposa doucement sa main sur sa poitrine qui se soulevait et s'abaissait avec une régularité rassurante. Puis, sans prêter attention à la douleur qui subsistait en lui à la suite de l'attaque de la sorcière, il se releva brusquement.

Dans sa tête, la voix de la raison lui chuchotait qu'il devrait retourner au camping-car carbonisé. Non seulement dans l'éventualité où les blessures que Regan avait réussi à infliger au bâtard empêcheraient la sorcière de dissimuler son odeur, mais aussi pour s'assurer que sa propre piste vers la grotte avait été correctement effacée.

La raison, cependant, ne faisait guère le poids quand ses instincts protecteurs hurlaient de toutes leurs forces. Jamais il ne laisserait Regan seule alors qu'elle était évanouie et totalement vulnérable.

Jamais de la vie.

— Levet. (Les yeux plissés, il fit signe à la gargouille.) J'ai une petite tâche pour toi.

— Merde.

Regan ignorait combien de temps elle avait lutté contre les ténèbres qui se cramponnaient à elle. Elles étaient tenaces. Mais cela dit, elle aussi. Certains, en particulier un séduisant chef wisigoth, pourraient même la qualifier de terriblement têtue.

Refusant de s'avouer vaincue, elle se fraya un passage vers la conscience ; ses sens revenaient lentement à la vie, même si elle n'arrivait pas encore à soulever ses paupières encore trop lourdes.

Elle était étendue sur un dur sol de terre battue. La grotte, certainement. Elle respirait l'air frais et humide et une légère odeur de gargouille, comme si Levet n'était plus là. Et par-dessus tout, le parfum froid, exotique, d'un pouvoir qui ne pouvait appartenir qu'à Jagr.

Il n'était pas loin. Veillant sur elle.

Une sensation de chaleur lui parcourut tout le corps, bannissant la douleur persistante et apportant un étrange sentiment de paix.

De paix ?

Inspirée par un vampire arrogant qui croyait pouvoir la tenir en laisse ?

Bon Dieu, elle était dingue.

Ouvrant brusquement les yeux, Regan jeta un regard dans la caverne éclairée par des torches, pour s'assurer qu'elle se trouvait bien en sécurité dans la grotte et non entre les mains des bâtards. Ou pire, de nouveau dans cette satanée cage d'argent.

À condition bien sûr que ce truc affreux ait survécu au feu.

Convaincue de ne courir aucun danger immédiat, elle se releva péniblement, soulagée de ne pas s'écrouler la tête la première. Ni même de – trop – trébucher.

Elle passa les doigts dans ses cheveux en scrutant l'épaisse obscurité. Elle sentait la froide vague de pouvoir qui saturait l'atmosphère et lui confirmait la présence de Jagr, mais impossible de le voir.

Alors, soit il s'était servi de ses facultés de vampire pour s'envelopper de ténèbres, soit il se cachait dans l'une des cavités attenantes.

Elle hésita un instant.

La fierté lui disait que rien ne la retenait dans cette grotte. Elle pouvait partir et se lancer de nouveau à la recherche de Culligan. Ou, si elle était vraiment intelligente, elle pouvait sauter dans le bus le plus proche pour tout simplement disparaître.

Plus de sidhes, ni de garous, ni de vampires séduisants à en être agaçants…

Ce n'était pas la fierté, cependant, qui contrôlait ses pas. Au lieu de sortir dans la nuit, elle se dirigea vers le fond de la grotte.

Baissant la tête pour franchir l'ouverture voûtée, elle se glissa dans l'espace exigu qui abritait une citerne naturelle. En se redressant, elle s'attendait à voir Jagr. Son pouvoir était tangible à présent. Mais elle n'avait pas envisagé de le trouver complètement nu, alors qu'il s'élevait dans l'eau peu profonde et rejetait ses cheveux humides par-dessus ses épaules massives.

Le monde s'arrêta.

Ou, du moins, le petit coin dans lequel vivait Regan.

Bon Dieu. Elle avait déjà reconnu qu'il était particulièrement séduisant. Cette splendide crinière de boucles dorées. L'altière beauté masculine de ces traits. L'intelligence implacable de ces yeux bleu glacier.

Mais dépourvu de ses vêtements, il était… nom d'un chien !

Une puissance à l'état brut modelée en muscles fermes furent les seuls mots qui lui vinrent à l'esprit. Assez pour interrompre les battements du cœur de toute femme.

Perdue dans la contemplation de la perfection absolue de ce corps, Regan mit un moment avant d'immobiliser son regard avide suffisamment longtemps pour s'apercevoir que la splendeur lisse de cette peau d'ivoire avait été cruellement marquée par une série de cicatrices qui s'entrecroisaient du torse à l'aine.

Choquée autant par la douleur qui la ravagea que par la vue de ses épouvantables blessures, elle releva lentement les yeux, et rencontra son regard.

Comme toujours, l'expression de Jagr était impossible à déchiffrer, mais Regan n'était pas stupide. Il l'avait tout de suite senti, quand elle s'était éveillée. Ce qui signifiait qu'il aurait aisément pu se couvrir avant qu'elle tombe sur lui.

Les vampires ne se distinguaient pas par leur sens de la pudeur, mais ils abhorraient les difformités. Ces cicatrices devaient constituer une source d'humiliation pour un démon tel que lui.

Alors pourquoi les lui avoir montrées ?

Et pourquoi avoir choisi ce moment-là ?

S'efforçant d'éclaircir ses pensées embrouillées, elle s'obligea à respirer malgré sa gorge serrée et détourna le regard sur les ondulations de l'eau.

— Tu n'es pas censé suspendre une sorte de pancarte avant de te doucher dans une grotte mixte ?

Elle entendit un bruissement et, lorsqu'elle le regarda du coin de l'œil, elle le vit enfiler un jean délavé et remonter la fermeture Éclair sans refermer le bouton.

Waouh.

Elle eut la bouche sèche. Ce qui n'avait aucun rapport avec ses cicatrices.

Tous les hommes avaient-ils un aussi gros… ?

Et étaient-ils supposés transformer une femme en chienne en chaleur haletante ?

— Comment vas-tu ? demanda-t-il en venant se poster juste devant elle.

— Mal au crâne, bouche sèche et mes cheveux ne ressemblent à rien. (Au prix d'un véritable effort, elle releva la tête pour rencontrer son regard réservé.) Je suis restée dans les vapes combien de temps ?

— Tu as perdu une journée.

Elle sentit la frustration bouillonner dans son ventre. À ce rythme, elle serait inscrite au club du troisième âge avant d'être parvenue à retrouver Culligan.

— Merde. Je me souviens qu'on s'est lancés hors du camping-car et que ce bâtard m'a attaquée… et c'est le trou noir.

— L'humaine. (Son ton était dur, glacial.) Elle t'a jeté un sort.

— La salope. Elle est morte ?

— Non. Tu as réussi à blesser le bâtard mais ils se sont enfuis tous les deux.

Regan grimaça. Sans même avoir à lui poser la question, elle savait que Jagr avait décidé de la porter en lieu sûr plutôt que de tuer leurs agresseurs. Ou même de les capturer pour pouvoir les interroger.

Elle aurait dû être furieuse.

Elle n'avait pas besoin de sa protection. Elle ne l'avait certainement pas demandée.

Mais elle n'était pas furieuse.

Elle était bêtement contente. Comme si elle voulait que quelqu'un s'inquiète de son bien-être.

Dangereux, Regan. Très, très dangereux.

Aussi dangereux que d'avoir envie de laisser courir ses mains sur le torse couvert de cicatrices de Jagr pour lui prouver qu'elles ne diminuaient en rien sa beauté farouche.

Elle passait la langue sur ses lèvres sèches quand elle s'aperçut brusquement qu'elle avait le regard rivé sur ce large et délicieux torse depuis bien trop longtemps. Elle releva les yeux vers les siens et sentit le rouge lui monter aux joues.

— Je… me demande ce qu'une sorcière peut faire avec une meute de bâtards…

— Non, l'interrompit-il brutalement en se rapprochant tellement qu'elle dut pencher la tête en arrière.

— Quoi ?

—Ce n'est pas ce que tu te demandes. N'est-ce pas ? (Sa voix était calme, détachée.) Si tu veux le savoir, vas-y.

Regan sursauta en comprenant que Jagr avait pris, à tort, l'intérêt qu'elle portait à ses cicatrices pour de la curiosité mal placée. Pas de la… fascination.

Deux choses très différentes.

Bien sûr, la curiosité semblait un chemin bien plus sage alors qu'elle se trouvait seule dans une grotte avec un vampire à moitié nu qu'elle avait soudain envie de couvrir de baisers de la tête aux pieds.

—J'ignorais que les vampires pouvaient conserver des cicatrices, marmonna-t-elle, énonçant la question la plus évidente.

—Ce n'est pas un processus naturel. (Une rage ancienne lui assombrit le regard.) De furieux efforts et un acharnement pervers sont nécessaires pour marquer à jamais la peau d'un vampire. Ce n'est certainement pas pour les mauviettes.

—Pourquoi… (Elle porta la main à sa poitrine.) Oh, mon Dieu, on t'a torturé.

—Torturé puis affamé pour empêcher mon corps de se régénérer.

—Combien de temps ?

—Trois siècles.

Son ventre se tordit de compassion. Trois cents années de supplices incessants ? Comment avait-il survécu ? Et surtout, comment avait-il survécu sans devenir fou ?

Bon Dieu, elle ne pouvait même pas imaginer la force qu'il lui avait fallu.

Et elle lui avait reproché de souffler le chaud et le froid ?

Il y avait de quoi faire de quelqu'un un fou furieux.

—Un démon ? souffla-t-elle.

Il esquissa un rictus sans humour.

—Un vampire.

—Putain. (Elle secoua la tête avec lenteur.) Ainsi les rumeurs sont vraies.

—Quelles rumeurs?

—Culligan était hypernerveux chaque fois qu'il devait se rendre dans le clan de vampires local et leur payer un tribut pour faire des affaires sur leur territoire. (Elle effleura du regard les épaisses cicatrices.) Il affirmait que c'étaient des bêtes cruelles qui tueraient n'importe qui, même l'un d'entre eux.

Jagr haussa les épaules, ce que Regan regretta. Voir onduler les muscles sous cette peau d'ivoire fit naître des frissons dans le creux de son ventre.

—N'importe quelle créature peut se montrer cruelle, en particulier les garous, mais les vampires possèdent un talent particulièrement exquis pour terroriser et infliger des souffrances.

Elle releva vivement les yeux à ce qu'impliquaient ces sinistres paroles.

—Ils t'ont torturé pour le plaisir?

—Entendre mes hurlements constituait certainement un agréable divertissement pour mes bourreaux, mais ils me torturaient par vengeance.

—Pour quoi?

—Franchement? Je ne m'en souviens pas.

CHAPITRE 8

J agr observa la stupéfaction s'installer de façon prévisible sur le beau visage de Regan. Ah, si seulement ses propres émotions étaient aussi faciles à analyser.

Durant des siècles, il avait refusé de parler de ses tortures interminables. La plupart de ses frères percevaient la violence de son passé, et Viper savait que le bourreau de Jagr était un vampire, mais rien de plus. Et aucun d'eux n'avait eu la bêtise de lui poser des questions.

Alors, pourquoi avait-il délibérément provoqué cette situation ?

Car il l'avait fait exprès.

Il aurait pu couvrir ses cicatrices avant que Regan entre dans la caverne du fond. Elle aurait pu ne jamais soupçonner la vérité.

Et, en ce moment même, il continuait à les exhiber, comme s'il la mettait au défi de réagir à ce hideux témoignage de son vécu.

Alors… pourquoi ?

Heureusement Regan parvint à retrouver sa voix avant qu'il ait pu se pencher sérieusement sur ses raisons. Il valait certainement mieux qu'elles demeurent un mystère.

— Tu as été torturé pendant trois siècles et tu ne te rappelles pas pourquoi ? souffla-t-elle.

La compassion qui miroitait dans les yeux magnifiques de la jeune femme ne lui inspirait pas autant de répulsion qu'elle l'aurait dû.

— Lorsqu'un humain devient un vampire, il ne conserve aucun souvenir de sa vie précédente. J'ai commis mes crimes alors que j'étais encore un chef wisigoth.

— Ils devaient être terribles.

Jagr frissonna. Peu importait le nombre de siècles qui s'écoulaient, il n'oublierait jamais la vampire qui l'avait retenu prisonnier.

Avant d'être métamorphosée, Kesi faisait partie de la famille royale égyptienne et avait hérité de toute l'altière beauté de ses ancêtres. Les yeux sombres en amande, la peau légèrement dorée, les cheveux noirs brillants qui retombaient comme un rideau de satin dans son dos mince.

Ah, oui, elle était ravissante.

Et aussi venimeuse qu'un aspic.

Elle s'était peut-être emparée de lui par vengeance, mais elle l'avait gardé par besoin obsessif et pervers d'infliger la souffrance. Il n'avait pas été sa seule victime dans ses puits de l'enfer.

— La vampire qui m'a transformé a affirmé que j'avais conduit mon clan dans son repaire et massacré une dizaine des siens, dont son compagnon, expliqua-t-il, toujours aussi heureux à la pensée d'avoir asséné un coup cuisant à Kesi, même s'il ne s'en souvenait pas. Malheureusement, j'ai été capturé au cours de l'assaut.

— Je suis étonnée qu'ils ne t'aient pas juste tué. Pourquoi faire de toi un vampire ?

— De toute évidence tu n'as pas vu la saga *Saw*. Les humains sont bien trop fragiles pour survivre à autre chose qu'à une torture basique. Pour pouvoir réellement faire preuve de créativité, il faut une créature capable de supporter la douleur. Et, bien sûr, si on me rendait immortel, mon châtiment pouvait en prime durer l'éternité.

—Seigneur.

Elle inspira vivement, les yeux brillants de larmes.

—Comment t'es-tu échappé ?

Il repoussa le souvenir de tunnels baignés de sang et grouillants de vampires et de démons qu'il avait déchiquetés à mains nues lorsqu'il vit les larmes qui coulaient le long des joues de la jeune femme.

Déconcerté par cet étrange phénomène, Jagr lui prit le visage entre ses mains et, du pouce, essuya les traces humides.

—Je les ai tués, murmura-t-il, la voix rendue plus grave par une autre émotion qu'une colère ancienne.

—Tous ?

—Oui.

—Bien.

Il esquissa un rictus.

—Ils n'étaient pas vraiment contents.

Un silence s'installa alors que Regan l'observait d'un regard scrutateur. Jagr ne broncha pas. Il avait toujours craint de se sentir vulnérable, mis à nu, en avouant la vérité. Au lieu de quoi, il avait l'impression d'être… apaisé.

Peut-être étaient-ce les douces larmes de Regan qui avaient emporté une partie de l'amertume qui fermentait dans son âme.

Finalement, elle inspira profondément.

—Je suis désolée.

—Pourquoi ? Ce n'était pas ta faute.

— Je suis désolée de ne pas t'avoir cru quand tu m'as dit que tu me comprenais. Parce que c'est vrai. (Elle esquissa un petit sourire.) Plus que quiconque.

— Oui.

— Et c'est pour ça que tu ne m'as pas obligée à venir à Chicago.

Jagr dissimula son envie de rire. Si elle voulait s'imaginer que c'était la seule raison pour laquelle il ne l'avait pas jetée sur son épaule pour la traîner dans cette ville, il n'allait pas la contredire.

— La soif de vengeance constitue une force puissante, reconnut-il. Rien ne te retiendra à Chicago tant que Culligan vivra. J'aurais dû te pourchasser de nouveau.

— Me pourchasser ?

Jagr vit les yeux verts de Regan s'assombrir puis, à sa grande stupéfaction, elle leva la main pour suivre avec douceur le contour d'une des cicatrices qui marquaient sa peau.

— Tu penses que je suis ta proie ?

Avec un feulement, il s'écarta de la tentation brûlante de son contact. Par les flammes de l'enfer, que faisait-elle ? Même une vierge devrait percevoir que sa maîtrise de soi légendaire ne l'était pas tant que ça. Pas face à cette garou aux yeux d'émeraude.

— Regan, l'avertit-il dans un souffle.

Délibérément, elle fit de nouveau un pas vers lui, et recommença à lui caresser le torse avec audace.

— Quoi ?

Il lui attrapa le poignet, sentant ses canines s'allonger en même temps qu'un plaisir torride se déversait en lui.

— Ne me cherche pas.

Elle ne tenta pas de se libérer. Se servant simplement de sa main libre, elle continua à le tourmenter et à l'explorer avec douceur, du bout des doigts.

— Pourquoi m'as-tu montré tes cicatrices ? demanda-t-elle.

Il frissonna, son corps s'enflammant à toute vitesse.

— Tu joues à un jeu dangereux, petite.

Elle le regarda droit dans les yeux et, sans tenir compte de sa mise en garde, se rapprocha au point de l'envelopper de ses effluves nocturnes de jasmin.

— Tu pensais qu'elles me dérangeraient ?

— C'est le cas ?

— Uniquement pour ce qu'elles représentent. (Elle se pencha et fit glisser ses lèvres sur une large cicatrice.) Le fait que tu aies été obligé d'endurer de telles souffrances pendant une si longue période.

Jagr desserra les doigts sur le poignet de la jeune femme, effleurant du pouce les battements rapides de son pouls. Très bien. De toute évidence, elle voulait jouer. Déjà il percevait la senteur de son désir qui parfumait l'air.

Qui était-il pour endosser le rôle du raisonnable ?

Elle découvrirait bien assez tôt qu'on ne pouvait danser avec le diable sans se brûler.

Après avoir fait remonter sa main le long de l'élégante cambrure de son dos, il la referma sur sa nuque délicate.

— Comme toi, petite, j'ai survécu, murmura-t-il. Et pour la première fois depuis très longtemps, j'en suis très heureux.

— Moi aussi, chuchota-t-elle, inclinant la tête pour lui effleurer le torse des lèvres.

D'un mouvement convulsif, il l'enveloppa de ses bras pour l'attirer tout contre son corps ferme.

— Tu comprends ce que tu fais, Regan ? s'enquit-il d'une voix rauque, ses sens s'éveillant avec une intensité presque douloureuse.

— Pas vraiment. (Elle lécha le creux au-dessus de son sternum.) Mais j'aime ça. Et toi ?

Son grognement sourd retentit dans la grotte alors qu'il prenait dans ses mains les hanches de la jeune femme, et la serrait de façon compulsive contre son entrejambe de plus en plus dur.

— Merde, si ça me plaisait davantage je me consumerais, marmonna-t-il, appréciant pleinement pour la première fois les pouvoirs qui étaient devenus les siens depuis qu'il était né vampire.

Il entendait chaque battement de son cœur, percevait le plus petit tremblement qui agitait son corps svelte, humait le parfum nocturne de jasmin sur sa peau… la tentation de son sang riche.

Ses canines l'élançaient de concert avec son érection douloureuse.

— Je n'imaginais pas… (Elle se cambra pour rencontrer son regard avide.) Est-ce que ça fait toujours cet effet ?

Incapable de résister à la vue de ce cou fin incliné en une invitation patente, Jagr baissa la tête pour en mordiller la peau satinée.

— Non, murmura-t-il d'une voix empreinte de désir. Jamais un tel effet.

Elle frémit lorsqu'il traça de la langue un chemin brûlant sur la ligne de sa clavicule.

— Alors que se passe-t-il ?

Elle enfonça les doigts dans les bras du vampire, comme si ses jambes n'avaient soudain plus la force de la porter.

—À un moment je veux te donner un coup de poing dans le nez, ou au minimum obtenir une injonction d'éloignement contre toi, et le suivant…

Il lui mordilla le lobe de l'oreille en prenant soin de ne pas l'égratigner. Un seul désir irrésistible suffisait.

—Et le suivant?

—Je veux arracher mes vêtements pour sentir tes mains sur ma peau.

Avant qu'elle ait même pu deviner son intention, Jagr empoigna le bas de son tee-shirt et, d'un geste vif plein d'aisance, le fit glisser par-dessus sa tête. Elle eut le souffle coupé quand il le lança de côté et la débarrassa tout aussi facilement de son minuscule soutien-gorge blanc.

—Comme ceci? murmura-t-il en épousant sa poitrine des mains avec une délicatesse empreinte de déférence.

Par tous les dieux de sa mère, elle était magnifique. Parfaite. À croquer.

Des pouces, il caressa le bout rosé de ses tétons et gronda de plaisir lorsqu'ils se durcirent et qu'elle frissonna d'excitation.

—Oui, chuchota-t-elle. Juste comme ceci.

Il se pencha et referma les lèvres sur la pointe de son sein.

—Et comme ça?

La jeune femme rejeta la tête en arrière, ses cheveux effleurant les bras du vampire qui lui enserraient la taille comme une chaude rivière de satin.

—Oh… mon Dieu, oui.

Avec sévérité, il se rappela qu'elle était vierge et brida ses appétits effrénés. Lui tomber dessus comme une bête enragée ne constituait probablement pas la meilleure tactique de séduction. Pas encore.

Tout en continuant à lui tourmenter les tétons de la langue, il ouvrit avec dextérité la fermeture Éclair de son jean, en proie à une envie irrépressible de sentir son corps nu contre le sien. Quand Regan ne protesta pas, il le descendit avec lenteur et s'agenouilla pour lui enlever adroitement ses tennis et ses chaussettes, puis son pantalon.

Alors, toujours à terre, il se délecta du spectacle qui s'offrait à lui.

Elle avait de longues jambes fines. Une taille si étroite qu'il savait pouvoir l'encercler de ses mains. Mais ce fut de voir les muscles fermes onduler sous sa peau douce qui le rendit fou d'excitation.

Enfin, ça et le minuscule triangle de soie qui se trouvait directement au niveau de ses yeux.

Ses canines étaient complètement sorties, prêtes à déchirer avec ardeur l'étoffe délicate pour dévoiler le délicieux trésor qui se cachait en dessous.

De nouveau, cependant, il réprima son désir.

Il se releva lentement, faisant remonter ses lèvres le long de la courbe de son ventre, puis entre ses seins jusqu'au pouls qui s'affolait à la base de son cou.

Elle gémit et entrouvrit les lèvres avec enthousiasme lorsqu'il s'empara enfin de sa bouche en un baiser exigeant.

—Jagr, souffla-t-elle.

—Tu sens le jasmin. Je pourrais me noyer dans ton parfum.

—Et toi le pouvoir, chuchota-t-elle contre ses lèvres. Comme l'éclair.

—Les éclairs ont-ils une odeur ? la taquina-t-il en caressant longuement la cambrure de son dos.

Il pourrait la tenir dans ses bras durant une éternité et ce ne serait pourtant pas assez.

Car c'est là que se trouve sa place.

Qu'elle se trouvera toujours.

Ces mots troublants flottèrent dans son esprit avant qu'il ait pu les en empêcher.

— De l'énergie à l'état pur, répliqua-t-elle en gémissant alors qu'il suivait de la langue le bord de sa lèvre inférieure. Dangereuse… imprévisible…

— Oh, je peux être très prévisible, petite, rectifia-t-il.

Il lui prit la main pour la poser avec douceur sur son érection vibrante.

Le souffle coupé, elle traça des doigts le contour de son sexe dur qui exerçait une pression contre sa braguette, les yeux assombris par la prise de conscience de son pouvoir féminin.

Jagr brûlait de désir. Il souhaitait la séduire lentement, délicatement, mais la pensée de s'enfouir tout au fond d'elle minait rapidement sa maîtrise de soi. Il était resté un barbare. Un sauvage accouplement païen apparaissait de plus en plus comme une éventualité probable au fur et à mesure que les secondes passaient.

Regan ne pouvait pas ne pas avoir remarqué la chaleur qui emplissait soudain la grotte ni les muscles tendus du vampire mais, comme pour le pousser délibérément à bout, elle ouvrit petit à petit la fermeture Éclair de son jean, libérant la lourde avancée de son érection.

— Grands dieux, parvint à articuler Jagr d'une voix rauque, frissonnant sous l'effet d'une onde de désir torride.

— Est-ce que tu aimes ? demanda-t-elle en effleurant son sexe sur toute la longueur.

— Oui, grogna-t-il en lui empoignant les hanches, tentant de garder le contrôle de l'appétit qui grandissait en lui.

— Et ça ? chuchota-t-elle en descendant sa main progressivement.

— Regan… (Il grommela un juron et ferma les yeux, luttant pour retenir l'orgasme qui menaçait de le submerger.) Oui.

Elle découvrit la peau délicate de ses testicules, qu'elle serra doucement.

— Et ça ?

— Assez, s'étrangla-t-il en lui attrapant le poignet pour mettre un terme à cette exquise torture.

— Pourquoi ?

Il s'obligea à rouvrir les yeux et rencontra son brillant regard d'émeraude.

— Parce que tes caresses à elles seules vont suffire à me faire jouir.

À son aveu brutal, le parfum suave du désir de la jeune femme se fit plus pénétrant.

— Et ce n'est pas bien ?

— Pas bien ? (Son rire mordant résonna dans l'obscurité.) Par tous les saints, je traverserais les flammes de l'enfer pour sentir tes mains sur mon corps.

Un sourire qui incarnait la tentation même se dessina sur les lèvres de Regan.

— Alors pourquoi m'arrêtes-tu ?

Bonne question.

Oh, il avait l'habitude de ne pas satisfaire ses désirs.

Son repaire consistait en un dédale de tunnels froids et austères qui s'entrecroisaient sous un entrepôt abandonné. Il était dépourvu de tout le luxe dont la plupart des vampires raffolaient. Sa vaste collection de livres, son ordinateur sophistiqué et son écran plasma constituaient le seul confort qu'il s'était accordé.

Et il s'interdisait certainement de se vautrer dans la luxure comme de nombreux autres démons.

Il ne remettait jamais son existence d'ermite en question. Que lui importait si celle-ci traduisait un besoin obsessionnel de contrôler sa vie après des années passées à la merci des autres ? Ou quelque obscure aversion à être devenu un monstre similaire à ceux qui l'avaient torturé ? Ou même le dégoût grossier que lui inspirait la compagnie de ses semblables ?

En cet instant, il voulait se plonger dans les sensations tourbillonnantes qui lui échauffaient le sang jusqu'à l'ébullition. Il voulait… ressentir. Faire fondre la glace qui le retenait captif depuis qu'il avait quitté les grottes baignées de rouge de Kesi.

Il voulait Regan de toutes les façons qu'elle le désirerait.

Malgré son innocence, cette garou faisait manifestement preuve d'une curiosité espiègle. Pourquoi ne pas la laisser expérimenter les puissants effets qu'elle produisait sur son corps ?

Ils disposaient de l'éternité pour assouvir nombre de fantasmes.

Des fantasmes interminables, décadents, coquins.

D'un geste lent et délibéré, Jagr lâcha le poignet de Regan au moment même où il déposait un baiser torride sur ses lèvres. Elle ouvrit aussitôt la bouche pour permettre à sa langue de l'envahir, et lui prodigua des caresses maladroites mais incroyablement divines.

Il ignorait pourquoi elle avait soudain baissé la garde. Pourquoi elle avait accepté la passion qui vibrait entre eux depuis leur première rencontre. Et franchement, il s'en fichait.

Le destin l'avait rarement épargné. Jagr avait l'intention d'en profiter tant que ce dernier était prêt à lui sourire.

Après avoir fait courir ses lèvres sur les joues brûlantes de la jeune femme, il mordilla le creux juste en dessous de son oreille et, de ses doigts, traça avec détermination un chemin qui descendait le long de la ligne pure de sa taille. Elle frissonna en réponse, et son cœur battait si fort que Jagr n'avait pas besoin d'être un vampire pour l'entendre.

Il s'appuya sur les réactions éloquentes de Regan pour diriger ses gestes, attentif à son plaisir alors même qu'il commençait à balancer les hanches sous l'effet de ses caresses de plus en plus assurées, violentes.

Oh… par l'enfer!

En plus de mille ans, rien n'avait jamais été aussi bon.

Saisissant le bord de sa culotte, Jagr arracha ce bout de soie fragile, sans la moindre subtilité.

Il voulait explorer la moiteur qu'il percevait déjà. Il voulait la sentir frémir de désir. Il voulait entendre ses petits cris de volupté tandis qu'il la conduisait à l'orgasme.

Laissant glisser sa main sur la courbe de sa cuisse, Jagr écarta avec délicatesse les jambes de Regan pour pouvoir accéder à son intimité.

Avec un grondement guttural, il passa le doigt entre les plis de sa chair et s'aperçut qu'elle était prête pour lui.

—Oh! là, là! souffla-t-elle en resserrant involontairement les doigts sur son érection.

Non qu'il ait l'intention de protester. Il lui murmura plutôt de doux encouragements tout en la caressant avec une insistance grandissante.

Il sentait ses canines l'élancer, sa soif hurler en lui, mais Jagr ne tint pas compte de son envie brûlante de lui prendre son sang. La divine pression qui lui étreignait le bas-ventre l'amenait rapidement vers le point de non-retour. Il était farouchement déterminé à s'assurer qu'elle atteignait l'orgasme avant d'en faire autant.

Il pencha davantage la tête pour aspirer le bout de son téton dans sa bouche, se servant de la langue pour le titiller et le tourmenter pendant qu'il plongeait un doigt en elle. Elle gémit faiblement et passa la main sur lui à un rythme plus soutenu en réponse à ses caresses répétées.

Elle y était presque.

Presque.

Le souffle coupé, elle se cambra et trembla d'extase en poussant un petit cri ; le dernier mouvement de sa main sur l'érection de Jagr le fit hurler tandis que ses sensations convergeaient et que le monde explosait de félicité.

Alors qu'il serrait Regan tout contre lui, Jagr ne put s'empêcher de sourire.

Peut-être qu'elle ne s'était pas trompée en affirmant qu'elle sentait une odeur d'éclair.

Les dieux savaient que la foudre venait juste de le frapper.

Alors qu'elle flottait sur un petit nuage, Regan ne tenta pas de se débattre quand Jagr la souleva du sol et entra dans l'eau froide qui coulait dans le fond de la grotte. Pas même quand il la frotta avec douceur, bien qu'énergiquement, avec le savon et le shampoing de luxe qu'il avait manifestement apportés de Chicago.

Pour la première fois de sa vie, elle se sentait… délicieusement dorlotée.

Exactement comme une femme normale qui se ferait gâter par son amant du moment.

Son amant.

Regan frissonna. Oui… des amants.

Oh, elle n'était pas stupide – d'accord, la question restait en suspens –, elle connaissait les principes fondamentaux des relations sexuelles et le fait qu'elle était toujours techniquement vierge. On se retrouvait exposé à beaucoup trop d'informations en regardant les chaînes de vidéo à la demande.

Cela dit, ça avait été…

Waouh.

Ouais, un assez bon résumé.

Et alors qu'une partie d'elle-même voulait mettre son instant d'égarement sur le compte de la pitié que lui inspirait une créature qui avait enduré de telles souffrances, elle ne pouvait s'y résoudre. Pas quand elle avait eu envie de sauter sur ce séduisant vampire depuis sa morsure orgasmique dans cette chambre d'hôtel.

Là-bas, elle avait admis son désir même si elle n'en avait rien dit.

Elle ne comprenait peut-être pas pourquoi un vampire arrogant et exaspérant, qui ne demeurait avec elle que parce que son grand Anasso lui avait ordonné de la protéger, pouvait la faire frissonner de tout son être chaque fois qu'il se trouvait près d'elle, mais les faits étaient là.

Et manifestement sa propension à la faire frissonner ne disparaissait pas, même après un orgasme à couper le souffle.

À chaque passage de la main de Jagr, elle sentait de minuscules pointes de désir au milieu de la merveilleuse léthargie dont elle n'arrivait pas à sortir.

— Tu es très silencieuse, murmura-t-il.

— Et nul n'est autorisé à être du genre fortement silencieux à part toi ? répliqua-t-elle.

Elle n'ouvrit pas les yeux. Un regard à ce visage à l'impossible beauté, et elle tomberait à la renverse, demandant grâce.

Une femme devait toujours conserver une certaine fierté, non ?

Il gloussa doucement.

— Tu es assurément très puissante, mais tu ne m'es pas apparue comme étant particulièrement silencieuse.

Elle eut le souffle coupé lorsqu'il suivit de la main la rondeur de sa hanche.

— J'ai passé trente ans obligée de garder la bouche fermée pendant que Culligan parlait à tort et à travers des heures durant. À partir de maintenant, je compte dire ce que je veux, quand j'en ai envie et aussi souvent que ça me plaira.

— C'est ce que j'ai remarqué.

Incapable de résister, elle ouvrit les yeux pour rencontrer son regard amusé.

— Si ça ne te convient pas, tu peux toujours...

Regan ne tenta même pas d'échapper au baiser furieusement possessif qui la réduisit au silence.

— Je n'ai pas dit que ça ne me convenait pas, marmonna-t-il contre ses lèvres. En plus, je sais comment te faire taire quand je le souhaite.

— Espèce de crétin arrogant.

— Toujours.

Après un ultime baiser brûlant, il rinça les dernières traces de savon et hissa la jeune femme hors de l'eau. Puis il la laissa se sécher avec sa chemise et enfila son jean délavé, un tee-shirt noir propre – qui moulait son large torse d'une façon absolument renversante – et ses bottes de moto avant de disparaître dans la caverne principale.

À peine Regan avait-elle réussi à s'éponger et à mettre son soutien-gorge et sa culotte qu'il revint et lui tendit, les sourcils froncés, les sacs contenant ses vêtements neufs.

— J'ai pris la moitié de la boutique et il n'y a pas un tee-shirt digne de ce nom là-dedans.

Eh bien, adieu l'amant attentionné qui l'avait si tendrement savonnée, se dit-elle avec ironie.

Après lui avoir arraché les sacs des mains, Regan entra dans un jean taille basse, puis fouilla dans l'amoncellement d'habits et en sortit un joli haut en tricot jaune au décolleté arrondi bordé de dentelle qui lui arrivait tout juste au nombril.

Elle le fit glisser par-dessus sa tête, le lissa et dévisagea Jagr avec un sourire provocant.

— Qu'est-ce qui te dérange dans mes tee-shirts ?

Il examina d'un regard noir le minuscule haut qui moulait les formes de la jeune femme.

— Ils ont tous été coupés au niveau du ventre et sont si petits que tu pourrais tout aussi bien t'en passer.

— Au cas où tu ne l'aurais pas remarqué, on n'est plus au Moyen Âge et on n'oblige plus les femmes à se couvrir de la tête aux pieds depuis longtemps, chef. (Elle plissa les yeux.) Et en quoi ça te concerne, de toute façon ?

Il croisa les bras ; il semblait grand, dangereux et... bon Dieu, d'une beauté véritablement à couper le souffle qui la faisait baver.

Satané vampire.

— Je...

Il s'interrompit au moment même où Regan se figea : une odeur caractéristique flottait dans l'air.

— Des garous, gronda-t-il.

Il se retourna avec une grâce impossible pour se précipiter dans l'autre grotte.

— Salvatore, comprit-elle en se hérissant.

Elle le suivit d'une démarche moins gracieuse et bien plus bruyante.

Une fois dans la grande caverne, la jeune femme, sans tenir compte de Jagr qui tentait de la cacher derrière son corps massif, se positionna de façon à profiter d'une vue dégagée de Salvatore Giuliani qui entrait avec assurance.

Comme toujours, le roi des garous était élégamment vêtu d'un costume de couturier réputé, en l'occurrence gris ardoise, porté avec une cravate de soie assortie et une chemise d'un ivoire pâle. Ses épais cheveux noirs étaient attachés sur la nuque tandis que son visage aux traits latins sensuels était d'un bronze poli. C'étaient ses yeux dorés, néanmoins, qui attiraient et retenaient l'attention. Des yeux renfermant une intelligence impitoyable et une volonté redoutable d'accomplir le nécessaire pour parvenir à ses fins.

Y compris la jeter comme un déchet non recyclable.

Après être entré sans se presser et avec morgue dans la grotte, Salvatore huma délibérément l'air, la lueur coquine dans ses yeux révélant qu'il avait conscience des ébats de Regan et Jagr.

— Je dérange ? railla-t-il d'une voix où transparaissait un léger accent italien.

Quand le vampire le dévisagea dans un silence glacial, Salvatore esquissa un rictus et porta le regard sur la jeune femme.

— Ah, Regan. Toujours aussi exquise.

Regan n'hésita pas.

— Espèce de fils de pute, s'écria-t-elle d'une voix rauque en s'élançant avec une rapidité qui prit les deux hommes au dépourvu.

Elle percuta le garou interloqué, qui bascula en arrière, et se jucha sur son torse pour scruter avec fureur son visage trop séduisant.

— Tu as laissé Culligan s'enfuir.

Les yeux dorés du loup flamboyèrent de désir, plutôt que de colère.

— *Cristo*, tu es magnifique. Quel dommage que tu ne puisses pas me donner un héritier. Tu aurais été une compagne de valeur. (Lentement, un sourire séducteur se dessina sur ses lèvres.) Bien sûr, cela ne signifie pas que nous ne pouvons pas passer du bon temps ensemble. Tu ne connais rien à la vie tant que tu n'as pas couché avec un sang-pur…

Elle plissa les yeux, dégoûtée.

— Penses-y seulement et je te castre.

Son rire rauque résonna dans la grotte lorsqu'il fit rouler Regan sous lui. À présent au-dessus, il sourit en regardant son visage stupéfait.

— Oh, j'y pense.

Il n'y pensa pas longtemps.

Une froide explosion de rage les enveloppa et Jagr empoigna Salvatore par la gorge et le cloua contre la paroi.

— Touchez-la encore, chien, et on retrouvera les morceaux de votre corps disséminés entre ici et La Nouvelle-Orléans, l'avertit-il d'un ton aussi glacé que l'Arctique.

Il vit les yeux dorés du garou briller.

— Lâchez-moi, vampire, ou vous aurez sur les bras une guerre dont Styx ne veut pas.

Indifférent à cette menace, Jagr se pencha et chuchota quelque chose trop bas pour que Regan l'entende, puis recula brusquement et desserra sa poigne d'acier.

Salvatore poussa un grondement guttural mais, bizarrement, n'attaqua pas. Il préféra défroisser son costume Gucci et vérifier que sa cravate était toujours impeccable.

—Ai-je mentionné à quel point j'abhorre les vampires ? susurra-t-il d'une voix chargée d'un doux venin.

Regan se releva en se demandant ce que Jagr avait bien pu lui souffler à l'oreille.

—Que faites-vous ici ? s'enquit ce dernier. Je vous ai prié de vous rendre à Hannibal pour vous occuper de vos chiens enragés, pas pour bavarder.

Salvatore rencontra le regard noir du démon sans broncher.

—Je suis venu car je n'ai trouvé aucune preuve de la présence des bâtards dans la région, malgré le fait que mes hommes les ont cherchés pendant des heures. Un garou méfiant pourrait commencer à penser qu'il s'agit d'un piège.

—Je n'ai pas besoin d'un piège pour tuer un garou, roi ou non.

Regan frissonna, ayant l'impression de se tenir au milieu d'un orage qui se préparait.

Rien d'étonnant.

Il émanait de Salvatore la chaleur naturelle d'un sang-pur furieux, tandis que le pouvoir de Jagr s'apparentait à un coup de vent glacial.

Exactement comme un front chaud et un front froid qui se rencontrent.

—Bon Dieu, on ne peut plus respirer ici tellement il y a de testostérone, grommela-t-elle en se postant entre les deux hommes.

Ce qui était à peu près aussi intelligent que se mettre entre un loup enragé et un tigre sauvage, mais ils n'arriveraient à rien tant que ces deux-là joueraient à celui qui avait le plus de couilles. Elle foudroya Salvatore du regard, exaspérée.

— Vous n'avez pas trouvé les bâtards car ils sont dissimulés par le sort d'une sorcière.

— Vous les avez vus, au fait ? demanda-t-il en suivant des yeux Jagr qui venait enlacer la jeune femme par-derrière, un bras possessif autour de sa taille.

Regan réprima un soupir. Cela semblait toujours si sexy dans les films d'avoir deux hommes qui se battaient pour une femme. En cet instant, elle avait juste envie de leur balancer son poing sur leur nez à tous les deux.

— L'un d'eux nous a attaqués hier soir, dit-elle.

Salvatore se raidit de surprise.

— Une minute.

Il se tourna vers l'ouverture de la grotte et siffla doucement. Immédiatement, deux bâtards entrèrent. L'un énorme et massif, avec le crâne rasé et une tête de pit-bull. L'autre plus petit, plus mince, avec de courts cheveux blonds et une expression étonnamment intelligente.

En tandem ils tombèrent à genoux et collèrent le front sur le sol dur.

— Oui, Votre Majesté ? (Le chauve se fit le porte-parole de la paire servile.) Comment pouvons-nous vous servir ?

Regan s'étrangla presque en faisant face à Salvatore.

— Oh, tu plaisantes, là ? Et moi qui trouvais Culligan imbu de lui-même.

Un sourire étira les lèvres du garou. *Le salopard suffisant.*

— Hess a vécu sur les terrains de chasse au nord d'ici. Il est possible qu'il reconnaisse votre agresseur si vous pouvez le décrire.

— Je peux faire mieux que ça si tu me passes du papier et un crayon, répondit-elle.

Salvatore claqua des doigts.

— Max, retournez au Hummer et rapportez ce dont la dame a besoin.

— Oui, sire.

Sautant sur ses pieds, le jeune homme se précipita hors de la grotte à toute vitesse. Regan secoua la tête.

— Tu prends vraiment ton pied avec toute cette histoire de royauté, pas vrai?

— C'est agréable d'être roi.

— Ouais, j'imagine.

Le sourire de Salvatore se mua en une invitation coquine.

— Mais pas aussi agréable que d'être le roi des…

Jagr resserra le bras autour de la taille de Regan, son pouvoir envoyant un frisson lui courir le long du dos.

— Attention, chien, cracha-t-il.

— On se sent des élans protecteurs, vamp? railla Salvatore.

— Régicides.

CHAPITRE 9

Un silence tendu s'installa tandis que les deux prédateurs broyaient du noir et faisaient tous les trucs
débiles que les hommes font quand ils ne sont pas autorisés
à s'entre-tuer.

Regan se frotta les bras en frissonnant pour en chasser
les fourmillements douloureux. *Oh! là, là!* La situation
risquait de dégénérer d'un instant à l'autre et elle ne pouvait
absolument rien y changer.

Enfin, l'orage qui menaçait fut dissipé par le retour de
Max, à peine essoufflé malgré sa descente et sa montée au
pas de course de la haute falaise.

— Dieu merci, marmonna Regan en se dégageant de
l'étreinte de Jagr pour saisir le carnet et le crayon que lui
donnait le bâtard.

Percevant distinctement la tension qui grésillait entre
les hommes, elle se jucha sur un rocher plat. Bon Dieu, l'air
dans la grotte était si dense qu'elle parvenait tout juste à
respirer. Et que Salvatore soit encadré par ses deux gardes
du corps comme s'il se préparait au combat n'arrangeait
rien. Pourquoi n'agitait-il pas plutôt un drapeau rouge au
nez du redoutable vampire ?

Les crétins.

Après s'être éclairci les idées, la jeune femme s'obligea
à se concentrer pour se souvenir du bâtard qui les avait

attaqués. À quoi bon se tracasser pour Jagr et Salvatore ? S'ils voulaient s'étriper, qu'ils le fassent.

Elle n'avait pas l'intention de jouer à Super Nanny.

Regan fit glisser le crayon sur le papier, perdue dans son croquis. Elle n'était pas Picasso – de toute façon, qui l'était ? –, mais au fil des années elle avait pris le coup de main pour capturer des images avec un minimum de traits.

Elle avait terminé les grandes lignes du visage et travaillait sur son bouc étroit lorsqu'elle sentit Jagr venir se poster près d'elle, son pouvoir soigneusement modéré.

— C'est parfait, murmura-t-il avec une pointe de surprise dans la voix. Tu possèdes un réel talent.

La jeune femme haussa les épaules.

— Pas vraiment, juste de la pratique. Il n'y a pas grand-chose pour s'occuper dans une cage exiguë, à part regarder la télé et dessiner.

Après quelques coups de crayon supplémentaires, elle fut satisfaite et tendit le carnet dans la direction de Salvatore.

— Tiens.

Le sang-pur s'approcha, flanqué de l'imposant Hess.

— Le reconnaissez-vous ? demanda-t-il à ce dernier.

Le bâtard poussa un grondement féroce, les yeux flamboyants.

— Duncan.

Salvatore fronça les sourcils.

— Que savez-vous sur lui ?

— C'est un disciple de Caine.

— *Cristo*, souffla le sang-pur, stupéfait.

— Qui est ce Caine ? s'enquit Jagr.

Salvatore fit claquer ses dents, les pensées manifestement ailleurs.

— Des affaires internes aux garous.

— Ça devient mon problème quand un de vos chiens manque de me faire rôtir, répliqua le vampire. Pourquoi tentent-ils de tuer Regan ?

— Je l'ignore.

Jagr avança vers Salvatore, le corps ramassé pour attaquer, ses canines brillant dans l'obscurité.

— Ne me cherchez pas, garou.

Regan frissonna mais Salvatore se contenta de hausser un sourcil avec arrogance. Courage ou stupidité ?

Impossible à dire.

— Vous pouvez montrer vos crocs à loisir, vamp, je n'ai aucune explication à vous donner sur les raisons de la présence des bâtards à Hannibal, ni sur l'intérêt qu'ils portent à Regan.

— Alors que savez-vous, bon sang ?

Salvatore serra les dents. Néanmoins, manifestement conscient que le vampire s'apprêtait à lui faire cracher la vérité de force – aussi douloureusement que possible –, il se retourna brusquement pour arpenter la grotte.

— On m'a communiqué des rapports selon lesquels un bâtard du nom de Caine a rassemblé certains de ses semblables en une société secrète.

Regan réprima une ridicule envie de rire.

— Comme les francs-maçons ?

Salvatore continua à faire les cent pas.

— D'après le peu d'informations que j'ai réussi à réunir, ce serait plutôt une sorte de djihad.

— Une guerre sainte ? demanda-t-elle.

— Une poignée de bâtards se sont persuadés que les sang-pur réduisaient à dessein leurs pouvoirs.

Elle secoua la tête. Élevée dans une cage d'argent et n'ayant rencontré qu'occasionnellement d'autres démons, elle ignorait tout de son peuple. Ce qui ne l'avait jamais dérangée, jusqu'à ce qu'une bande de chiens galeux décide d'enlever Culligan.

—Quels pouvoirs? s'enquit-elle.

Salvatore haussa les épaules.

—Leur force, leur aptitude à contrôler leurs métamorphoses, leur condition de mortels. Des inepties, bien sûr. Un bâtard devient peut-être plus puissant et voit son existence prolongée, mais au final il n'est qu'un humain infecté par notre morsure. Il ne ressuscite pas pour se transformer en un démon à part entière, à l'instar des vampires.

Ainsi les bâtards goûtaient à la félicité, sans jamais vraiment pouvoir y accéder. Un peu comme elle.

Une mutante qui n'avait pas vraiment sa place dans le monde démoniaque.

Qui ne chercherait pas à se venger? Surtout si cela signifiait détrôner le suffisant et dominateur roi des garous accro à la mode?

Évidemment, Caine ne devait pas être très malin s'il s'imaginait un instant qu'une meute de canailles aurait la moindre chance contre n'importe quel sang-pur, et particulièrement contre un de la trempe de Salvatore. Et quant à ce qui poussait Duncan à laisser entendre qu'elle les intéressait…

Sa respiration s'interrompit net.

—Oh.

Jagr vola à ses côtés, comme s'il percevait les soupçons délirants qui flottaient dans son esprit.

—Qu'y a-t-il, petite?

—Je…

Elle secoua la tête et se tourna pour rencontrer le regard scrutateur de Salvatore.

— Les bâtards croient qu'un sang-pur pourrait leur offrir les pouvoirs qu'ils désirent?

— Comme je l'ai dit, quelques idiots sont convaincus que nous diminuons délibérément la quantité de venin libérée lors de nos morsures pour réduire leurs facultés. Dès que j'aurai retrouvé Caine, je compte mettre fin à ses dangereuses revendications. (Il esquissa un sourire terrifiant.) Une fin douloureuse.

Regan grimaça.

— Tout à fait digne de Rambo, mais as-tu envisagé la possibilité que ce Caine ait décidé de ne pas se borner à se plaindre du sort des siens?

Salvatore ricana.

— Il ne possède pas suffisamment de disciples pour attaquer les garous. Il préfère se tapir dans l'ombre tout en semant les graines de la révolution.

— Ouais, eh bien, peut-être que son numéro de Judas n'est qu'une apparence.

Jagr feula, lisant dans son esprit avec une aisance troublante.

— Exactement, confirma-t-il.

Salvatore fronça les sourcils, heureusement incapable de farfouiller dans les pensées de Regan.

— Que voulez-vous dire, bon sang?

La jeune femme s'efforça de mettre des mots sur ses vagues soupçons.

— Si ce Caine croit vraiment pouvoir devenir un sang-pur, pourquoi s'embêterait-il à fomenter une révolte qu'il ne gagnera jamais? Ne serait-ce pas plus logique de consacrer son temps à chercher la clé qui étendrait ses dons?

— Il a déjà commencé… (Salvatore s'interrompit, le regard flamboyant d'un feu sinistre.) *Cristo.*

— Et s'il s'imagine pouvoir encore obtenir les pouvoirs qui lui font défaut, de quoi aurait-il besoin ? demanda Jagr d'une voix rauque.

Salvatore joua avec la lourde chevalière à son doigt.

— Si sa théorie n'était pas complètement incohérente, peu scientifique et folle, je suppose qu'il aurait besoin d'un sang-pur.

Quatre paires d'yeux masculins se tournèrent pour dévisager Regan comme si elle était un vilain microbe sous un microscope.

— Il le leur faudrait certainement vivant ? fit remarquer Jagr.

Aux accents glacés de sa voix, Regan comprit qu'il était loin d'être aussi calme qu'il le semblait. Elle découvrait vite que plus ses émotions étaient fortes, plus il les enfouissait profondément dans le permafrost.

— À ce propos, je crois qu'ils ont tenté de me prendre vivante, reconnut-elle en rencontrant délibérément le regard farouche du vampire. C'est toi qu'ils cherchent à tuer.

— Ils peuvent toujours rêver, commenta Salvatore d'une voix traînante.

Jagr ne détourna jamais son attention de la jeune femme.

— Comment peux-tu en être sûre ?

— Je n'en suis pas sûre, mais Duncan essayait de me convaincre de le suivre de mon plein gré pendant que tu étais inconscient.

— Un bâtard a assommé le terrible Jagr ?

Cette fois, le vampire foudroya l'exaspérant garou d'un regard glacial.

— Une sorcière.

— Duncan a affirmé ne me vouloir aucun mal. (Regan s'empressa d'éviter une prise de bec de plus entre ces deux-là.) Il n'a pas révélé quel danger j'étais censée courir mais il était évident qu'il souhaitait désespérément m'emmener quelque part, et ce à n'importe quel prix.

Salvatore proféra un juron tout bas.

— Je suis impatient de rencontrer ce Duncan. Nous avons beaucoup à nous dire.

Elle vit une émotion, peut-être de la frustration, durcir le beau visage de Jagr.

— À ce stade, tout ça n'est que conjectures. Tirer des conclusions hâtives pourrait mettre Regan en danger. Pour l'heure, la protéger est tout ce qui compte.

D'instinct, elle se hérissa à son ton possessif. D'accord, elle était prête, désireuse et capable de profiter du corps fabuleux de ce vampire. Pourquoi pas ? Elle avait été contrainte à l'abstinence pendant trop longtemps. Et il avait déjà prouvé qu'il maîtrisait le genre de savoir-faire qu'une femme assoiffée de sexe pouvait apprécier.

Mais un gardien dominateur était la dernière chose qu'elle voulait.

Elle en avait déjà un comme ça à tuer sur sa liste.

— Je peux prendre soin de moi, merci beaucoup, répliqua-t-elle. Et le seul truc qui m'intéresse, c'est le fait que Duncan affirme détenir Culligan.

Elle sentit la frustration de Jagr se transformer en un courant d'air glacé.

— C'est un piège.

Elle roula des yeux face à son ton catégorique.

— Ah oui, tu crois ?

— Je crois que, quand il est question du sidhe, tu as tendance à agir d'abord et réfléchir aux conséquences ensuite.

Elle entendit le rire bas de Salvatore, et la fraîcheur qui se dégageait de Jagr fut remplacée par le velours d'une chaude caresse.

— Je vois qu'il ne te connaît pas uniquement sur un plan charnel, douce Regan.

Elle lui décocha un regard noir.

— Ferme-la.

— Est-ce là une façon de parler à ton roi ? railla-t-il.

Elle s'apprêtait à informer son putain de roi qu'elle lui parlerait de la façon qui lui plairait quand ils se retournèrent tous vivement, stupéfaits, à l'entrée soudaine de Levet.

Sans se soucier des divers pistolets, poignards et crocs braqués sur lui, le petit démon s'avança en se dandinant, et remua son minuscule museau.

— *Sacrebleu*[*]. Qu'est-ce qui pue comme ça ? (Il jeta ouvertement un coup d'œil vers Salvatore.) Oh. Des chiens. J'aurais dû m'en douter.

Salvatore se contenta de sourire, et tendit la main pour arrêter le bâtard hérissé à ses côtés.

— Doucement, Hess. Ne reconnaissez-vous pas la gargouille rachitique qui a si gentiment conduit Darcy dans notre piège ? (Il sourit largement, dévoilant des dents d'une extrême blancheur.) Je n'ai jamais eu l'occasion de présenter mes remerciements.

— Tu parles d'un piège, vu que Darcy est actuellement la reine des vampires, pas des garous, répliqua Levet d'un ton mielleux.

Salvatore le foudroya du regard, mais garda son expression moqueuse.

— Tant pis pour elle.

À peine ces mots venaient-ils de sortir de ses lèvres qu'ils entendirent du verre voler en éclats dans le lointain.

À l'intérieur de la grotte, tout le monde se figea, l'air même vibrant d'appréhension. Puis, d'un mouvement trop rapide pour que Regan puisse le suivre, Jagr s'élança sur elle et la fit tomber en la recouvrant de son grand corps alors que la secousse d'une explosion ébranlait la falaise.

Jagr ne réagit ni aux poings de Regan qui lui martelaient le torse, ni à ses descriptions colorées de ce qui devrait arriver aux gigantesques malotrus qui s'attaquaient à de malheureuses femmes ; il refusait de bouger tant qu'il n'était pas sûr que la grotte n'était pas sur le point de s'effondrer. Ce ne fut qu'alors qu'il se souleva de façon à inspecter du regard le corps de la jeune femme, qui se tortillait, afin de s'assurer qu'elle n'avait rien.

Lorsqu'il dut esquiver un coup au menton, il sauta sur ses pieds, dissimulant son sourire.

Si elle parvenait à le frapper avec une telle force, elle ne pouvait être gravement blessée.

Comprenant qu'il risquait de perdre sa main s'il lui offrait son aide pour se relever, il rejoignit Salvatore et ses hommes à l'entrée. Il paierait certainement pour le violent instinct qui l'avait poussé à protéger Regan, mais il n'avait pas eu le choix. Il n'aurait pas davantage pu empêcher sa réaction que le soleil de se lever.

Ce qu'il enfouit au fond de son esprit en s'arrêtant près de Salvatore pour observer le Hummer luxueux qui n'était plus qu'une boule de feu sur le parking, loin en contrebas.

— *Dio*, souffla le garou. Hess. Max. Amenez-moi les coupables quels qu'ils soient.

Tels des boulets de canon, les deux bâtards dévalèrent à toutes jambes la pente raide de la falaise, leurs grondements sourds résonnant dans les ténèbres.

Jagr croisa les bras, pas entièrement mécontent de voir le véhicule de Salvatore en flammes. Pas juste à cause de ses manières assurément trop familières avec Regan – même si c'était une raison suffisante pour lui arracher son sale cœur –, mais parce qu'il avait blessé cette dernière au moment où elle était le plus vulnérable.

Le salopard ne l'avait délivrée du cauchemar que lui faisait vivre Culligan que pour la rejeter lorsqu'il s'était aperçu qu'elle ne pouvait lui fournir ce qu'il désirait.

Pas étonnant qu'elle soit incapable d'accorder sa confiance à quelqu'un.

—Vos bâtards ont une bien étrange façon d'accueillir leur roi. (Il observa le feu dévorer le Hummer.) À moins qu'il s'agisse d'un rituel dont je n'aurais pas eu connaissance ?

Salvatore ne releva pas cette pique, son pouvoir ondulant sous sa peau. En tant que sang-pur, il contrôlait ses métamorphoses ; néanmoins, son loup luttait manifestement pour se libérer.

—J'aurais dû les sentir, murmura le roi d'une voix grave.

Jagr grimaça.

—La sorcière.

—Elle commence à me taper sur les nerfs.

—Certes, mais se débarrasser d'elle est plus facile à dire qu'à faire. Seul Levet perçoit ses sortilèges, et il semble infichu de la trouver.

—Hé !

Un claquement d'ailes retentit et la gargouille sortit de la grotte en fulminant, Regan sur les talons.

— C'est moi qui ai parcouru la cambrousse de long en large pendant que tu jouais à barboter avec notre belle invitée.

Jagr s'accorda une seconde pour savourer la vision des joues soudain écarlates de Regan avant de retourner son attention vers la gargouille, les sourcils arqués.

— Tes déambulations ont manifestement conduit les bâtards directement à ce repaire.

— À moins qu'ils aient suivi Monsieur Mon Seigneur et Maître jusqu'ici. Tu as envisagé cette possibilité, au moins ? rétorqua Levet.

— Quoi qu'il en soit, ils savent que Salvatore se trouve à Hannibal. Et surtout, ils connaissent notre repaire. (Cette fois, il se tourna pour plonger les yeux dans ceux de Regan, qu'elle détournait.) Nous ne sommes plus en sécurité ici.

Salvatore grommela un juron.

— Je n'ai pas de meute dans la région. Je vais devoir rentrer à Saint-Louis chercher des renforts.

— Pourquoi tu ne te sers pas d'un téléphone ? demanda la jeune femme.

— Je préfère donner mes ordres en personne. Ça permet d'éviter tout malentendu.

Elle roula des yeux.

— Ouais, j'imagine.

— Vous n'auriez pas un magicien parmi vos hommes ? s'enquit Jagr, les sourcils froncés.

— Non, mais je peux négocier ça avec le convent de sorcières du coin. (Salvatore joua avec sa lourde chevalière, le visage dur.) Malheureusement, ce sera long. Les sorcières sont réputées pour rechigner à offrir leurs services aux démons.

— Je suis quoi, moi ? (Levet leva les mains en l'air.) Je compte pour du lait ?

Jagr plissa les yeux ; il n'était pas d'humeur à supporter l'agaçante gargouille.

— Quoi ?

— Je crois qu'il veut dire « beurre », traduisit Regan en souriant. Compter pour du beurre.

— Lait, beurre... peu importe. (Levet gonfla le torse.) Je suis un magicien. Qu'est-ce qu'une sorcière pourrait accomplir de plus que moi ?

— Retrouver les bâtards ? Jeter un sortilège qui dissimulerait notre présence ? Empêcher quiconque d'entrer dans cette grotte ? énuméra Jagr d'une voix doucereuse.

— Bah, je trouverai les bâtards, et si tu veux un sort...

La minuscule gargouille leva les mains.

— Non ! hurlèrent Jagr et Salvatore en même temps.

— Très bien. (Avec un mouvement de la queue, Levet s'engagea d'un air furieux sur la pente escarpée.) Tu veux les bâtards, tu les auras.

Regan partagea ses regards exaspérés entre le vampire et le garou.

— Levet, appela-t-elle d'une voix douce.

Avec une dignité guindée, le petit démon se retourna pour lui faire face.

— *Oui* ?

— Sois prudent, je t'en prie.

Elle vit ses vilains traits s'adoucir.

— Pour toi, *ma chérie*, je prendrai un maximum de précautions. Sois certaine que je reviendrai dans toute ma magnificence, vigueur et virilité.

Jagr réprima une terrible envie de le remettre à sa place.

—Tu peux revenir dans l'état que tu veux, mais nous ne serons pas là. Nous devons trouver un nouveau repaire.

—Ne crains rien, je vous retrouverai.

—C'est ce que je craignais, marmonna-t-il.

Levet lui tira la langue en soufflant avant de poursuivre sa descente.

—Cette créature fait honte aux siens où qu'elle aille, dit Salvatore en secouant la tête.

Pour une fois, Jagr était d'accord avec lui.

Non qu'il soit prêt à le reconnaître.

Surtout quand il sentait les hommes de main du roi approcher.

Les deux bâtards sortirent des bois qui s'étendaient derrière la grotte, la même expression frustrée sur le visage.

—Nous avons suivi leurs empreintes jusqu'au fleuve, puis elles se sont volatilisées, avoua à contrecœur le plus grand à la tête chauve. Nous avons fouillé les alentours mais sans découvrir le moindre signe de leur présence.

Jagr serra les poings, très contrarié. Il n'appréciait pas qu'une bande de bons à rien de chiens se joue de lui.

—Ils ne peuvent être allés bien loin.

—Non, mais, sans leur odeur, nous sommes incapables de les traquer. (Salvatore fit un geste à ses acolytes.) Nous n'avons plus rien à faire ici. Je reviendrai dès que possible.

Jagr ne tenta pas de les arrêter alors qu'ils disparaissaient dans les ténèbres environnantes. À quoi lui servait le sang-pur s'il ne pouvait les conduire jusqu'aux bâtards ?

Sans compter que deux prédateurs alpha sur le même territoire, ce n'était jamais une bonne idée. Jagr doutait que Styx soit heureux d'apprendre que l'un de ses vampires avait cloué la peau du roi des garous au mur de son repaire.

— Eh bien, tout marche comme sur des roulettes, marmonna Regan, ses cheveux humides flottant comme des fils d'argent dans la brise nocturne. Bon Dieu. Je voulais juste retrouver Culligan pour le tuer, pas être mêlée à quelque guerre imbécile entre les bâtards et les garous.

Jagr tendit la main pour saisir l'une des mèches soyeuses de la jeune femme, le visage grave.

— Tu serais en sécurité, à Chicago, Regan. Même ce Caine et sa bande de chiens rebelles ne sont pas suicidaires au point de s'attaquer à une forteresse de vampires.

— Une idée vraiment prodigieuse si je souhaitais être enterrée vivante, railla-t-elle. Merci, mais non merci. Je n'échange pas une prison contre une autre.

Il tira sur ses cheveux.

— On te traiterait comme une invitée d'honneur, jamais comme une prisonnière.

— Oh, je suis certaine que ma cellule ressemblerait à une chambre tout droit sortie d'un catalogue de déco et que mes gardes m'expliqueraient le plus gentiment du monde pourquoi il serait trop dangereux pour moi de partir seule, ou de passer un week-end à Las Vegas.

Il arqua les sourcils.

— Tu as une envie particulière de visiter Las Vegas ?

— J'ai une envie particulière d'aller où je veux, quand je le veux, et sans demander la permission à personne.

Tout en réfléchissant à sa réponse, il effleura des doigts la ligne séduisante de son cou. Que pouvait-il lui dire ? Styx ne la laisserait jamais aller et venir à sa guise. Du moins, pas tant que la moindre menace pèserait sur elle.

Le roi des vampires tenait à tout régenter. Même si Darcy avait beaucoup contribué à assouplir sa rigueur instinctive, il ne changerait pas des siècles d'habitudes du jour au lendemain.

— Même si tu te mets en danger ? s'enquit-il finalement.

— Oui.

— L'indépendance est une chose, Regan, s'entêter dans sa bêtise en est une autre.

— Tu vis sous le toit de l'Anasso ? rétorqua-t-elle.

Il attarda ses doigts sur le pouls à la base de sa gorge, le flot de son sang lui torturant les sens en une douce tentation.

— Je possède mon propre repaire, mais je dois allégeance à l'Anasso ainsi qu'à Viper, murmura-t-il, baissant involontairement la tête pour humer son parfum enivrant.

Le pouls de la jeune femme s'accéléra brusquement sous ses doigts.

— Viper ? souffla-t-elle.

— Le chef de clan de Chicago. Quand l'un d'eux requiert mes services, je dois obéir.

— Comme te rendre à Hannibal pour aller chercher une garou perturbée ?

— Oui, reconnut-il en pinçant les lèvres.

Elle haleta, ayant conscience autant que Jagr du désir puissant qui vibrait entre eux.

— Pourquoi leur donner un tel pouvoir ?

S'apercevant soudain que ses doigts étaient remontés sur les lèvres à l'ensorcelante plénitude de la jeune femme, il laissa retomber sa main et recula.

Qu'est-ce qu'il faisait, bon sang ? Ses sens extrêmement aiguisés avaient beau lui assurer qu'ils ne couraient aucun danger immédiat, cela ne signifiait pas qu'ils ne constituaient pas des cibles faciles.

Où était passée son autodiscipline impitoyable ? Son raisonnement glacial ? Son indifférence totale aux autres ?

Quand il était question de Regan, il était aussi aisément distrait qu'une fée de rosée ivre de miel.

—Un vampire qui n'appartient pas à un clan est toujours vu comme une menace, répondit-il en la prenant par le bras pour se glisser avec elle par l'ouverture étroite de la grotte. Pour espérer jouir d'une paix relative, je n'ai eu d'autre choix que de chercher un chef à la tête d'un clan stable qui ne serait pas assoiffé de guerres. Tout a un coût. Même la liberté.

Regan se dégagea de son étreinte et croisa les bras d'un air buté.

—Eh bien, je ne suis pas prête à devenir l'otage dorloté de ma sœur en échange de sa protection. Je préfère tenter ma chance avec les bâtards.

Le vampire retint un sourire à sa réponse prévisible.

—Ce n'est pas vraiment une décision raisonnable.

—Je ne veux pas me montrer raisonnable. Je veux trouver Culligan et le tuer. Et à ce sujet…

Dans un tourbillon, Jagr se déplaça pour lui bloquer la sortie.

—Attends, petite.

La jeune femme grimaça de frustration ; un spectacle que Jagr ne manqua pas d'apprécier pleinement.

—Quoi encore ?

—À moins que tu souhaites laisser tes vêtements derrière toi, tu ferais mieux d'aller les chercher. Nous ne pouvons prendre le risque de revenir ici.

—À quoi bon s'embêter à trouver un nouveau repaire ? Ils nous traqueront de nouveau.

—Fais-moi confiance.

En l'entendant lui demander de lui faire aveuglément confiance, elle le foudroya de son regard d'émeraude mais, contre toute attente, elle tourna les talons et se dirigea vers le fond de la grotte d'un air furieux plutôt que de tenter de lui arracher le cœur.

Jagr ignorait s'il devait en être heureux ou terrifié, tandis qu'il suivait son sillage orageux.

En silence, elle rassembla les sacs auxquels elle tenait manifestement beaucoup, s'efforçant avec stoïcisme de ne pas prêter attention au vampire qui rangeait ses propres affaires dans sa sacoche en cuir.

Après avoir jeté cette dernière sur son épaule, il arrêta Regan qui tendait la main vers les habits froissés qu'il avait ôtés de son corps délectable si peu de temps auparavant.

— Laisses-en quelques-uns derrière nous.

Elle fronça aussitôt les sourcils.

— Pourquoi ?

— Je croyais que tu me faisais confiance.

CHAPITRE 10

Je croyais que tu me faisais confiance…

Les dents serrées, Regan étreignit les sacs pleins à craquer sur sa poitrine tandis que les mots de Jagr flottaient dans sa tête.

Elle voulait lui rire au nez.

Pendant trente ans, elle avait été tourmentée, trompée et maltraitée par toutes les personnes qu'elle connaissait. À présent, un redoutable vampire qu'elle venait tout juste de rencontrer souhaitait allègrement prendre sa vie en main ?

Ouais, c'est ça.

Alors… pourquoi ne lui riait-elle pas au nez ?

Peut-être parce qu'elle sentait instinctivement que Jagr ferait tout ce qui était en son pouvoir pour la protéger.

Que ce soit par peur que son Anasso l'écorche vif avant de l'accrocher au mur dans sa salle du trône ou pour d'autres raisons plus personnelles demeurait un mystère.

— Tiens.

Devinant ses émotions conflictuelles avec une aisance agaçante, le vampire s'avança vers elle en lui tendant une boîte en argent, s'efforçant manifestement de lui changer les idées.

Ce fut efficace.

Les yeux écarquillés, elle saisit le coffre-fort de Culligan.

— Je l'ai laissé tomber quand tu as joué les rouleaux compresseurs et que tu nous as envoyés voler à travers l'arrière du camping-car. (Elle croisa son regard scrutateur.) Comment l'as-tu retrouvé ?

— J'ai demandé à Levet d'aller le chercher. Il contient des papiers que nous n'avons pas encore regardés, dans le fond.

— Tu crois qu'ils pourraient être importants ?

— On ne peut que l'espérer.

Alors qu'elle réfléchissait aux possibles documents que Culligan aurait estimé devoir conserver, Regan baissa sa garde. Une erreur idiote. En un clin d'œil, Jagr l'avait soulevée du sol et la tenait fermement contre son torse.

Cette foutue rapidité vampirique.

— Qu'est-ce que tu fais ? cracha-t-elle en maudissant les sacs volumineux et le coffre-fort métallique qui lui encombraient les bras et l'empêchaient de se débattre. Repose-moi.

Il ne s'exécuta pas – quelle surprise – et traversa la grotte avec aisance.

— L'explosion pourrait être une ruse pour t'attirer dehors, mais nous n'avons aucun moyen d'en être sûrs. Nous devons partir discrètement.

Elle ne bougea pas, ayant une conscience aiguë du pouvoir froid qui lui caressait la peau. Bon sang, elle voulait être furieuse, pas… excitée.

— Et si les bâtards sont par là ? répliqua-t-elle sèchement. Ils ne vont pas sentir notre odeur ?

Il haussa les épaules, les longs cheveux qui encadraient son visage fin à la beauté ensorcelante lui dégringolant dans le dos comme de l'or liquide.

—Salvatore ne prend peut-être pas Caine au sérieux, mais ce dernier a de bonnes raisons de nourrir des ressentiments envers les garous, dit-il doucement. À part quand un bâtard s'est métamorphosé, ses sens ne sont pas aussi aiguisés que ceux de la plupart des démons. Comme notre odeur s'est déjà répandue dans les alentours, à moins de nous voir sortir de la grotte, ils ne sauront pas qu'on leur a filé sous le nez.

—Oh. (Elle se sentit soudain très bête.) C'est pour ça que tu m'as demandé de laisser des vêtements derrière nous.

—Ainsi, ton parfum devrait persister plusieurs jours.

—D'accord, monsieur Je-sais-tout…

—Monsieur Je-sais-tout ?

Elle ne lui prêta pas attention.

—S'ils surveillent effectivement la grotte, alors comment est-on censé partir sans se faire remarquer ? Contrairement à toi, je ne peux pas m'envelopper de ténèbres.

Il s'immobilisa devant l'ouverture de la caverne, un sourire hésitant sur les lèvres.

—Si, tant que tu restes près de moi. Ne bouge pas.

Elle fronça les sourcils.

Eh bien, par l'enfer.

Existait-il un truc que les vampires ne pouvaient pas faire ?

Marcher sur l'eau ? Découvrir le secret de la fusion à froid ?

Instaurer la paix sur terre ?

L'agacement que provoquait en elle l'injustice de la place des vampires au sommet du monde démoniaque s'envola lorsqu'elle eut soudain l'impression d'être plongée dans de l'eau glacée.

Elle inspira brusquement.

Il ne s'agissait pas de la vague froide du pouvoir de Jagr.

—Nom de Dieu, qu'est-ce que tu fais? demanda-t-elle en frissonnant. Je suis gelée.

—Je t'ai enveloppée dans mes ténèbres. Elles nous dissimuleront aux regards indiscrets, mais pas aux oreilles attentives.

Avant qu'elle ait pu deviner son intention, il se pencha pour poser ses lèvres sur les siennes.

—Plus un mot, petite.

Sadie sourit en regardant les flammes dévorer le Hummer luxueux. À plusieurs rues de là, sur le toit d'une ancienne maison close reconvertie en restaurant, elle bénéficiait d'une vue parfaite pour observer Salvatore quitter la grotte avec ses bâtards châtrés qui trottinaient derrière lui.

Des chiens morveux et amorphes.

Leur asservissement aveugle au roi autoproclamé des garous la rendait malade. Pourquoi ne se passaient-ils pas une laisse autour du cou, qu'on en finisse?

Bien sûr, ils avaient réussi à la conduire à l'endroit où Regan se cachait avec le vamp, alors ils n'étaient peut-être pas complètement inutiles.

Son sourire s'élargit tandis qu'elle s'appuyait contre le mur décoratif en briques qui courait le long du toit.

—J'adore les belles flambées. Dommage que j'aie oublié d'apporter des marshmallows.

Debout près d'elle, Duncan grogna d'impatience.

—Aurais-tu aussi oublié que cet incendie n'était qu'une attaque sans importance?

—Attention, Duncan. (Sadie décocha un regard menaçant à son compagnon.) Jusqu'ici, tu t'es révélé aussi incompétent que faible. Par deux fois maintenant, tu as laissé notre proie te filer entre les doigts.

Duncan serra les dents ; manifestement, il n'avait pas encore digéré le fait d'avoir été battu par cette jeune femme inexpérimentée.

Encore.

—Au moins, j'ai posé la main sur elle. Et tu ne peux pas en dire autant.

—Seulement parce que j'ai eu la bêtise de supposer que ma joyeuse bande de crétins était capable de capturer une petite garou. (Sadie haussa les épaules.) Je ne referai pas cette erreur.

Le bâtard esquissa un vilain sourire.

—Oh, non, tu as fait bien mieux. À présent, non seulement le vampire le plus dangereux du monde veut nos pauvres peaux, mais tu as réussi à foutre le roi des garous en rogne. Vraiment de l'excellent boulot.

Sadie ravala un grondement. Lorsqu'elle avait senti les effluves caractéristiques de Salvatore sur son territoire, elle avait été désagréablement surprise. Caine lui avait juré que le roi ne s'intéressait pas à Regan et ne lèverait même pas le petit doigt pour l'aider.

Facile à dire alors qu'il se trouvait en sécurité à des kilomètres.

Le salaud.

Et pour couronner le tout, elle avait suivi l'odeur de ses hommes de main jusqu'à la grotte pour découvrir que Regan était gardée par un vampire, le roi des garous et ses bâtards, et qu'une satanée gargouille était aussi installée à demeure.

Une simple femme aurait jeté l'éponge. Sadie, néanmoins, avait toujours été capable de réfléchir vite et bien, et elle n'avait pas mis longtemps à concevoir un autre plan génial.

—En rogne ou pas, j'ai réussi à éloigner les garous de Regan, ainsi que la gargouille, souligna-t-elle.

Son agacement s'apaisa lorsque, d'un air suffisant, elle tourna son attention vers le feu en contrebas.

Duncan ricana.

—Il reste encore le vampire.

La peur déclencha un frisson le long de son dos. Mon Dieu, elle détestait ces sangsues. Ces bêtes assoiffées de sang.

—Je vais m'en occuper, marmonna-t-elle.

Le vilain rire de Duncan la fit grincer des dents.

—Ainsi, non seulement tu es arrogante, mais en plus tu délires ?

—Je suis assez intelligente pour avoir un plan.

—C'était aussi le cas du loup dans *Les Trois Petits Cochons*, et tu sais comment ça s'est terminé.

Sadie retroussa les lèvres.

—Quel âge tu as ? Douze ans ?

—Parle-moi plutôt de ce plan génial.

Elle plongea la main dans la poche de son manteau en cuir et en sortit un petit flacon dont elle dévissa le bouchon.

—Culligan a eu la gentillesse d'offrir son sang à notre cause.

Duncan, qui n'avait jamais inventé le fil à couper le beurre, se renfrogna, perplexe.

—Non que je sois contre vider ce sale sidhe jusqu'à la dernière goutte, mais à quoi peut bien nous servir son sang ?

Sadie lui agita le flacon sous le nez.

— Un parfum si fruité et émouvant. Absolument unique.

— Ouais, Calvin Klein devrait le mettre en bouteilles pour sa collection automne-hiver.

Elle gloussa à cette idée.

— Je suis contente que ça te plaise.

— Dis-moi simplement ce que tu comptes faire avec ça.

— Je t'ai enfin trouvé une utilité en dehors de mon lit. (Avec désinvolture, elle renversa la moitié de la fiole sur la chemise en soie du bâtard.) Félicitations, Duncan, tu viens tout juste d'être promu au rang d'appât.

Bondissant en arrière, il regarda son vêtement taché d'un air furieux.

— Qu'est-ce que tu fous ?

D'un geste agile, Sadie referma le flacon et le replaça dans sa poche. Elle aurait besoin du reste du sang pour attirer Regan dans son piège.

— Tourne autour de la gargouille et laisse-la sentir l'odeur de Culligan. Dès qu'elle sera sur ta piste, conduis-la loin d'ici, ordonna-t-elle. Sans sa faculté à percevoir la magie, le vamp et Regan seront incapables de remonter jusqu'à nous.

— Je l'emmène où ?

— J'en ai rien à foutre, espèce d'imbécile. Loin d'ici, c'est tout.

Elle vit les yeux de Duncan briller de rage.

— Et qu'est-ce que tu vas faire ?

Elle regarda vers la falaise. Elle avait demandé à deux de ses bâtards de surveiller la grotte depuis les bois qui s'étendaient de l'autre côté de l'entrée, mais elle devait trouver un emplacement plus proche pour tendre son piège.

— Je vais attendre l'aube.

Sans crier gare, Duncan se tint près d'elle, la tête penchée pour lui chuchoter directement à l'oreille.

—Un petit avertissement, Sadie, grogna-t-il doucement. L'avenir n'appartient pas à la bâtarde qui se lève tôt… elle se fait manger par le grand méchant vampire.

Elle ressentit une pointe de malaise avant de le repousser dans un violent accès de colère.

—Va-t'en, Duncan. Et essaie de ne pas tout foutre en l'air.

Sans prêter attention à la lueur dangereuse qui brillait dans les yeux de Sadie, il traversa le toit avec morgue et sauta par-dessus le muret. Elle l'entendit retomber dans la ruelle à l'arrière du bâtiment, puis le bruit de ses pas s'éloigna.

Luttant contre son besoin instinctif de se métamorphoser, elle serra les dents et se planta les ongles dans la paume des mains. En vain, bien sûr.

Contrairement aux sang-pur, un bâtard était toujours à la merci de sa nature. Une fois atteint un point critique, la transformation était inévitable.

—Tu me paieras ça, Caine, jura-t-elle en grondant tout bas. Tu me le paieras cher.

Au prix d'un effort qui devrait lui valoir d'être canonisée, Regan parvint à retenir sa langue pendant que Jagr fendait la nuit comme un éclair. À cause de sa vitesse fulgurante – sans parler des ténèbres glacées dont il les avait enveloppés –, elle avait les yeux qui pleuraient et respirait difficilement.

Il lui semblait impensable qu'autre chose qu'un jet puisse les suivre, cependant Jagr n'était manifestement pas d'humeur à prendre le moindre risque et elle ne tenait pas vraiment à le déconcentrer alors qu'il fonçait à travers les prés déserts à la vitesse du son.

Cela dit, sa patience avait des limites. Lorsque dix minutes se transformèrent en vingt, Regan en eut assez.

Ils se trouvaient à des kilomètres de Hannibal.

Par l'enfer, ils se trouvaient à des kilomètres de toute trace de civilisation.

— Hé, je ne me suis pas inscrite pour la traversée des États-Unis jusqu'au Pacifique sur les traces de Lewis et Clark. Où on va ? demanda-t-elle, les dents serrées pour les empêcher de claquer.

— Vers le nord.

Le petit malin.

— Ouais, ça j'avais compris.

Elle s'obligea à détourner le regard des champs de foire vides qui les entouraient pour le poser sur la beauté austère de son visage. Son cœur s'emballa, pour changer.

— Pourquoi on ne retourne pas plutôt à un des hôtels ? Il y en a deux qui non seulement sont imprégnés de notre odeur, mais en plus disposent d'un lit et d'une douche.

— Un hôtel est trop facile à encercler.

Il ralentit ; ses yeux miroitaient comme des saphirs dans l'obscurité.

— Et avec le lit et la douche, il y a de très grandes fenêtres parfaites pour permettre à la lumière de l'aube d'entrer.

— Ça me paraît un prix raisonnable à payer, marmonna-t-elle, exaspérée par le désir insistant qui refusait de la laisser en paix.

Elle vit Jagr esquisser un sourire. Le salopard savait exactement l'effet qu'il produisait sur son corps perfide.

— Je te manquerais si j'étais réduit en un minuscule tas de cendres.

— Oh, je ne sais pas. Je crois que des nuances de gris t'iraient bien.

— Tu n'es pas tendre, petite, la réprimanda-t-il. Tes manières laissent vraiment à désirer.

— Comme si les tiennes valaient mieux ?

— Manifestement, on s'est bien trouvés.

Le cœur de Regan ne fit pas que s'emballer cette fois. Il se mit à cogner à tout rompre.

« On s'est bien trouvés… »

Des mots insignifiants, rien de plus qu'une blague désinvolte. Mais la nostalgie déchirante qu'elle éprouva n'avait rien d'amusant.

— Pas vraiment, non.

Elle se tortilla dans ses bras, redoutant soudain davantage les sensations qu'il provoquait en elle que la chute.

— Je suis gelée. Fais-moi descendre.

Comme par miracle, Jagr s'immobilisa et la posa délicatement au sol. Non qu'elle s'imagine une seconde qu'il lui obéissait. Elle n'était pas à ce point stupide.

Un tigre enragé aurait plus de chances de danser la rumba.

De toute évidence, Jagr ne voyait pas d'inconvénients à se tenir dans un champ désert, face à un grand bâtiment abandonné. Un bâtiment qui pourrait très bien être une sorte d'asile d'aliénés à faire froid dans le dos.

Ses soupçons se transformèrent en une certitude absolue quand Jagr inclina la tête en arrière comme pour humer l'air.

— Reste près de moi, murmura-t-il.

Regan se frotta les bras, tant à cause de la vive tension qui émanait de lui que de la fraîcheur qui s'accrochait encore à sa peau.

— Tu crois que les bâtards sont sur nos talons?

Il continua de scruter les ténèbres.

— Il est toujours possible que nous ayons été suivis, mais le vampire qui possède un repaire par ici me préoccupe davantage. Je ne voudrais pas qu'il interprète mal le fait que j'amène une garou sur son territoire.

La jeune femme se figea, méfiante. Un autre vampire? Exactement ce dont elle avait besoin.

— Il y a un clan ici?

— Non. Tane n'appartient à aucun clan, même s'il dispose assurément d'un certain nombre de gardes. C'est un Charon.

— Un Charon. (Elle secoua la tête et déterra le peu de mythologie grecque qu'elle avait en mémoire.) Tu veux dire un passeur?

— Pas vraiment. (Son visage avait pris cet air froid et distant qui annonçait toujours des ennuis.) Un vampire assassin.

Eh bien, c'était de mieux en mieux.

— Juste pour que tout soit bien clair, c'est un vampire qui se trouve être un assassin ou c'est un assassin qui tue des vampires?

— Il chasse les vampires.

— C'est une sorte de cannibale et tu as l'intention d'entrer sur son territoire? Tu es fou?

— Tane n'est pas un cannibale. Il fait partie d'un groupe de guerriers d'élite que Styx a fondé bien avant d'endosser la charge d'Anasso et dont l'unique fonction est d'éliminer les vampires devenus instables.

— Instables?

— Ça n'arrive pas souvent, mais ça s'est déjà vu.

Regan frissonna. La pensée d'un puissant et redoutable vampire qui disjoncterait n'était pas très rassurante.

En fait, c'était carrément terrifiant.

— Tu me répondrais si je te demandais ce qui s'est passé ?

Jagr affichait une expression sévère.

— Non.

Ça lui convenait parfaitement à elle aussi.

— Alors, ce Tane les poursuit et les tue ? s'enquit-elle plutôt.

— C'est son devoir.

— Charmant.

Avec une grimace, elle regarda plus attentivement vers le bâtiment tout proche. De loin, on pouvait avoir l'impression que c'était une belle demeure. Deux étages, une vaste véranda au rez-de-chaussée et un balcon à la balustrade ornementée qui courait sur toute la façade du premier, le genre de hautes fenêtres cintrées populaires avant l'air conditionné ainsi que six colonnes cannelées qui lui apportaient un air d'élégante dignité. L'obscurité, cependant, ne masquait pas le fait que les briques rouges s'éboulaient peu à peu et qu'il manquait la plupart des carreaux aux fenêtres.

— Pourquoi habite-t-il ici, au milieu de nulle part ? Il fiche la frousse aux autres vampires ?

— Un Charon doit toujours rester en dehors de la politique des différents clans et ne s'attacher à aucun, répondit Jagr distraitement, encore sur ses gardes. Le meurtre d'un vampire, même si celui-ci est irrécupérable, est à l'origine de trop nombreuses guerres.

— Alors il doit vivre seul ?

— Si on ne compte pas les serviteurs, oui. Ça permet d'éviter des complications.

— Putain. (Regan grimaça.) Quel boulot merdique.

— Tane a choisi cette fonction de son plein gré. Beaucoup de vampires apprécient la solitude.

— Des vamps comme toi ?

Il tourna la tête, les yeux plissés comme si la question de la jeune femme avait touché un point sensible.

— Je dois admettre avoir passé les derniers siècles à préférer la compagnie des livres à celle de mes frères.

— Tu leur en veux de t'avoir laissé entre les mains de Kesi ?

Jagr se tendit et montra les crocs alors qu'elle lisait une rage glacée sur son visage dur.

— Je leur en veux d'avoir permis que je sois transformé en un monstre pareil à celui qui m'a torturé.

— Tu… (Regan dut s'interrompre pour s'éclaircir la voix.) Tu n'es pas heureux d'être un vampire ?

— Je ne l'étais pas. (Sa froide amertume s'atténua lentement tandis qu'il observait le regard prudent de la jeune femme.) Mais je commence à découvrir que ma nouvelle nature n'est pas dépourvue de quelques avantages.

Il lui effleura la joue du doigt ; sa caresse glaciale laissa un sillage de feu sur la peau de Regan.

— Tu veux que je te parle de certains de ces avantages, petite ? ajouta-t-il.

Elle eut soudain la bouche sèche.

Elle connaissait déjà intimement ces avantages.

Et elle en voulait plus.

Dieu tout-puissant, elle en voulait définitivement plus.

— Styx t'a-t-il demandé de devenir l'un de ses Charons ? s'enquit-elle brusquement en s'écartant.

Nom de Dieu, tous les vampires étaient-ils dotés de la faculté de séduire d'une caresse ?

—Jagr, un Charon ? (Une voix sinistre, étrangement envoûtante, flotta dans la chaude brise nocturne.) Notre Anasso est bien trop sage pour envoyer un vampire sauvage à la poursuite d'un autre. Le principe des Charons est d'éviter les bains de sang, pas de les provoquer.

Jagr se retourna avec souplesse lorsque Tane révéla enfin sa présence.

Il avait senti ce dangereux vampire qui rôdait près du bâtiment délabré depuis qu'ils étaient entrés sur ses terres, mais il n'était jamais prudent de saluer un Charon à moins qu'il ne vous y invite.

—Tane.

L'assassin demeura enveloppé de ténèbres et se tint à distance, signifiant par là que cette intrusion inattendue n'était pas à son goût.

—Tu t'es introduit sur mon territoire, Jagr. Une erreur périlleuse qui a condamné à mort plus d'une créature.

Jagr tendit les mains en signe de paix. Lors de son trajet de Chicago à Hannibal, il avait perçu que le repaire de Tane était établi dans les environs mais il n'avait pas eu l'intention de lui rendre visite. Il avait rencontré cet assassin presque dix ans auparavant et ne tenait pas particulièrement à le revoir. Alors même que tous les vampires étaient redoutables, il se dégageait de Tane une avidité insatiable qui donnait la chair de poule même à Jagr.

La nécessité, malheureusement, faisait loi, et pour le moment Tane constituait le moindre de deux maux.

Jagr n'eut pas à se servir de ses sens pour détecter les gardes et les pièges placés autour du bâtiment. Même si les Charons se trouvaient en théorie sous la protection de Styx, ils n'étaient pas stupides. N'importe quel vampire vivant en un lieu aussi isolé déploierait des moyens infinis pour s'assurer de sa propre sécurité.

— C'est l'Anasso qui m'envoie, prévint Jagr qui savait que tout Charon était obligé de prêter des serments qui le liaient étroitement à Styx.

Il n'avait plus qu'à espérer que Tane soit prêt à tenir parole.

— Et la femme? dit Tane d'une voix traînante. Est-ce une offrande pour avoir troublé mon repos? Je les préfère avec plus de formes et moins bavardes, mais elle fera l'affaire.

— Hé, espèce de…

Passant prestement un bras autour de la taille de Regan, Jagr plaça sa main libre sur sa bouche. Grands dieux, cette femme allait les faire tuer tous les deux.

Il se baissa pour lui parler directement à l'oreille.

— Regan, reste ici pendant que je négocie avec mon frère.

Elle le foudroya du regard jusqu'à ce qu'il enlève sa main.

— Négocier quoi?

— Ta vie, railla Tane depuis les ténèbres.

Regan le foudroya du regard et la louve en elle se mit à gronder en montrant les dents de rage.

— Tu m'as demandé de te faire confiance et c'est là que tu m'emmènes? cracha-t-elle. Si je voulais que ma vie soit menacée par un enfoiré de démon, je n'aurais pas quitté Hannibal.

Jagr resserra son bras autour de sa taille en une silencieuse mise en garde.

— Petite, tu ne fais que compliquer les choses.

— Et?

— Et ça nous éviterait pas mal d'ennuis si tu me laissais parler à Tane en privé.

—Alors, je suis juste censée me tourner les pouces pendant que tu parlementes avec Jack Sparrow ?

Le rire sinistre de Tane flotta dans la brise.

—Tu pourrais me rejoindre dans mon repaire et tourner mon…

—Assez, Tane, gronda Jagr d'un air menaçant.

Regan grommela un ignoble juron.

—Je n'aime pas du tout ce type.

Après lui avoir donné un bref baiser, Jagr desserra son étreinte et se retourna. Il devait mettre Regan à l'abri. Le plus tôt serait le mieux.

—Reste là et fais-moi confiance, murmura-t-il avant de s'élancer vers le bâtiment.

—Un jour, Jagr, je promets devant Dieu que je vais…

Le vampire retint un sourire en entendant sa diatribe furieuse mais reporta aussitôt son attention sur l'assassin qui l'attendait dans la vaste véranda.

Alors qu'il approchait des marches, Jagr s'arrêta brusquement quand une lance à la pointe d'argent s'enfonça dans le sol à deux ou trois centimètres du bout de sa botte.

—Tu es assez près.

Jagr laissa ses canines s'allonger et son pouvoir fit chuter la température. Tane était un puissant vampire formé par les Corbeaux de Styx, mais Jagr n'était pas craint par les démons aux quatre coins du monde à cause de sa truculente personnalité.

—Je ne suis pas ton ennemi, Tane.

—Pas plus que mon ami.

Les ténèbres se dissipèrent autour de l'assassin, qui s'avança dans un rayon de lune argenté.

Bien que d'une corpulence inférieure à celle de Jagr, ce vampire était harmonieusement musclé. Il avait hérité de la peau dorée de ses ancêtres polynésiens tandis que ses épais cheveux noirs étaient rasés sur le côté pour constituer une longue crête iroquoise coiffée en une tresse qui lui tombait au-delà des épaules. Son visage était aussi fin et dur que le reste de son corps et ses yeux légèrement bridés exactement de la couleur du miel chaud. Vêtu seulement d'un short kaki, Tane croisa les bras sur sa poitrine nue et dévisagea Jagr d'un air soupçonneux.

—Qu'est-ce que tu fais ici ? Aux dernières nouvelles, tu étais à Chicago, cloîtré dans ton repaire et fuyant ton clan.

—Je ne le fuis pas, protesta Jagr avec un sourire sans joie. Je dirais plutôt que nous avons convenu que je n'aurais pas à intégrer son équipe de bowling.

Le bref rire stupéfait de Tane ne contribua nullement à apaiser la tension qui imprégnait l'atmosphère.

—Pas vraiment une surprise. Tu n'as jamais bien joué avec les autres, Jagr.

—Non, mais je sers l'Anasso quand il me le demande.

—N'en est-il pas ainsi pour nous tous ?

—Si, et c'est pour cela que je suis venu te trouver. (Il ramassa la lance avec désinvolture.) Je suppose que tu honores tes engagements envers Styx ?

—J'estimerai si t'aider fait partie de mes obligations envers l'Anasso ou non.

Jagr ne pouvait en espérer davantage. Avec une grande précision, il relata les raisons de sa présence à Hannibal et les événements qui l'avaient conduit à chercher refuge dans ce repaire.

Tane écouta en silence puis posa le regard sur Regan qui arpentait un petit coin du sol en grommelant ce qu'elle pensait des sangsues arrogantes et mal élevées.

—Une garou qui ne se transforme pas ?

—Oui.

—Les miracles de la médecine moderne.

Jagr était tout à fait prêt à croire que Regan était un miracle, mais pas à cause de la médecine.

—Les modifications génétiques ont peut-être annihilé son aptitude à se métamorphoser, mais elle possède la plupart des facultés des garous et plus que sa part de leur sale caractère.

Tane se retourna vers Jagr pour l'examiner avec un sourire sarcastique.

—Et c'est la jumelle de la compagne de Styx ?

—Une des trois.

—Je le pensais fou de douleur à la mort de l'Anasso précédent quand j'ai appris qu'il s'était uni à une garou, mais maintenant je commence à comprendre son obsession. Elle est…

—Inaccessible, l'interrompit Jagr.

La lance se brisa en deux lorsqu'il serra le poing.

Tane huma l'air et son sourire s'agrandit.

—Tu ne l'as pas revendiquée.

Jagr jeta l'arme cassée de côté sans prendre la peine de contenir sa fureur possessive, et son pouvoir cingla l'atmosphère.

—Ça ne m'empêchera pas de t'arracher la tête si tu t'avises seulement de poser la main sur elle.

Tane plissa les yeux.

—Menacer ma vie ne va pas t'attirer mes faveurs.

—Non, mais ça évitera tout malentendu regrettable.

Démontrant qu'il ne se laissait pas facilement intimider, l'assassin s'avança.

— Styx est-il au courant de la fascination qu'exerce sur toi la sœur de sa compagne ?

— Styx ne se préoccupe que de sa sécurité.

— Alors que ton unique préoccupation est de la garder à ta merci loin de sa famille ?

Jagr sursauta à cette raillerie mielleuse.

— Prends garde, Tane.

— Pourquoi ne l'as-tu pas emmenée à Chicago ?

— Je lui ai permis de rester à Hannibal car elle ne sera pas satisfaite tant qu'elle n'aura pas tué le sidhe, grogna-t-il, refusant de se pencher sur le fait qu'il puisse délibérément repousser le moment de remettre Regan aux siens. Si je l'oblige à venir à Chicago, elle s'échappera à la première occasion et partira seule. Le monde démoniaque ne survivra peut-être pas aux ravages qu'elle risque de causer avant que je la retrouve.

— Et l'Anasso a validé ce plan ?

— Il m'a ordonné de m'occuper de Regan et c'est ce que je fais, répliqua Jagr d'un ton sec.

L'idée même que Styx puisse avoir son mot à dire sur la garou le rendait furieux. Une émotion dangereuse, potentiellement mortelle.

— Bon, tu nous aides ou pas ? ajouta-t-il.

Un instant, Tane se demanda si le plaisir d'affronter un vampire du talent de Jagr valait le châtiment certain qu'il recevrait à s'ingérer dans les affaires de l'Anasso. Finalement, il haussa les épaules.

— Va chercher ta femme et suis-moi.

CHAPITRE 11

Regan ne suivit pas Jagr de gaieté de cœur dans le bâtiment qui tombait en ruine.

Peut-être que la puanteur qui se dégageait des matelas pourrissants entassés dans ce qui avait autrefois été un hall n'y était pas pour rien. Tout comme le plâtre du plafond qui s'effritait tandis qu'ils descendaient une étroite volée de marches menant à un sous-sol qui, franchement, filait carrément les jetons.

Les pièces exiguës devant lesquelles ils passèrent, ainsi que les cannes et les déambulateurs cassés entreposés dans un local de rangement, évoquaient une maison de retraite abandonnée, mais le charme dont elle avait pu s'enorgueillir à une époque s'était évanoui depuis longtemps.

À moins que son malaise ne soit lié au grand vampire qui les conduisait à travers les ténèbres à l'odeur de moisi.

Oh, Tane avait de quoi faire baver.

Tout en muscles lisses et dorés, avec des yeux couleur de miel.

Une délicieuse chaleur tropicale en short kaki taille basse.

Cependant, la louve en elle ne se laissait pas leurrer par les promesses paradisiaques de Tane. À l'instar de Jagr, ce vampire portait sur lui le parfum enivrant du danger. Contrairement à Jagr, cela dit, Tane ne tentait pas de dissimuler derrière une barrière de glace la redoutable menace qu'il représentait.

Non, il était dangereux, et il tenait à ce que ça se sache.

Après avoir traversé ce qui semblait être une buanderie vide, Tane s'arrêta pour pousser une lourde étagère métallique, dévoilant une étroite ouverture dans le mur.

Regan réprima un soupir en le suivant, découvrant, résignée plus que surprise, les marches qui s'enfonçaient profondément sous le sol. La prédilection qu'éprouvaient les vampires pour les espaces sombres, froids et humides était éminemment prévisible.

Alors qu'elle s'efforçait d'empêcher ses sacs volumineux de la faire trébucher pendant qu'elle descendait l'escalier raide puis longeait le long couloir qui courait sous les champs, la jeune femme ne remarqua pas vraiment que l'acier inoxydable remplaçait la terre.

Ce ne fut que lorsque Tane ouvrit la porte massive qui leur barrait la route qu'elle s'aperçut que ce repaire n'avait rien de sombre, froid et humide.

Les yeux écarquillés, elle embrassa du regard le matériel high-tech installé contre les murs de la pièce allongée. Des écrans transmettaient en direct les images fournies par au moins une dizaine de caméras disséminées dans la campagne environnante, des ordinateurs aux lignes pures gardaient trace de Dieu savait quoi et il y avait aussi des machines sophistiquées que Regan ne reconnut même pas.

— Nom de Dieu, souffla-t-elle en se rapprochant instinctivement de Jagr.

Les deux hommes qui scrutaient ces appareils compliqués lui jetèrent un regard impatient. Même pour un vampire, ce système de sécurité dernier cri semblait relever de la paranoïa.

— Tu as une navette spatiale cachée dans un champ de maïs ?

Tane regarda par-dessus son épaule alors qu'il franchissait une porte menant à un autre couloir revêtu d'acier.

— J'ai beaucoup de choses cachées dans les champs de maïs. Je serai heureux de te les montrer une fois que nous aurons bordé mon vieux frère dans son lit.

— Tane, gronda Jagr réagissant au quart de tour.

Le vampire sarcastique s'engagea encore dans un autre passage et Regan se demanda quelle surface exactement recouvraient ces tunnels.

— Elle n'a pas encore été revendiquée et je suis aussi capable que toi de la protéger. Il semblerait même que je m'acquitterais mieux de cette tâche, vu que c'est mon repaire qui lui sert de refuge.

Regan roula des yeux. Ils n'allaient pas recommencer.

— Vous savez, je croyais que Culligan était un crétin parce que c'était un sidhe. Mais en fin de compte, la crétinerie est une affaire d'hommes, déclara-t-elle d'une voix excessivement mielleuse. Maintenant, laissez-moi éclaircir un point… (Elle partagea ses regards furieux entre les deux vampires.) Je n'ai pas besoin que l'autre imbécile ou l'idiot du village me protègent. Je peux me débrouiller seule.

S'arrêtant près d'une porte percée dans la paroi d'acier, Tane se retourna pour dévisager Jagr avec une expression amusée inattendue.

— Tu as raison, Jagr, elle a vraiment mauvais caractère.

Regan cracha, exaspérée.

— Oh, tu n'as encore rien vu.

— Elle n'exagère pas, ajouta Jagr, en esquissant un sourire. Les démons sensés tremblent quand sa louve rôde.

Elle serra ses sacs sur sa poitrine.

—Vous avez fini ?

Les deux vampires échangèrent un regard qui donnerait envie à n'importe quelle femme de débarrasser le monde des hommes, mais Tane eut la sagesse de se contenter d'ouvrir la porte avant de leur faire signe d'entrer.

Regan franchit le seuil et appuya sur l'interrupteur. Non qu'elle ait besoin de la douce clarté qui se répandit dans la pièce, mais la lumière contribua à atténuer l'impression d'être enfermée sous terre.

Elle s'avança, pour s'immobiliser, choquée. *Bon... sang.* On aurait dit que le patron de *Playboy* s'était chargé de la décoration après avoir pris du crack.

Les yeux écarquillés, elle observa le papier peint d'un riche cramoisi et les photos encadrées de femmes nues. Au plafond une peinture représentait des satyres en érection qui dansaient à la lueur chatoyante des grands lustres. Pire encore, les lieux étaient dépourvus du moindre meuble et seuls une dizaine de gros coussins jonchaient la vaste moquette ivoire qui entourait un vrai bain à remous, qui ronronnait et clapotait.

—Voici l'appartement des invités, annonça Tane depuis l'embrasure de la porte.

L'amusement moqueur qui transparaissait dans sa voix révélait le plaisir qu'il prenait à voir l'expression consternée de la jeune femme.

—Vous devriez y trouver ce dont vous avez besoin. Néanmoins, si vous décidiez de partir, ne vous écartez pas du chemin que nous avons emprunté. Tout un tas de mauvaises surprises attendent les importuns.

Avec douceur, Jagr enleva les sacs de vêtements des doigts raides de Regan et les jeta dans un coin, avec sa propre sacoche en cuir.

— En parlant d'importuns, l'Anasso a envoyé sa gargouille favorite me casser les pieds, avertit-il. Si elle se montre, tu préférerais peut-être éviter de la tuer.

— J'ai entendu des rumeurs sur cette créature.

— Elles ne peuvent pas te préparer à la réalité, commenta Jagr d'un ton pince-sans-rire.

Tane renifla avec dégoût.

— Je l'autoriserai à se percher sur le toit si elle parvient à se comporter correctement. Par contre, si elle tente de s'introduire dans mon repaire, je ne promets rien.

Jagr haussa les épaules.

— C'est ton problème.

Avec une insouciance remarquable, Tane recula dans le couloir.

— J'ai des affaires à régler mais mes gardes restent de service. Vous ne serez pas dérangés.

Brusquement, Jagr inclina la tête.

— Je te suis redevable, Tane.

— En effet. Un jour, je réclamerai mon dû.

Son avertissement prononcé, le Charon referma la porte, laissant Regan et Jagr en tête à tête dans cet appartement à la décoration tapageuse.

D'abord, la jeune femme savoura simplement le départ de Tane, dont la présence la troublait, mais, lorsqu'elle finit par prendre conscience qu'elle était complètement seule avec Jagr, dans un lieu spécialement conçu pour le sexe, elle se sentit… nerveuse.

À pas saccadés, elle traversa la moquette ivoire pour jeter un coup d'œil dans la kitchenette luxueusement équipée, puis franchit la porte donnant sur la chambre attenante.

Pas sa décision la plus intelligente.

Elle venait à peine d'allumer quand Jagr passa devant elle et s'avança, les sourcils arqués, vers le lit rond drapé de satin noir qui se reflétait dans les glaces du plafond.

Une grotesque caricature de garçonnière.

Regan s'empourpra malgré elle.

— Je n'arrive pas à imaginer pourquoi Tane aurait besoin d'une chambre d'amis. Qui pourrait bien avoir envie de lui rendre visite ?

Jagr ouvrit un des tiroirs de la table de nuit laquée.

— Contrairement à toi, petite, et aussi inexplicable que cela soit, la plupart des femmes trouvent Tane charmant. Même au sein des vampires, il a la réputation d'être…

— Un coureur ?

— Ce n'est pas le terme que je cherchais, mais il fera l'affaire. (Il sortit une paire de menottes qu'il balança à son doigt.) Eh bien, eh bien.

— Grands dieux. (Elle se renfrogna quand il la dévisagea d'un air plein d'attente.) N'y pense même pas.

Son rire doux, presque tangible, fit courir de légers frissons sur la peau de Regan.

— Je n'ai pas besoin d'accessoires pour satisfaire une femme. Bien sûr…

— J'en ai assez vu.

Pivotant sur ses talons, elle se dirigea, furieuse, vers la cuisine, raide comme un piquet, alors même qu'elle éprouvait toutes sortes de sensations délicieuses au creux du ventre.

Non, Jagr n'avait très certainement pas besoin d'accessoires.

Pas quand ses caresses étaient absolument magiques.

Étant resté un pas seulement derrière elle, Jagr s'approcha du frigo encastré et ouvrit le congélateur latéral.

— Tu devrais manger quelque chose. Tu as une préférence ?

Déterminée à ne pas dévoiler le malaise puéril qu'elle ressentait, Regan vint se placer à ses côtés pour regarder dans le compartiment. Elle saliva aussitôt à la vue des plats soigneusement empilés qui provenaient de certains des restaurants les plus réputés au monde.

Des pizzas façon Chicago… Du gombo de La Nouvelle-Orléans… Des grillades sauce barbecue façon Kansas City… Du homard américain…

— Tout, marmonna-t-elle en prenant quelques boîtes sur l'étagère du haut avant de les lui tendre pour qu'il les fasse décongeler au micro-ondes. Tane sait au moins nourrir ses invités.

En un temps remarquablement court, la petite table de verre fut recouverte de pizza, de gressins, de minestrone et d'une tarte aux pommes toute chaude.

Regan s'assit et ne tenta même pas de ressembler à ces femmes excessivement maigres qu'elle voyait à la télé. Pourquoi s'affamerait-elle pour plaire à un homme ?

Tandis qu'elle savourait les mets délicieux qui n'avaient rien en commun avec les plats surgelés bon marché que Culligan lui donnait, elle s'aperçut enfin que Jagr était appuyé au comptoir et la dévisageait avec intensité.

— Et toi ? demanda-t-elle en s'essuyant la bouche avec une serviette de lin. Tu n'as pas faim ?

Il fit glisser son regard troublant sur la courbe de son cou.

— Pas de ce qui est actuellement au menu.

Regan ressentit un désir vif et mordant, et se leva brusquement pour jeter les emballages vides à la poubelle. *Oh ! là, là !* Elle ne souhaitait pas penser à la façon dont sa

201

peau la démangeait, ni à son cœur qui bondissait dans sa poitrine, ni à la chaleur qui s'accumulait dans le bas de son ventre…

Elle voulait…

D'accord, c'était un assez bon résumé.

Elle voulait. Elle voulait terriblement.

—Tu dois te nourrir à quel rythme? s'enquit-elle, son cerveau ramolli n'ayant rien trouvé de mieux pour changer de sujet.

—Ça dépend de plusieurs facteurs, comme le fait d'être blessé, ou de ne pas m'être alimenté durant une longue période, murmura-t-il d'une voix profonde. La richesse du sang entre aussi en compte. Celui d'un garou est très recherché pour sa puissance rare. Malheureusement, ces démons préfèrent ne pas le partager avec les vampires.

Son sang de garou se réchauffa soudain dans ses veines, anticipant la pression érotique des canines de Jagr.

D'instinct, elle se hérissa à ces sensations gênantes.

—C'est peut-être parce que les vamps les ont presque décimés en les gardant enfermés dans des terrains de chasse trop petits où ils ont perdu leurs facultés ancestrales.

—Tu as avalé les salades de Salvatore? demanda-t-il froidement.

Il fallut un moment à Regan pour comprendre qu'il l'accusait d'avoir subi un lavage de cerveau.

—Non, mais il est vraiment persuadé que, si les sang-pur n'ont plus d'enfants, c'est au moins en partie à cause des vamps.

Jagr s'élança auprès d'elle; malgré tous les efforts de la jeune femme pour paraître indifférente, il n'eut aucun mal à percevoir le désir qui grandissait en elle.

— Ses griefs ont été portés devant les oracles, murmura-t-il en s'arrêtant si près d'elle qu'elle fut enveloppée dans la vague glacée de son pouvoir. Ils décideront du sort des garous.

Elle eut la bouche sèche, le regard implacablement attiré par tous les muscles qui saillaient sous le tee-shirt trop serré de Jagr. *Bon Dieu*. On devrait lui donner une médaille pour ne pas l'avoir renversé sur le sol de la cuisine, laissant libre cours à ses fantasmes.

— Les oracles peuvent bien être très puissants, mais je refuse d'être confinée dans une sorte de réserve de loups-garous, grommela-t-elle.

Elle faisait référence à l'obligation faite aux garous américains de vivre sur des terres attribuées par les vampires.

Non que la vieille querelle entre ces deux espèces accapare ses pensées. Non, passer les doigts dans les longs cheveux dorés de Jagr constituait une tentation qui l'intéressait bien plus.

Celui-ci semblait tout aussi distrait ; elle vit ses yeux se réchauffer et devenir d'un bleu plus profond lorsqu'il leva la main pour suivre la courbe de la gorge de la jeune femme.

— Les terrains de chasse ont été instaurés autant pour protéger les garous que les humains, dit-il en faisant glisser ses doigts sur le décolleté plongeant de son petit haut, causant des ravages en elle. Sans un chef puissant, les bâtards étaient devenus incontrôlables et attireraient bien trop l'attention. Le monde démoniaque se préparait à un génocide avant que l'Anasso précédent intervienne et fixe les limites nécessaires. Si Salvatore démontre son aptitude à prendre le commandement de son peuple, les oracles lui permettront assurément de gouverner sans ingérence.

Regan dut se souvenir de respirer.

Inspirer. Expirer. Inspirer. Expirer.

— Je me fiche de savoir qui dirige tant qu'on me laisse tranquille.

Jagr continua à la tourmenter de ses doigts, et caressa la rondeur de ses seins jusqu'à sentir ses tétons durcir et se transformer en pointes douloureuses.

— En supposant que ce soit possible, que feras-tu ?

— Je profiterai de ma liberté.

— Il n'est pas seulement question de liberté. (Il leva la main pour lui faire épouser la nuque de Regan et, avec délicatesse, il massa ses muscles tendus.) Tu devras survivre dans un monde que tu ne connais pratiquement pas.

Elle s'efforça d'éprouver de l'irritation à ces mots empreints de condescendance. Ce qui serait certainement plus facile si elle ne se noyait pas dans un torrent de désirs voluptueux.

— J'apprendrai. Je ne suis pas stupide.

— Non, tu es incroyablement intelligente. (Il lui effleura la tempe des lèvres.) Assez intelligente pour comprendre que rien n'est plus vulnérable qu'une louve solitaire. Pourquoi ne pas accepter l'aide de ceux qui se soucient de toi ?

Elle réprima un gémissement de plaisir. Bon sang, cette bouche était à se damner.

— Ma sœur bien-aimée ? Merci, mais non merci.

— Il n'y a pas que Darcy. (Il lui mordilla le lobe de l'oreille.) Mon repaire est correctement protégé, bien que loin d'être aussi élégant que le domaine de Styx.

Regan se figea.

— Jagr ?

— Hmm ?

— Tu me demandes d'emménager avec toi ?

Il hésita puis, une expression prudente sur le visage, il s'écarta pour rencontrer son regard choqué.

—Oui.

—Tu as déjà partagé ton repaire avant?

—Pas volontairement, non.

—Alors, pourquoi le proposer maintenant?

Il pinça les lèvres.

—Je ne pourrais pas juste être un type bien au cœur généreux?

—Aucune chance, non. (Elle secoua la tête: son offre inattendue la troublait d'une étrange façon.) Qu'est-ce que ça t'apporterait?

—Si seulement je le savais.

—Quoi?

Il fit glisser sa main de sa nuque à la cambrure de ses reins, pour pousser la jeune femme contre son membre en érection. Cette dernière haleta lorsque son sexe dur s'enfonça dans la chair tendre de son ventre.

—Je sais que je te veux. Désespérément, dit-il, un appétit farouche brûlant dans ses yeux. Je sais que tu me fascines, même quand tu te comportes comme une folle.

—Hé!

—Ce que j'ignore, c'est pourquoi l'idée de te regarder t'éloigner est pour moi…

Il grimaça.

—Quoi?

—Inacceptable.

—Inacceptable?

—Complètement et totalement inacceptable.

Elle s'humecta les lèvres, perturbée par la bouffée de pure satisfaction qui envahit son cœur. Elle ne pouvait tout de même pas se réjouir qu'il reconnaisse de manière flagrante la possessivité qu'il ressentait à son égard ?

— C'est aussi inévitable, s'obligea-t-elle à marmonner. Dès que Culligan sera mort, je me tirerai d'ici.

Elle sentit ses lèvres trembler quand il se déplaça pour faire glisser avec délicatesse ses canines sur la ligne de son cou.

— On verra, murmura-t-il.

De ses mains habiles, il saisit le bord de son petit haut pour le lui enlever d'un geste ample. Son soutien-gorge ne tarda pas à suivre, atterrissant sur le carrelage.

— Je sais me montrer très persuasif quand je désire quelque chose.

Elle eut le souffle coupé lorsqu'il frôla des pouces ses tétons tendus. *Nom de… Dieu !*

Persuasif ?

Il était carrément époustouflant.

Cherchant désespérément à s'accrocher à la raison pour laquelle c'était une mauvaise idée – et rien d'aussi terriblement bon ne pouvait être une vraie bonne idée –, Regan inspira profondément. Malheureusement, Jagr la devança et, avant qu'elle ait pu former une pensée cohérente, il faisait glisser sa bouche sur la rondeur de son sein, refermant les lèvres sur son téton qu'il tourmenta de la langue jusqu'à la rendre presque folle.

— Maudit vampire, marmonna-t-elle en plongeant les doigts dans ses cheveux irrésistiblement soyeux.

Il la mordilla et la couvrit de baisers en descendant de plus en plus bas, lui ôtant ses derniers vêtements entre deux caresses.

—Non, pas maudit, répliqua-t-il. (Il se redressa pour la regarder dans les yeux, toujours impassible alors qu'elle restait abasourdie.) Sauvé.

D'un mouvement trop rapide pour que Regan puisse l'anticiper, il la souleva du sol et traversa l'appartement. Elle était à peine parvenue à comprendre ce qui lui arrivait quand il la jeta au milieu du lit à la *Austin Powers*, bras et jambes écartés comme une vierge sacrificielle.

—Jagr.

Après avoir enlevé ses lourdes bottes, il passa son tee-shirt par-dessus sa tête et laissa tomber son jean pour dévoiler la gloire renversante de sa virilité.

—Oui, petite ? demanda-t-il en se baissant pour l'écraser de tout son poids.

Elle leva les mains pour le repousser, sauf que quelque chose ne se déroula pas comme elle l'escomptait. Au lieu d'appuyer contre les muscles durs de son torse, elle se mit à caresser sa peau pâle marquée de cicatrices.

—Ne devrions-nous pas réfléchir à ce que nous comptons faire ensuite ? s'enquit-elle, la voix rauque.

Penchant la tête, Jagr lui mordilla la commissure des lèvres.

—Je sais exactement ce que je compte faire ensuite.

Regan ressentit un frisson exquis. Oh, Seigneur, elle espérait qu'il avait prévu de lui ouvrir les cuisses pour terminer ce qu'il avait commencé.

Subitement, ça lui était égal que Culligan soit encore en vie quelque part… *le salaud*. Ou qu'une meute de bâtards enragés soit ou non à ses trousses.

Ou même que Jagr puisse ne la séduire avec une telle détermination que dans le cadre d'un complot compliqué pour l'attirer à Chicago et la remettre entre les griffes de Darcy.

Une femme devait parfois établir des priorités.

Et en cet instant, la priorité de Regan était de satisfaire le désir dévorant qui menaçait de la consumer.

Comme s'il sentait sa capitulation, Jagr émit un grondement guttural et explora sa peau nue avec impétuosité tout en déposant de petits baisers sur tout son visage.

— Des effluves suaves de jasmin, murmura-t-il en traçant de la langue le contour des lèvres de la jeune femme. Ton parfum me rend fou.

Regan poussa un cri étouffé lorsqu'il glissa la main entre ses cuisses pour caresser son intimité de plus en plus mouillée.

— C'est ridicule, protesta-t-elle, essoufflée. Si j'ai une odeur, c'est celle des grottes humides et des mauvaises herbes.

Il lui écrasa les lèvres d'un baiser brûlant.

— Toujours à discuter, petite. (Il grogna en introduisant un doigt en elle.) Tu éprouves le besoin compulsif de me garder à distance ou tu es juste querelleuse par nature ?

Instinctivement, elle enfonça les talons dans les draps de satin noir en soulevant les hanches.

— Si tu n'avais pas toujours tort, je n'aurais pas à… à… (Oh, bon Dieu, son doigt qui allait et venait en elle lui procurait les plus délicieuses des sensations.) Discuter.

Il lui effleura la joue du bout des lèvres avant de s'attaquer à la ligne de sa mâchoire.

— Je n'ai jamais tort.

Il l'embrassa à la base de sa gorge, où il pouvait sentir son pouls s'emballer.

— Jamais.

Il fit courir sa bouche sur sa clavicule.

—Jamais.

Il couvrit la pointe douloureuse de son sein.

—Jamais.

Il ne jouait pas franc-jeu. Elle ne pouvait pas réfléchir quand elle frissonnait de tout son corps sous l'effet d'un désir presque lancinant. De toute façon, elle ne voulait pas réfléchir.

Elle voulait simplement ressentir de nouveau cette merveilleuse délivrance qui à cet instant était presque à sa portée.

Refermant les doigts dans l'épaisse chevelure de Jagr, elle enroula instinctivement les jambes autour de ses hanches.

—D'accord, tu as toujours raison. Maintenant, cesse de parler et fais quelque chose.

Il s'écarta pour la dévisager avec une esquisse de sourire.

—Querelleuse et exigeante.

Délibérément, elle se frotta sur toute la longueur de son érection dure comme du granit.

—Est-ce un problème?

Elle vit ses yeux s'assombrir, ses canines d'un blanc éclatant étinceler à la lumière qui leur parvenait du salon.

—Pas du tout.

Appuyé sur le coude, il se positionna de façon à ce que son gland repose à l'entrée de son vagin.

—Absolument pas.

Elle serra les dents face à la torture qu'il lui infligeait. Elle avait beau être vierge, son corps savait ce qu'il lui fallait. Et le fait que ce soit si proche la rendait folle.

—Alors, pourquoi tu parles encore? demanda-t-elle.

Quand il la regarda avec une étrange attention, elle lui tira les cheveux.

— Tu sais, petite, on ne peut pas revenir en arrière.

— Jagr, si tu n'en finis pas, je vais…

Elle ignorait ce qu'elle ferait exactement et, au final, cela n'eut pas d'importance. Avec un feulement bas, Jagr inclina les hanches en avant et glissa en elle d'un coup de reins lent et implacable.

Regan s'agrippa à ses épaules et lui enfonça les ongles dans la peau. Elle ne ressentit pas de douleur. En dépit de la taille considérable du vampire, son corps l'accueillit avec enthousiasme. Elle éprouva en revanche un délicieux sentiment de plénitude, ainsi qu'une surprenante intimité, à laquelle elle ne s'était pas attendue.

En cet instant, elle était reliée à Jagr. Et ce lien semblait bien plus profond que celui créé par une simple partie de jambes en l'air.

C'était…

Son esprit refusa immédiatement de se pencher sur ces dangereuses sensations. Non. Elle ne voulait pas que cette étreinte soit autre chose qu'un moment de plaisir fugace.

— Regan, chuchota-t-il près de son oreille. Ça va ?

— Oui, mais ne t'arrête pas, marmonna-t-elle en enfouissant le visage dans la courbe de son cou.

— Il m'est absolument impossible de m'arrêter maintenant, murmura-t-il en se retirant pour s'introduire de nouveau en elle avec une impatience grandissante. Tu es parfaite.

Encore, elle éprouva cette envie instinctive de protester. Elle n'était pas parfaite. Loin de là.

Mais avant qu'elle ait pu ouvrir la bouche, il se retira une nouvelle fois pour mieux s'enfoncer en elle à un rythme qui lui coupa le souffle. *Oui. Oh, oui.* C'était ce que son corps avait désiré au plus profond de la nuit. C'était ce dont elle avait besoin.

Les yeux fermés, elle lui racla le dos des ongles, ravie de l'entendre grogner de délice. Elle appuya plus fort, récompensée par ses lèvres qui trouvèrent les siennes en un baiser farouche, exigeant.

Il accéléra le balancement de ses hanches, et lui agrippa les cuisses pour qu'elle vienne à la rencontre de ses assauts réguliers et profonds.

— Jagr... s'il te plaît, chuchota-t-elle contre ses lèvres, si tendue qu'elle avait l'impression d'être sur le point d'éclater.

— Patience, petite.

Il pencha la tête pour tourmenter son téton douloureux des lèvres et des canines, ondulant des hanches de plus en plus vite alors qu'elle soulevait le bassin vers lui.

Regan entendait uniquement sa respiration, son monde se limitant au corps de Jagr qui allait et venait en elle.

Elle y était presque. Une proximité si exquise.

Puis...

D'un dernier coup de reins, il l'envoya dans un tourbillon de volupté vertigineux.

Il recueillit son hurlement de jouissance dans un baiser brûlant, sans cesser d'aller et venir dans son corps frissonnant jusqu'à ce qu'il se fige en atteignant sa propre délivrance. Alors, tandis qu'il se cambrait sous la force de son orgasme, les tableaux obscènes accrochés aux murs explosèrent et la carafe en cristal vola en éclats.

Regan ouvrit les yeux pour le regarder, stupéfaite.

— Bon Dieu.

CHAPITRE 12

Vaincre un vampire aussi âgé que Jagr n'était pas facile. Il possédait des pouvoirs terrifiants, une intelligence phénoménale, et la seule force de sa volonté lui suffisait pour triompher des adversaires les plus redoutables.

Mais il ne pouvait nier avoir bel et bien capitulé devant une louve-garou imprévisible, au sale caractère et à l'exaspérante beauté.

La tête de la jeune femme nichée sous le menton, il serra cette dernière fort dans ses bras en embrassant d'un regard contrit les éclats de verre et les tableaux fracassés qui jonchaient les tapis.

Il ne perdait jamais le contrôle. Et encore moins pendant une partie de jambes en l'air.

Non que ce qu'il venait de partager avec Regan se résume à une partie de jambes en l'air.

C'était… par l'enfer, il n'avait même pas de terme pour décrire les incroyables sensations qui continuaient à agiter son corps.

Un vampire sacrifierait tout – son clan, sa santé mentale, son âme même – pour prétendre à une telle félicité.

Malheureusement, Regan ne tenait pas à ce que quiconque la revendique comme sienne. Et surtout pas un vampire arrogant et excessivement protecteur ayant le savoir-vivre d'un cobra mal luné.

—Regan…

Les mots doux moururent brusquement sur ses lèvres quand elle lui plaqua la main sur la bouche et se déplaça pour le foudroyer du regard avec une irritation inattendue.

—Non.

Tant pis pour les câlins tendres et intimes qu'il avait imaginés.

Alors qu'il écartait ses doigts un à un, Jagr contempla son beau visage encadré par la masse de ses boucles dorées. Il ressentit une fierté béate à la vue de la chaleur qui lui assombrissait encore les yeux et de la volupté qui lui empourprait les joues sans qu'elle puisse s'en cacher. Elle ne reconnaîtrait peut-être jamais avoir éprouvé du plaisir sous ses caresses, pourtant c'était gravé sur ses traits.

—N'est-ce pas un peu tard pour dire «non»?

—C'est juste que je ne veux pas m'allonger sur le divan et analyser ce qui vient de se passer.

Il arqua les sourcils, amusé.

—Tu trouves que je ressemble à un vampire du genre psy?

D'un geste soudain, elle tira le drap noir sur son corps svelte.

—Je ne veux pas en parler, c'est tout.

Il résista à l'envie d'approfondir le sujet. Il ne comprenait peut-être pas les rouages mystérieux de l'esprit féminin, mais il connaissait parfaitement sa garou entêtée. Si elle avait décidé qu'elle ne souhaitait pas discuter de ce qu'ils avaient partagé, il ne pouvait absolument rien y faire.

—Tout ce qui te fait plaisir, petite.

Après l'avoir embrassée sur le front, il glissa hors du lit et enfila une robe de chambre en soie que Tane avait laissée sur une chaise.

— Tu as le coffre-fort de Culligan ?

Regan adopta une position assise, toujours enveloppée de ce drap ridicule. Comme s'il n'avait pas embrassé la moindre parcelle de son corps délectable.

— Il est avec mes habits. Pourquoi ?

— Pour l'instant, c'est la seule chose qui nous relie au sidhe.

Jagr se rendit dans le salon pour prendre les précieuses affaires de Regan ainsi que sa propre sacoche, puis il revint dans la chambre, lança les sacs sur le lit et se mit en quête du petit coffre caché au milieu de ses vêtements.

Regan fronça les sourcils.

— Tu crois que quelque chose pourrait nous avoir échappé ?

Jagr retourna la boîte et passa les doigts sur le métal lisse.

— Les sidhes sont réputés pour être paranos quand il s'agit de leurs trésors. Il doit y avoir au moins un compartiment secret que nous n'avons pas trouvé.

— Alors, tu vas faire quoi ? Essayer de jouer au Rubik's Cube avec ?

— Je préfère une approche plus directe.

D'un geste plein d'aisance, il en arracha le fond.

— Tu es un démon particulièrement destructeur, marmonna-t-elle en jetant un coup d'œil aux éclats de verre répandus sur le sol avant de regarder de nouveau la boîte cassée.

Il eut la sagesse de dissimuler son sourire. Il était parvenu à franchir ses défenses farouches pour attiser ses désirs les plus intimes. À présent elle cherchait désespérément à le repousser.

— Mais efficace.

— Ouais, c'est ça.

Lorsqu'il plongea la main dans le trou béant, Jagr en sortit une épaisse enveloppe, qu'il lança sur les genoux de la jeune femme.

—Je crois que je n'ai plus rien à prouver.

Elle roula des yeux en déchirant l'enveloppe.

—Des fausses cartes d'identité… des cartes de crédit… (Elle s'interrompit pour déplier un morceau de papier.) Ah! voilà qui est intéressant.

—Qu'est-ce que c'est?

—Un message…

« Le *Salon de thé Clemens*. Samedi. Minuit. »

Elle releva la tête, les yeux écarquillés.

—Culligan a quitté Saint-Louis samedi.

—Je me souviens d'avoir vu l'enseigne de cet endroit. C'est un restaurant à l'ouest de la ville.

—On pourrait bien détenir là ce qui a amené Culligan à Hannibal.

—Ça vaut le coup d'approfondir la question, reconnut Jagr d'un air pensif.

—Tout à fait. (Elle se précipita vers le bord du lit.) Et c'est exactement ce que je compte faire.

Il fronça brusquement les sourcils.

—Maintenant?

—Évidemment, oui.

—Regan, nous ignorons si nous n'avons pas été suivis.

—Pour l'amour du ciel, ton ami qui joue les Jason Bourne a planqué des caméras dans la moitié du Missouri comme s'il s'agissait du Pentagone. S'il y avait quoi que ce soit dehors, il l'aurait déjà désintégré avec son fusil à rayons laser.

La mine renfrognée de Jagr s'accentua. Il ne pouvait nier que Tane avait poussé sa sécurité bien au-delà de l'ordinaire.

Ni qu'il aurait aisément découvert tout garou errant dans le coin.

Il ne pouvait même pas contester la nécessité d'identifier l'auteur du message adressé à Culligan.

Mais son instinct lui hurlait de garder Regan cachée dans ce repaire où rien ne pouvait l'atteindre.

Presque comme si elle sentait le refus qui lui brûlait les lèvres, Regan sauta du lit, saisit l'un des sacs et se précipita vers la salle de bains. Jagr ne fit qu'entrevoir ses jolies fesses avant que la porte se referme sur elle et qu'il entende la douche couler.

Resté seul, il ôta vivement la robe de chambre et enfila un jean et un pull noir qu'il sortit de sa sacoche. Un vampire ordinaire aurait pu s'offusquer des efforts désespérés de la jeune femme pour prétendre qu'elle ne venait pas de lui offrir son innocence. Ou de son impatience à courir après son ombre plutôt que de s'attarder avec lui dans ce repaire retiré.

Heureusement, il n'était pas un vampire ordinaire.

Mais un vampire soudain d'humeur à finir de détruire les tableaux porno chic qui tapissaient les murs.

Après avoir tressé ses cheveux, il les attacha avec une lanière de cuir et mit ses lourdes bottes. Ses armes suivirent. Les deux poignards furent glissés dans les fourreaux installés dans ses bottes et le pistolet dans sa ceinture, dans le creux de son dos. Les balles en argent leur seraient bien utiles s'ils tombaient sur un bâtard.

Puis, cherchant désespérément à oublier les effluves terriblement alléchants de savon et de jasmin suave qui saturaient l'air, il retourna dans la cuisine où il vida une bouteille de sang laissée dans le frigo. Il n'avait pas particulièrement besoin de se nourrir, mais il ne souhaitait pas courir le risque que son appétit s'éveille alors qu'ils seraient en chasse.

Même si Regan acceptait de lui offrir une veine, il n'était pas masochiste. Cette femme exaspérante ne menaçait pas que sa santé mentale.

Il existait une forte possibilité, une dangereuse possibilité, qu'elle soit sa compagne véritable.

Maudissant un sort qui semblait déterminé à le torturer, Jagr se figea quand la jeune femme apparut dans l'embrasure de la porte, ses cheveux humides coiffés en queue-de-cheval, vêtue d'un jean taille basse et d'un haut en tricot trop moulant.

Il sentit une chaleur, brute et primitive, l'enflammer. *Bon sang.* Lorsqu'il rentrerait à Chicago, il avait l'intention de botter le cul de Styx.

Le vieux vampire avait bien des comptes à lui rendre.

N'ayant heureusement pas conscience de ses sinistres pensées, Regan le dévisagea avec circonspection.

— Tu ne devrais pas nettoyer le bazar dans la chambre ?

Jagr haussa les épaules et se dirigea vers la porte de l'appartement. Le moment était mal choisi pour repenser au plaisir intense à cause duquel son pouvoir avait fait voler en éclats les œuvres d'art repoussantes de Tane. Pas quand il avait besoin des derniers neurones qui lui restaient pour s'assurer qu'il ne les conduisait pas de nouveau à la catastrophe.

— Les serviteurs de Tane n'auront qu'à tout jeter à la poubelle. C'est là que se trouve la place de toute cette camelote, de toute façon, grommela-t-il.

Il ouvrit la porte et attendit qu'elle passe devant lui pour la refermer et remonter l'étroit couloir.

Elle marcha près de lui, et ne réagit à son humeur revêche que par un regard railleur.

—Alors, tu n'as pas décoré ton propre repaire avec des pages de *Playboy*?

—Je n'ai pas pris la peine de le décorer.

—Pourquoi ça ne m'étonne pas?

—Cela m'avait semblé inutile.

Il s'arrêta brusquement pour saisir son visage entre ses mains et lui voler un rapide baiser empreint de frustration. Lorsqu'il releva la tête, il rencontra son regard interloqué.

—Jusqu'ici.

Elle écarta les lèvres pour lui jeter une remarque cinglante mais, avant qu'elle ait pu reprendre son souffle, il entrait dans le centre de commandement et s'adressait au vampire de garde.

—Il nous faut un moyen de transport.

Le grand guerrier aux courts cheveux bruns et équipé de toutes sortes d'armes se leva, ayant manifestement reçu l'ordre d'offrir à Jagr tout ce qu'il désirerait.

—Suivez-moi.

Tout en songeant au paiement qu'exigerait Tane pour son hospitalité, Jagr emboîta le pas au vampire qui traversait la pièce.

Après avoir attendu que ce dernier ouvre une petite porte, il découvrit sans surprise le vaste garage souterrain qui abritait une demi-douzaine de véhicules étincelants. Les voitures de luxe exerçaient une fascination sur nombre de ses frères. Regan, au contraire, eut le souffle coupé, interloquée.

—Putain. Pas de Batmobile?

—On lui fait l'équilibrage des roues.

Il conduisit la jeune femme vers un coin sombre.

Elle tendit la main en passant près d'une Mercedes gris métallisé pour en caresser les lignes élégantes.

— Je me demande si Salvatore aurait besoin d'un garou assassin. Je ne déclinerais pas un salaire qui s'apparente manifestement à celui d'un milliardaire.

Jagr se hérissa. Salvatore refusait peut-être de faire de Regan sa reine, mais il n'était certainement pas opposé à l'idée de la mettre dans son lit. Il enverrait le roi en enfer avant.

— Tu n'as pas à te tourner vers Salvatore. L'Anasso sera heureux de t'offrir tout le luxe que tu pourrais désirer. (Il pinça les lèvres.) Je te promets que son salaire est beaucoup plus élevé que celui d'un milliardaire.

— Je ne veux pas de la charité de l'Anasso. (Elle arracha son bras à son étreinte.) Ni des conditions qui vont avec.

— Non, tu préférerais scier la branche sur laquelle tu es assise, grogna-t-il.

Sans tenir compte du regard furieux qu'elle lui jeta, il s'arrêta près d'un camion rouge cabossé.

— Ça devrait faire l'affaire.

— Ça ? (Elle grimaça.) Tu te moques de moi ? Il y a une Lamborghini, une Porsche, une Aston Martin et deux Corvette qui ne demandent qu'à aller faire un tour, et tu choisis ce vieux tas de ferraille ?

Ouvrant la portière du passager, il la toisa en haussant les sourcils.

— Je ne souhaite pas attirer l'attention. Combien de Lamborghini as-tu vues à Hannibal ?

— D'accord. (Elle croisa les bras.) Alors, pourquoi on ne repart pas comme on est venus ? J'aime mieux courir que de me faire ballotter dans ce truc.

— Les bâtards ne chercheront pas un camion rouge, souligna-t-il. Et on pourrait en avoir besoin si l'un de nous est blessé.

— Rabat-joie, grommela-t-elle en s'accrochant à contrecœur à la poignée de la portière pour sauter dans la haute cabine.

— C'est ce qu'on m'a toujours dit.

Jagr attendit qu'elle se soit installée sur la banquette en cuir usée pour claquer la portière, puis il contourna l'avant du véhicule et prit place derrière le volant. Sans se soucier de la clé sur le contact, il se servit de ses pouvoirs pour démarrer le puissant moteur et s'engagea dans le tunnel qui menait hors du parking souterrain.

Ils sortirent au milieu d'un enchevêtrement fourni d'arbres et de broussailles qui masquait l'entrée de la galerie aux regards indiscrets. Ou, du moins, aux yeux humains. Regan possédait suffisamment de louve en elle pour déceler les nombreuses caméras cachées dans les branches et les vampires qui se glissaient dans les ténèbres.

— Merde. (Son regard s'attarda sur les détecteurs de chaleur dissimulés dans une touffe de marguerites.) Qu'est-ce qui se passe si quelqu'un atterrit par accident dans cette petite Zone 51 ?

Jagr haussa les épaules.

— On le déplace et on modifie ses souvenirs.

— Exactement comme dans l'autre Zone 51.

Il pinça les lèvres.

— Pas vraiment.

Il emprunta l'étroit chemin qui courait à travers la campagne environnante et n'alluma les phares que lorsqu'ils parvinrent à une route goudronnée qui se dirigeait vers le sud. Alors, abandonnant toute idée de discrétion, il fit ronfler le moteur et ils foncèrent à toute vitesse vers Hannibal.

Durant de longues minutes, ils roulèrent en silence, alors que Jagr remâchait sa plongée dans la folie et que Regan contemplait avec une curiosité singulière le paysage qui défilait.

Finalement, Jagr mit son comportement étrange sur le compte d'un début de démence et reporta son attention sur la femme à ses côtés.

— Ton calme m'inquiète. Tu mets au point un génocide ou juste ma propre mort ?

— Je profite de la vue.

Il embrassa du regard les champs qui venaient d'être labourés et dans lesquels seraient plantés du maïs, du soja et quelques parcelles de sorgho. Une vision certainement agréable pour les agriculteurs du coin, mais qui était loin de faire partie des Sept Merveilles du monde.

— La vue ?

Un sourire nostalgique ourla les lèvres de Regan.

— Culligan empruntait les petites routes secondaires quand nous nous rendions d'une ville à l'autre. J'ai toujours envié les humains pelotonnés dans leur lit, qui n'ont pas la moindre idée que des monstres rôdent dans le noir.

Jagr grimaça. Il ne se souvenait pas de sa vie d'humain, mais les actes de violence qu'il avait commis étaient entrés dans la légende. Peu l'avaient pleuré quand il avait mystérieusement disparu.

— Les humains ne sont pas dépourvus de leur propre lot de monstres.

— Peut-être, mais la campagne semble si paisible. Surtout la nuit.

— De toute évidence, tu n'as pas lu *De sang-froid*.

Elle roula des yeux.

— Tu parles comme un vrai vampire citadin.

— Je n'ai pas toujours habité en ville, tu sais, dit-il d'une voix traînante. J'ai passé des siècles caché dans des repaires si isolés que je devais marcher des heures pour me nourrir.

— Des siècles de solitude ? (Elle inspira profondément.) Ça ressemble au paradis.

— Certains jours. (Il ralentit en se tournant pour observer son profil parfait.) Il arrive aussi qu'on se sente seul, inutile et effrayé.

Elle croisa son regard intense.

— Effrayé ?

— Lorsqu'on n'a aucun lien avec le monde, il devient bien plus facile de remettre en question l'intérêt de continuer à vivre.

Malgré l'obscurité, il n'eut pas de mal à voir son expression : elle était choquée et peut-être même horrifiée.

— As-tu… ?

— Si je ne m'étais pas découvert une passion pour mes recherches, je n'aurais pas lutté contre le désir d'en finir, avoua-t-il immédiatement. C'est une tentation à laquelle tout immortel est confronté.

Tout à coup, elle frissonna et croisa les bras sur son ventre comme si elle avait soudain froid.

— J'espère que tu n'envisages pas de faire un truc aussi stupide alors que je suis là, chef, marmonna-t-elle. Je compte bien être le seul malheur à te tomber dessus.

Une pointe de satisfaction l'envahit à l'indubitable désarroi de la jeune femme. Elle n'aimait pas l'idée qu'il ait été à deux doigts de mettre un terme à sa vaine existence.

— Ne t'inquiète pas, petite, tu ne te débarrasseras pas de moi aussi facilement.

Délibérément, elle tourna la tête pour regarder fixement par la fenêtre, feignant de s'intéresser aux pâtés de maisons, parkings et stations-service qui remplaçaient les champs à mesure qu'ils contournaient la ville. Jagr la laissa se débattre avec ses émotions en silence et s'obligea à se concentrer pour se souvenir de l'endroit où il avait aperçu l'enseigne du salon de thé.

Alors qu'ils traversaient au pas les rues résidentielles endormies, il manqua presque le bâtiment à deux étages qui se dressait derrière des chênes imposants.

— Nous y sommes, dit-il en s'arrêtant brutalement de l'autre côté de la chaussée.

Il était presque deux heures du matin, dans l'un des quartiers les plus élégants de Hannibal, et les habitants étaient pelotonnés dans leur lit.

Regan se pencha en avant pour examiner la jolie maison blanche avec ses moulures roses et toutes ces petites fioritures dont raffolait l'époque victorienne.

— Non. (Elle secoua la tête.) Ce ne peut pas être là.

Ostensiblement, il tourna son regard vers les lettres dorées peintes sur la devanture.

— Il s'agit manifestement du *Salon de thé Clemens*. À moins qu'il n'y en ait plusieurs ?

— C'est beaucoup trop classe pour les amis de Culligan, marmonna-t-elle. Il ne traîne qu'avec des minables comme lui.

— Très bien. Nous pouvons retourner au repaire et…

Il dissimula un sourire quand elle ouvrit brusquement la portière et sauta au bas du camion.

— Autant y jeter un coup d'œil tant qu'on est là.

Il la rattrapa alors qu'elle bondissait par-dessus la palissade blanche, ses sens lui assurant que seul un chat rôdait dans le bâtiment. Évidemment, ses sens ne lui servaient à rien pour déceler la présence des bâtards et de leur satanée sorcière, se rappela-t-il en sortant le pistolet de sa ceinture comme ils contournaient le restaurant et entraient dans la petite roseraie située à l'arrière.

Arrivés devant la terrasse sur laquelle étaient disposées des tables, ils s'arrêtèrent tous deux subitement.

—Tu sens ça? demanda Regan, les yeux brillants.

De distincts effluves de pêche, qui n'avaient rien à voir avec les tartelettes et les scones préparés dans la cuisine à côté, lui chatouillaient les narines.

Jagr hocha la tête. Il ne s'agissait pas du parfum de prune prononcé de Culligan mais de celui d'un autre fae.

—Un sidhe. Un homme. (Il resserra les doigts sur la crosse du pistolet.) Tu reconnais cette odeur?

—Non. (Elle prit une profonde inspiration et analysa l'air avec ses sens de garou.) Il ne me semble pas que Culligan l'ait jamais fréquenté pendant qu'il me retenait prisonnière.

—Alors pourquoi ce mystérieux démon l'inviterait-il à le rencontrer à Hannibal?

Elle écarquilla les yeux.

—Un piège?

Également la première pensée qui était venue à l'esprit de Jagr.

—Un sidhe vendrait sa propre mère s'il pouvait en tirer profit.

Regan retroussa les lèvres d'impatience.

—Je crois que j'aimerais faire sa connaissance.

Jagr se renfrogna, révolté à la seule idée que Regan poursuive un démon potentiellement doté de toutes sortes de vilaines aptitudes.

—Je vais partir à sa recherche.

Il prit soin de ne pas prendre un ton péremptoire, s'exprimant plutôt comme s'il lui faisait une proposition.

— Tu n'as qu'à retourner au repaire de Tane pendant que je…

— Ne t'avise pas de recommencer! le prévint-elle, les mains sur les hanches, un air on ne peut plus têtu sur le visage.

— Regan, nous ne savons rien sur ce sidhe et nous ignorons tout de ses liens avec les bâtards.

— Écoute, j'ai accepté que tu restes avec moi parce que tu peux te révéler utile à l'occasion mais tu ne me donnes pas d'ordres. (Elle plissa les yeux.) Compris?

Il grommela un juron à mi-voix.

— Alors, tu es prête à te mettre en danger pour te prouver que tu en es capable?

— Je suis prête à faire le nécessaire pour retrouver Culligan. Au cas où tu l'aurais oublié, c'est la raison de ma présence ici.

Pivotant sur ses talons, elle se dirigea, furieuse et le dos raide, vers la haie au fond du jardin, sur la piste du sidhe.

— C'est la seule et unique raison de ma présence.

Jagr ne bougea pas. Il luttait contre sa nature prédatrice excitée au plus haut point par la violence avec laquelle la jeune femme l'avait remis à sa place.

S'il l'avait déjà revendiquée comme sienne, alors ce genre de petits accrochages ne tirerait pas plus à conséquence que les délicieux jeux auxquels s'adonnaient les compagnons. Mais sans le lien…

Bon sang.

Il avait considéré Kesi comme une experte en matière de torture.

Une amatrice, comparée à Regan.

Levet donna un coup de pied dans un caillou alors qu'il errait sur la berge du Mississippi.

Il avait senti le parfum de prune d'un sidhe deux heures auparavant et s'était aussitôt empressé de se lancer à sa poursuite. *Mon Dieu**. Il avait été absolument convaincu que c'était là sa chance de montrer qui était le meilleur démon à ce chef wisigoth glacial.

Son exultation, cependant, s'était vite transformée en abattement, alors qu'il avait l'impression de chasser le dahu à travers la boue que le Missouri produisait en quantité incroyable.

Pour la énième fois, il envisagea de se laver les mains de toute cette affaire d'assistance aux vampires pour se retirer sur une petite église tranquille en Floride.

Ou peut-être en Arizona.

L'humidité n'était pas bonne pour sa peau.

Après tout, ce n'était pas comme si ces salauds au sang froid appréciaient véritablement ses extraordinaires facultés. *Sacrebleu**, ils reconnaissaient tout juste qu'il était une gargouille de race pure, alors, le traiter avec le respect qui lui était dû, ce n'était même pas la peine d'y penser.

Alors, pourquoi se frayait-il un passage à travers les mauvaises herbes, sur la trace d'un sidhe encore plus mauvais, quand ce satané vampire, pour changer, était occupé à emporter la belle demoiselle en détresse dans ses bras ?

Parce qu'il était purement et simplement un imbécile, voilà pourquoi.

Un imbécile qui avait mal aux pieds, l'estomac vide et la certitude angoissante de tourner en rond.

Il lui fallait une pizza. Géante, avec plein de viande et de fromage, une pâte épaisse…

— Psst.

Surpris par ce bruit inattendu, Levet releva brusquement la tête pour découvrir une femme qui nageait dans les eaux impétueuses du fleuve. Sa peau d'un blanc pur, ses yeux bleus en amande et sa chevelure vert pâle révélaient qu'elle n'était pas humaine.

Une naïade.

Et une qu'il avait déjà rencontrée.

Maudissant l'abominable malchance qui lui faisait croiser le chemin de Bella, la nymphe enquiquinante et volage, Levet tenta de ne pas lui prêter attention.

— Hé! Hé, toi!

Elle se rapprocha de la rive à la nage et agita un bras, comme s'il était trop bête pour remarquer une naïade qui flottait à un jet de pierre de lui.

— Par ici. Psst!

— Arrête de me faire «psst», grogna-t-il en poursuivant sa route le long de la berge.

— Je te connais.

— *Non**, tu ne me connais pas, nia-t-il.

— Si. Tu es Levet, la gargouille naine.

Il s'immobilisa à cette insulte et fit volte-face pour pointer un doigt noueux vers cette satanée peste.

— Je ne suis pas nain. Je suis une personne de petite taille.

Elle battit des cils, d'une beauté presque époustouflante à la lumière argentée de la lune. Évidemment, c'était cette beauté qui menait les marins à leur perte depuis le commencement des temps.

Levet avait appris sa leçon lorsque la nymphe s'était glissée par son portail alors qu'il tentait de sauver Shay et Viper des griffes de l'Anasso précédent qui avait complètement pété les plombs.

— Je t'ai déjà rendu grand, quand tu luttais contre ce vampire dégoûtant, chuchota-t-elle, lui rappelant le plaisir qu'il avait éprouvé à jouir de la stature qui allait de soi pour la plupart de ses semblables. Tu veux que je te fasse redevenir grand ?

— Je ne t'ai pas invoquée. Va-t'en.

— Je m'ennuie.

— Alors, va casser les pieds aux poissons. (Il gonfla le torse.) J'ai une mission importante à remplir.

— Quel genre de mission pourrait avoir une gargouille miniature ? Tu chasses les leprechauns ? railla-t-elle, son rire tintant dans l'air nocturne. Oh, je sais. Tu chasses les hobbits.

— Très drôle… mais non. (Les griffes serrées, il se remit à marcher péniblement dans la boue.) Il se trouve que je poursuis un sidhe extrêmement dangereux et rusé.

— Un sidhe ? (Elle ne se laissa pas distancer par les enjambées furieuses de la gargouille.) Il n'y a pas de sidhe dans le coin.

— Oh que si.

— Oh que non.

— Oh que si.

— Oh que non.

Levet leva les yeux au ciel.

— Je sens son odeur, espèce de petite créature agaçante.

— La seule chose qui est passée par ici, à part un raton laveur, c'est un bâtard.

— Un bâtard. (Il s'arrêta, interloqué.) Tu en es sûre ?

Ravie de bénéficier de toute son attention, Bella glissa une main aguichante dans ses cheveux.

— Je reconnais un chien quand j'en vois un. Il était bien plus séduisant que toi, sauf qu'il était couvert de sang. (Elle grimaça.) Beurk.

Un bâtard couvert de sang ?

Aurait-il été blessé ?

Et pourquoi avait-il l'odeur d'un sidhe… ?

Levet se frappa le front du poing.

— *Sacrebleu**. (« Paf, paf. ») Qu'est-ce que j'ai été idiot !

— Eh bien, ton cerveau n'est pas très gros, compatit Bella.

Levet releva la tête pour lui jeter un regard furieux.

— Un mot de plus et je te change en carpe.

— Pourquoi cherches-tu un maudit sidhe ? demanda-t-elle avec une moue, se fichant allègrement de sa menace. Ce sont des bêtes méchantes et retorses. Les nymphes sont beaucoup plus sympas. Tu te souviens comme tu aimais que je te frotte les ailes ? Invoque-moi et je ferai de toi la gargouille la plus heureuse du monde.

— Ça suffit, tu me donnes mal au crâne, s'écria Levet d'un ton brusque.

Non qu'il ne soit pas tenté. Bella était ravissante et il était un mâle en pleine possession de ses moyens qui appréciait autant que n'importe quelle gargouille qu'on lui caresse les ailes. Néanmoins, il comprenait les dangers encourus à jouer avec les faes.

Elles finissaient toujours par causer plus de problèmes qu'elles n'apportaient de plaisir.

Les épaules redressées, Levet se concentra sur le parfum de prune qui se dissipait. Ce satané bâtard l'avait peut-être roulé, mais cela ne devait pas l'empêcher de tirer profit de la situation.

—Attends! (La voix de Bella qui se rapprochait de la rive en nageant le gêna.) Où tu vas?

Il grommela un juron.

—J'ai un chien à attraper.

—Je peux t'aider.

—Bah.

—Je sais où se trouve le sidhe.

Levet la regarda d'un air mauvais.

—Comment tu le saurais?

—Je vois les choses.

—Tu vois les choses? Qu'est-ce que tu pourrais bien voir? Tu ne peux pas apparaître dans ce monde à moins d'être invoquée…

Sa voix mourut brusquement comme ses paroles pénétraient dans son crâne épais. Elle ne pouvait être là. Pas à moins d'avoir déjà été appelée.

Elle ne représentait qu'un appât de plus. Exactement comme l'odeur de sidhe qui l'avait conduit à cet endroit précis.

—Oh, merde, souffla-t-il en se retournant juste à temps pour découvrir le grand bâtard qui sortait de derrière un arbre.

Levet leva les mains pour jeter un sort en hâte, mais les mots n'avaient pas encore quitté ses lèvres que déjà il était frappé par une explosion aveuglante.

Le monde devint noir.

CHAPITRE 13

Regan frissonna en frottant distraitement ses bras nus. La fraîcheur de l'air n'avait rien à voir avec la brise printanière vivifiante mais avec le très grand et très énervé vampire qui la suivait en silence.

Non qu'elle soit près de s'excuser.

Elle ne lui avait pas demandé de se mêler de ses affaires, bon sang. Et encore moins de la traiter comme une bimbo sans défense qui devait se réfugier dans un repaire pendant que lui jouait les super-héros.

C'était elle que Culligan avait torturée durant trois décennies. Elle qui avait rêvé nuit après nuit d'arracher la gorge du sidhe. Elle qui avait traqué ce salopard jusqu'à Hannibal.

C'était son combat et, nom d'un chien, elle allait le mener jusqu'au bout.

Et la violence farouche avec laquelle elle avait réagi au comportement protecteur du vampire n'avait aucun rapport avec la peur que le plaisir renversant qu'elle avait ressenti dans ses bras lui ait donné sur elle une emprise aussi impitoyable et éternelle que lui-même.

Elle frissonna de nouveau.

Bon Dieu. Elle avait besoin de se changer les idées.

Et d'une putain de veste.

—C'est quoi cet endroit? demanda-t-elle en parcourant des yeux la vaste pelouse entourée par quelques grandes maisons élégantes. Un parc?

Après avoir accéléré pour marcher aux côtés de la jeune femme plutôt que de lui lancer des regards noirs dans le dos, Jagr retint son pouvoir, et l'air se réchauffa un peu.

—Un terrain de golf, rectifia-t-il.

—Ah.

Elle esquissa un rictus. Pas étonnant qu'elle se soit trompée. Culligan n'avait jamais beaucoup fréquenté le milieu des country clubs.

—C'est pour ça qu'il n'y a pas de balançoires.

—Mais un gazon impeccable avec des trous.

Elle lui décocha un regard interloqué.

—Tu joues au golf?

—Rares sont les choses auxquelles je ne me suis pas essayé au cours des siècles.

—Ouais, j'imagine, dit-elle d'un ton pince-sans-rire.

Elle vit le feu revenir dans les yeux du vampire, faisant fondre la glace qui y subsistait.

—Je serais heureux de te faire une démonstration de certaines de ces choses plus tard.

Regan se détourna précipitamment, du côté des effluves de pêche qui flottaient vers le bois au fond du terrain. Non qu'elle espère ne serait-ce qu'un instant que ce satané vampire ne remarque pas la rougeur qui lui colorait les joues.

—Que pourrait bien faire un sidhe ici? grommela-t-elle.

S'attendant à moitié à ce que Jagr profite de sa vulnérabilité flagrante, elle soupira de soulagement quand il tourna son attention vers les ténèbres plus épaisses qui s'accumulaient devant eux.

—À vue de nez, je dirais qu'il se cache.

— De nous ?

Jagr pencha la tête en arrière comme pour humer l'air nocturne.

— Sa piste est fraîche. Et il n'est pas loin.

Regan s'immobilisa brusquement, prenant conscience que le parfum de pêche se faisait bien plus pénétrant. Elle montra la rangée d'arbres qui se dressaient derrière des barbelés.

— Je vais faire le tour par la droite, chuchota-t-elle si bas que seul un vampire pouvait saisir ses mots. Je préférerais éviter de le poursuivre dans les bois.

— Regan.

Elle se raidit en percevant sa sombre frustration.

— Quoi ?

Il marmonna un juron à mi-voix.

— Sois prudente, c'est tout.

Elle haussa les sourcils.

Pas de discours sévère comme quoi c'était trop dangereux ?

Pas de récriminations comme quoi il était le seul à pouvoir s'occuper du démon ?

Pas de grognements, de feulements ou de bombements de torse ?

N'ayant aucune envie de tenter le sort, elle s'engagea sans un bruit sur un chemin cimenté qu'elle supposait servir pour les voiturettes de golf.

Elle ne croyait pas une seconde qu'un vampire soit capable de changer ses vieilles habitudes. Du moins, pas celui-ci.

Donc, soit il estimait que le sidhe ne constituait pas une menace suffisante pour qu'il en fasse tout un plat, soit, ce qui était plus probable, il était convaincu d'être en mesure de la protéger, même si elle avait la bêtise de se jeter tête baissée dans la gueule du loup.

À peine avait-elle eu ces sinistres pensées qu'elle entendit un bruissement et vit une silhouette svelte foncer à travers le gazon tondu de près, se dirigeant droit vers les broussailles toutes proches.

— Oh, non, n'y compte pas, marmonna-t-elle en s'élançant pour saisir à bras-le-corps le sidhe qui s'enfuyait.

Elle entrevit des cheveux blonds tirant sur le roux, coupés court et coiffés de façon à mettre en valeur un beau visage fin et des yeux vert pâle. Un corps mince dissimulé derrière un costume bleu élégant qui lui donnait des allures de banquier.

Ou de gigolo.

Dans le salon de thé, les vieilles dames devaient certainement se presser autour de lui, formant une basse-cour tout énamourée.

Lorsqu'elle referma les bras sur les jambes du sidhe, Regan voulait le faire tomber et atterrir sur son dos. Évidemment, ce sont les événements qui commandent aux hommes et non les hommes… blablabla, blablabla…

La force de la collision suffit à la projeter sur le côté tandis que le sidhe se débattait désespérément, et la frappait en plein dans l'estomac. Il lui coupa le souffle et, avant qu'elle ait pu bouger, lui assena un revers qui lui aurait cassé la mâchoire si elle avait été humaine. Heureusement, elle ne l'était pas. C'était une sang-pur en rogne qui venait juste de se prendre un direct au menton.

Le démon balança de nouveau le bras, mais cette fois Regan était prête. Elle lui saisit le poing et serra jusqu'à ce qu'il crie comme un… eh bien, ça ressemblait beaucoup à un sidhe qui souffrait. Puis, après lui avoir tordu le bras derrière le dos, elle le fit rouler sur le ventre.

Il envoya de grands coups de pied et réussit à la toucher douloureusement au genou alors qu'elle lui grimpait dessus pour se mettre à califourchon sur ses reins. Elle jura et lui plaqua le bras encore plus haut sur le dos tout en l'agrippant par les cheveux pour lui écraser le visage dans la terre.

Elle sentit un déplacement d'air froid et, tout à coup, Jagr était accroupi à ses côtés, le regard rivé sur le démon qui gémissait sous elle.

— Je crois que tu l'as maîtrisé, petite.

Elle tourna la tête pour cracher le sang qui lui emplissait la bouche. Bon Dieu, elle s'était mordu la langue à cause de ce putain d'idiot. Elle détestait ça.

— Tu aurais pu me filer un coup de main, marmonna-t-elle.

Jagr haussa ses sourcils dorés.

— Pour être accusé de ne pas m'en tenir à mon rôle d'acolyte insignifiant? Merci, mais non merci. De toute façon, il semblerait que tu aies eu la situation bien en main.

— Elle est folle, geignit le sidhe en roulant les yeux vers Jagr comme s'il espérait inspirer un peu de compassion à un autre homme. Faites-la descendre de mon dos.

Jagr éclata de rire et l'air se refroidit.

— Si j'étais toi, je n'insulterais pas la louve-garou en rogne qui te fait une clé au cou.

— Qui êtes-vous? demanda le démon. Qu'est-ce que vous voulez?

— Tu n'y es pas, sidhe. C'est nous qui posons les questions, et toi tu y réponds, l'avertit Jagr. Compris?

Regan resserra les doigts sur ses cheveux.

— Et tu vas nous dire la vérité si tu ne veux pas que je t'arrache la tête.

Le sidhe cracha de douleur.

—À quoi vous jouez? À une variante démoniaque de la technique du bon et du méchant flic?

—Je crains que Regan ait quelques problèmes avec les sidhes, déclara Jagr d'une voix traînante.

Le démon se raidit sous la jeune femme.

—Regan? souffla-t-il.

Jagr plissa les yeux.

—Ce nom t'évoque quelque chose?

—Non…

Ses paroles moururent brusquement sur ses lèvres quand la jeune femme lui cogna la tête par terre.

—Attendez, bon sang. Tout ce que je sais, c'est que Culligan possédait une garou apprivoisée qui s'appelait Regan.

—Apprivoisée?

Déchaînée, elle lui heurta la tête furieusement. Bon Dieu, elle détestait les sidhes.

Jagr lui toucha le bras avec douceur.

—Attention, petite. Il doit rester en vie si on veut qu'il réponde à nos questions.

Elle s'obligea à arrêter et inspira profondément pour se calmer en regardant Jagr droit dans les yeux.

—Tu sens s'il dit la vérité?

—Oui.

Elle se pencha en avant et, à dessein, tira le bras du sidhe encore un peu plus haut.

—Comment tu t'appelles?

—Va te faire voir, je… arrg… Gaynor. Je m'appelle Gaynor.

Elle relâcha un peu son étreinte.

—Comment tu connais Culligan?

Gaynor humecta ses lèvres fines, son parfum de pêche saturant l'atmosphère.

— Nous vivions tous deux à La Nouvelle-Orléans pendant la guerre de Sécession. Culligan n'a jamais eu beaucoup de pouvoirs magiques, mais piller n'était pas difficile à l'époque et les conditions étaient favorables pour dépouiller les humains des objets de valeur qui leur restaient.

Jagr poussa un grondement guttural. Même Regan frémit en l'entendant.

— Ça n'explique pas comment tu étais au courant pour Regan.

Malgré le pouvoir du vampire qui rafraîchissait l'air, le sidhe commença à transpirer.

— Nos chemins se sont croisés à Chicago il y a trente ans. Il m'a dit qu'il avait réalisé une belle affaire avec un bébé garou qu'il comptait emmener en tournée, une sorte de foire au monstre. Le petit veinard.

Regan inspira brusquement, stupéfaite.

À Chicago ?

Culligan lui avait toujours affirmé qu'il l'avait trouvée dans un fossé près de Dallas.

Bien sûr, Salvatore avait tenté de la convaincre que Culligan avait menti et que sa famille ne l'aurait jamais abandonnée.

Pourtant… elle n'avait jamais pu se défaire de ses doutes.

— Qui lui a proposé cette belle affaire ? demanda-t-elle, la voix voilée.

— Un bâtard. Je crois que Culligan a dit qu'il s'appelait Caine.

— Bon Dieu. (Elle secoua la tête, abasourdie, prise de haut-le-cœur.) C'est dingue. Comment les bâtards se sont-ils emparés de moi ? Et pourquoi m'auraient-ils donnée à Culligan ?

Percevant aisément son désarroi, Jagr lui caressa le bras pour la réconforter.

— Nous découvrirons la vérité, petite. Je te le promets. (Il tourna son attention vers le sidhe, ses yeux glacés brillant comme des éclats de saphir dans l'obscurité.) Il ne t'est pas venu à l'esprit que les garous auraient souhaité être informés d'un enfant perdu ?

— Culligan m'a juré que c'étaient ces chiens qui lui avaient remis le bébé.

— Tu n'as pas pu être stupide au point de croire qu'un garou serait prêt à confier un petit sang-pur à un sidhe.

Gaynor tenta de s'éloigner du vampire menaçant, manifestement plus terrifié par ce dernier que par la garou furieuse juchée sur son dos.

Un sidhe intelligent.

— Il a dit qu'elle était anormale, qu'elle était même incapable de se métamorphoser, s'écria-t-il, s'efforçant désespérément de justifier son comportement. En plus, il a dû s'engager par un serment de sang à la préserver de toute blessure permanente.

— Un serment de sang ? (La question de la jeune femme s'adressait à Jagr.) Qu'est-ce que c'est ?

Il grimaça.

— Une promesse conclue par le sang et la magie.

— Si Culligan ne vous avait pas épargné tout dommage grave, il serait tombé mort en un clin d'œil, s'empressa de préciser Gaynor, comme s'il espérait obtenir un bon point.

Regan serra les dents au souvenir de l'obsession avec laquelle Culligan empêchait les démons qui lui rendaient parfois visite de s'aventurer vers le fond du camping-car.

À l'époque elle pensait qu'il protégeait sa poule aux œufs d'or. À présent il lui semblait évident qu'il avait tout simplement peur pour sa propre vie.

—C'est pour ça qu'il éloignait avec autant de soin ses amis dégoûtants de ma cage. Le porc.

—Et tu n'as pas revu Culligan ni eu de nouvelles de lui en trente ans ? s'enquit Jagr.

—Non, je le jure.

—Alors comment savais-tu qu'il se trouvait à Saint-Louis ?

Gaynor s'humecta les lèvres.

—Il se disait déjà dans les forums de discussion qu'un sidhe s'était fait choper par le roi des garous pour avoir séquestré une sang-pur et qu'il se cachait à Saint-Louis. Comme je me doutais qu'il pouvait s'agir de Culligan, j'ai envoyé un chien de l'enfer lui apporter un message pour qu'on se rencontre.

—Les sidhes vont sur des forums de discussion ? railla Regan, s'imaginant une bande de sidhes penchés sur leur clavier.

—Hé, on est plus calés en high-tech que la plupart des démons.

La jeune femme esquissa un sourire. De toute évidence, Gaynor n'avait pas vu la variante de l'Étoile de la mort construite par Tane.

—Alors, les forums de discussion ne parlaient plus que d'un sidhe qui avait des ennuis, et tu as décidé d'entrer en contact avec Culligan par pure gentillesse ? demanda-t-elle. Sans blague.

—Je me suis dit que, si c'était Culligan, il serait peut-être prêt à payer pour mon aide. (Il frissonna sous elle.) Vous pensez que ça me plaît de vendre du thé et des gâteaux à de grosses vieilles dames ?

— Il ment, souffla Jagr.

Regan tapa le sidhe sur l'arrière de la tête, fort.

— Eh bien, je crois qu'il déteste effectivement vendre des gâteaux aux vieilles dames, donc il doit mentir sur les raisons qui l'ont poussé à prendre contact avec Culligan.

— Aïe… Je ne suis pas une taupe qu'on doit frapper sur la tête, comme dans le jeu, protesta Gaynor.

— Non, tu es à deux doigts de servir de dîner, l'informa Regan, ne dédaignant pas de recourir à la peur instinctive qu'inspiraient les vampires aux sidhes. Aurais-je oublié de préciser que Jagr n'a pas eu le temps de s'alimenter avant qu'on se lance à ta recherche ?

Jagr s'empressa d'endosser son rôle de sbire, les canines miroitant au clair de lune.

— Et je n'ai pas faim de gâteaux.

— Elle me tuera si je vous le dis.

— Alors tu es baisé, Gaynor, parce qu'on te tuera si tu ne nous le dis pas, lui assura Regan.

Après un instant d'hésitation, le sidhe tendit le cou et essaya de tourner la tête pour parler directement à la jeune femme.

— On peut peut-être conclure un marché ? Cette information doit avoir de la valeur pour vous.

— Tu veux qu'on passe un marché ? Très bien. (Elle lui empoigna le visage pour qu'il regarde Jagr.) Dis-moi tout ce que tu sais sur Culligan et je ne te jetterai pas en pâture au vampire affamé.

Il déglutit bruyamment.

— D'accord.

— Pourquoi as-tu envoyé un message à Culligan ? insista Jagr.

— Je peux au moins m'asseoir ? geignit-il. J'ai des crampes.

Elle lui leva le bras si haut qu'elle manqua de lui démettre l'épaule.

— Je vais t'autoriser à te redresser, mais tu ne t'en tireras pas qu'avec des crampes si tu tentes quoi que ce soit.

Elle le lâcha et descendit de son dos pour s'agenouiller à côté de Jagr. Gaynor grommela un juron avant de s'asseoir tant bien que mal, puis il rajusta sa cravate en soie tout en examinant les taches d'herbe sur sa veste.

— Espèce de salope. Vous savez combien coûte ce costume ?

— Tu sais à quel point je m'en fous ? répliqua Regan. Commence à parler.

Laissant sa cravate tranquille, le sidhe leva les mains.

— Très bien. J'ai vraiment appris ce qui arrivait à Culligan sur les forums de discussion, comme je vous l'ai dit, mais je ne lui ai pas envoyé un message parce que je croyais qu'il pourrait me payer. Cette larve n'a jamais eu le talent ou l'intelligence nécessaires pour se faire plus que quelques dollars. Même avec l'aubaine que vous représentiez.

Les pouvoirs de Jagr cinglèrent avec violence l'air autour du sidhe, faisant se hérisser ses cheveux courts.

— Alors pourquoi ?

Gaynor frissonna.

— Il y a une semaine, une bâtarde est entrée dans le salon de thé pour me demander d'inviter Culligan à venir à Hannibal.

Jagr fut plus rapide que Regan pour poser la question qui s'imposait.

— Qui était-ce ?

— Elle s'est présentée sous le nom de Sadie. (Un sourire lui étira les lèvres.) Bon sang, elle était chaude. Grande, les cheveux noirs, avec le genre de corps qui donne à un homme des idées de fouets et de chaînes. Très sexy.

Regan fronça les sourcils. Elle avait supposé qu'il s'agirait de Duncan ou même du mystérieux Caine. Qui pouvait bien être cette Sadie ?

— Tu l'avais déjà vue ?

— Non, et ce n'est pas le type de femme qu'un homme oublierait. (Le sidhe arbora une expression lubrique.) Il manquait peut-être un peu de monde au balcon, mais…

Ces propos répugnants furent brusquement interrompus quand Regan lui lança un caillou avec une telle force que la tête du sidhe partit en arrière. Il la foudroya du regard en portant la main à la bosse sanglante sur son front.

— Putain.

— Je te suggérerais de cesser de creuser ta propre tombe, sidhe, dit Jagr d'un ton pince-sans-rire.

— J'ai répondu à sa question.

Regan dévisagea le sidhe avec dégoût.

— Tu as vendu ton ami parce que tu trouvais cette bâtarde chaude ?

— Non, je l'ai vendu parce qu'elle m'a offert une jolie somme d'argent.

— Sympa.

— Hé, Culligan en aurait fait autant à ma place.

Elle ne pouvait pas contester son raisonnement. Culligan était une merde amorale et lâche qui vendrait son âme pour du fric.

— Elle t'a dit ce qu'elle lui voulait ?

— Elle a prétendu qu'il avait manqué à ses engagements envers les bâtards et qu'il devait être puni.

— Ce n'est pas tout, n'est-ce pas ? insista soudain Jagr.

— Elle a peut-être parlé de s'en servir comme appât.

— Pour attirer Regan à Hannibal ?

Gaynor tressaillit aux intonations glacées de la voix du vampire.

— Elle ne l'a pas précisé. Je ne suis pas exactement son confident. Plutôt son larbin.

— Où est-elle ? interrogea Regan.

— Je l'ignore, mais sans doute près du Mississippi.

Jagr fronça les sourcils.

— Pourquoi dis-tu ça ?

— J'ai senti les effluves du fleuve sur elle.

La mine renfrognée de Jagr s'accentua.

— Son odeur n'était pas masquée ?

— Masquée ? (Gaynor écarquilla ses yeux vert pâle.) Comment une bâtarde pourrait-elle dissimuler son odeur ?

Regan n'avait pas besoin d'être capable de lire dans les pensées pour savoir que le sidhe mentait. Quand elle jeta un regard furtif vers Jagr, il secoua imperceptiblement la tête et elle tint sa langue. Pour une raison qui lui échappait, il ne souhaitait pas demander à Gaynor de s'expliquer dans l'immédiat.

— Elle est venue te voir seule ? s'enquit le vampire.

— Elle est entrée seule, mais une demi-douzaine de bâtards encerclaient le salon de thé. (Il ne feignait pas la colère qui déforma brièvement ses traits extrêmement séduisants.) Ces balourds ont complètement saccagé mes jonquilles. Oh, et cette chienne est partie avec toute une fournée de mes caramels au beurre de cacahuète.

Regan cligna des yeux. Eh bien, c'était… bizarre.

— Pourquoi aurait-elle pris tes caramels ?

Gaynor se raidit, comme froissé par cette question.

— Parce qu'il se trouve juste que ce sont les caramels les plus réputés de l'État. Peut-être même de tous les États-Unis.

Jagr renifla avec dédain.

— Et parce qu'ils sont ensorcelés pour rendre accros ceux qui ne se méfient pas.

— Vous n'avez aucune preuve, cracha le sidhe.

Regan jeta un regard à Jagr.

— Les bâtards peuvent être victimes d'un sort ?

— Ils y sont plus sensibles que les démons à part entière, répondit-il avant de se tourner de nouveau vers Gaynor. Est-elle revenue en chercher ?

Gaynor se déplaça avec nervosité vers les broussailles. *L'imbécile.* Croyait-il vraiment qu'il pouvait battre de vitesse un vampire ?

— Lorsque j'ai ouvert le salon de thé il y a deux jours, elle m'attendait, avoua-t-il à contrecœur.

— Elle voulait des caramels ?

— Et aussi me faire une autre offre, dit-il avec lenteur.

Regan haussa les sourcils.

— Quelle offre ?

Un étrange silence s'installa puis, d'un mouvement si rapide qu'il prit au dépourvu à la fois Jagr et Regan, Gaynor fit dégringoler un tas de branches, dévoilant une brume chatoyante qui tournoyait, comme suspendue dans les ténèbres.

Même si Culligan n'avait jamais possédé suffisamment de pouvoir pour créer un portail, Regan avait vu d'autres sidhes en faire apparaître comme par magie. Ces portes incroyables l'avaient toujours fascinée, de loin. Elle n'était plus aussi émerveillée à présent qu'elle en avait une si proche qu'elle pouvait tomber dedans.

— Vous livrer, vous, Regan, reconnut Gaynor en lui empoignant le bras.

Plus stupéfaite qu'effrayée, elle sentit qu'on la tirait vers le portail tourbillonnant. D'instinct, elle se débattit mais le sidhe manifesta une force inattendue, tandis que, bien campé sur ses pieds, il reculait, l'attirant de plus en plus près de l'ouverture.

Concentrés sur leurs luttes respectives, aucun d'eux n'entendit le grondement menaçant du vampire furieux avant qu'il s'élance.

— Non, rugit-il en poussant Gaynor avec une violence telle que le sidhe lâcha Regan.

Et qu'ils basculèrent tous deux en arrière.

En plein dans le portail.

— Jagr.

Alors qu'elle se traînait à quatre pattes, la jeune femme vit avec horreur Gaynor disparaître dans la brume chatoyante, le vampire encore accroché à lui. *Oh, mon Dieu, non !* Elle tendit la main, frôlant du bout des doigts l'extrémité de la lourde botte de Jagr au moment même où le portail vibrait, brillait puis s'évaporait dans un claquement audible.

Soudain seule dans les ténèbres, Regan regarda fixement l'endroit où Jagr s'était volatilisé, comme attendant bêtement qu'il surgisse de nulle part.

Bon Dieu. Il était parti. Vraiment, vraiment parti.

Et elle n'avait pas la moindre chance de le suivre.

— Merde, merde, merde.

Elle se releva d'un bond et courut à toute vitesse dans la nuit. Culligan n'avait jamais partagé avec elle les secrets de la magie des sidhes, mais quelqu'un devait savoir comment traquer une personne emportée dans un portail.

Indifférente aux dangers susceptibles de rôder dans le noir, elle retourna au camion toujours garé en face du salon de thé. Après s'être glissée sur le siège du conducteur, elle tourna la clé que Jagr avait laissée sur le contact et s'efforça de faire démarrer le moteur.

Elle n'avait jamais conduit auparavant, mais ce ne devait pas être bien compliqué, si ?

Cette pensée venait à peine de lui traverser l'esprit lorsqu'elle appuya sur la longue pédale qui faisait avancer le véhicule – du moins, c'était le cas à la télé – et, dans un crissement de pneus, fonça droit dans un des jolis cornouillers qui bordaient la rue calme.

Eh bien, merde… ce n'était peut-être pas aussi évident qu'elle l'avait cru.

Elle coupa le moteur, s'extirpa du camion et se faufila à toutes jambes entre les maisons environnantes, se dirigeant plein nord. Sa tête l'élançait à l'endroit où elle avait heurté le pare-brise et les chiens du quartier aboyaient déjà à son passage, mais au moins elle ne risquait plus de massacrer d'autres arbres innocents.

Franchissant d'un bond une barrière en bois, elle se dit que Jagr ne serait pas content d'apprendre qu'elle courait comme une folle dans les rues sans se soucier des bâtards qui erraient peut-être dans le coin. Elle devrait certainement l'écouter la sermonner avec fureur sur son manque d'intelligence si…

Une vive douleur lui déchira le cœur.

Non, il n'y avait pas de « si ».

Elle le retrouverait.

Et il irait bien.

Elle n'envisageait aucune autre option.

Refusant de se pencher sur la panique qui lui serrait le ventre, elle traversa la ville. Elle perçut l'odeur distante d'une fée de rosée et celle encore plus éloignée d'un chien de l'enfer qui fouillait une poubelle, mais rien ne lui sauta dessus pour la manger. Alors, la tête baissée, elle puisa dans ses pouvoirs considérables et se rua à travers les champs et les prairies à une vitesse que seul un vampire pouvait égaler.

Le paysage n'était plus qu'une masse indistincte tandis qu'elle se concentrait pour refaire le chemin en sens inverse jusqu'au repaire isolé de Tane.

Enfin elle aperçut au loin la cheminée de briques rouges croulante et, sans tenir compte du point de côté qui l'élançait de plus en plus, elle esquiva une grange abandonnée et franchit d'un bond un petit ruisseau.

Il ne vint jamais à l'esprit de la jeune femme qu'elle ne serait peut-être pas la bienvenue dans la forteresse de vampires sans être accompagnée de Jagr. Du moins, pas avant que la silhouette massive de Tane bondisse soudain du balcon du premier étage pour lui bloquer l'accès à la porte.

Regan glissa en s'arrêtant, manquant de justesse de percuter le torse très large et totalement dénudé de l'homme.

—Tane. (Elle porta la main à son cœur qui tambourinait.) Mon Dieu, tu m'as fait peur.

Elle sentit des pointes de douleur lui transpercer la peau lorsque le vampire laissa son pouvoir se déployer dans la nuit.

—Où est Jagr ?

Elle eut l'intelligence de sursauter d'effroi à la vue de l'expression féroce qu'arborait le beau visage de Tane, mais elle s'inquiétait trop pour Jagr pour prendre réellement conscience du danger de sa situation.

—Il a été emporté dans un portail par un sidhe, lâcha-t-elle précipitamment, trop paniquée pour ne pas se limiter aux informations les plus pertinentes. J'ignore où il est.

Heureusement, Tane ne lui demanda pas de précisions. Savoir qu'un frère avait des ennuis suffisait.

Il fit apparaître ses longs crocs meurtriers, ainsi qu'un poignard qu'il sortit de la ceinture de son short.

—Reste ici. Je vais essayer de trouver sa piste.

—Attends, je veux venir…

Sans tenir compte du souhait de la jeune femme, il la contourna et disparut dans les ténèbres sans un bruit.

Regan serra les dents, comprenant qu'elle ne le rattraperait jamais.

—Satanés vampires.

Après avoir rapidement envisagé les possibilités qui s'offraient à elle, elle soupira et monta les marches conduisant à la vaste véranda.

Elle pouvait retourner au terrain de golf dans l'espoir de tomber sur un moyen de suivre Jagr, mais elle n'était pas imbue d'elle-même au point de croire qu'elle aurait plus de chances qu'un vampire assassin exercé, et ayant certainement disposé de plusieurs centaines d'années pour se perfectionner. La triste vérité, c'était qu'elle serait probablement plus un fardeau qu'une aide.

Elle pouvait aussi simplement s'en aller en se lavant les mains de Jagr et de tous ceux qui cherchaient à la forcer à rencontrer une famille dont elle ne voulait pas et n'avait pas besoin.

Ce n'était pas comme si elle leur devait quoi que ce soit.

D'accord, Jagr s'était révélé utile une fois ou deux. Par l'enfer, il venait tout juste de l'empêcher d'être attirée dans ce foutu portail.

Et aucune femme, même si elle ignorait tout du sexe, ne pouvait nier qu'il était un amant extraordinaire qui avait fait de sa première fois une expérience dont elle se souviendrait pour l'éternité.

Cela dit, il était possessif, autoritaire et se frayait inexorablement un passage vers son cœur. De quoi la faire fuir en hurlant.

Ce qu'elle ne fit pas… évidemment.

La logique pure ne pouvait éclipser son besoin désespéré de sauver cette brute exaspérante.

Même si cela impliquait qu'elle doive faire le seul truc qu'elle s'était juré de ne jamais, au grand jamais, faire.

Les épaules redressées, elle entra dans le bâtiment abandonné et retrouva sans aucune difficulté son chemin jusqu'au sous-sol, où elle fut accueillie par un vampire aux allures de militaire qui gardait l'accès au repaire.

Comme il ne l'attaqua pas, Regan ne put que supposer que Tane n'avait pas laissé l'ordre de tirer à vue. En fait, le vampire s'inclina carrément et la jeune femme s'arrêta, interloquée.

Était-elle censée s'incliner à son tour ?

Faire une révérence ?

Elle chassa ces pensées ineptes comme le vampire se redressait et la dévisageait d'un air stoïque.

— Puis-je vous être utile ?

Regan lutta un instant contre l'amertume qu'elle avait nourrie durant trente ans. Un combat moche empli d'émotions guère admirables.

L'orgueil, la jalousie, un ressentiment virulent.

Ouais, moche. Mais, heureusement, bref.

Moins d'un battement de cœur passa avant qu'elle inspire un bon coup et se jette à l'eau de manière irrévocable.

— Je dois parler à l'Anasso, dit-elle, soulagée que les mots sortent d'un ton presque assuré.

— Tenez.

Sans la moindre hésitation, le vampire prit un téléphone portable dans la poche de son treillis. Il l'ouvrit et fit dérouler les contacts avant de le lui tendre.

— C'est une ligne directe.

Regan s'en saisit et, sans s'accorder le temps de réfléchir aux conséquences, appuya sur le bouton d'appel.

Une sonnerie retentit à l'autre bout puis, avant qu'elle soit tout à fait prête, une voix profonde et autoritaire lui parvint.

— Tane ?

— Non.

Elle dut s'interrompre pour chasser la boule dans sa gorge. Ce devait être Styx. Qui d'autre pouvait avoir une voix encore plus arrogante que celle de Jagr ?

— Non, c'est… Regan.

Un silence stupéfait lui répondit, puis le dirigeant de tous les vampires s'exprima d'un ton plus doux.

— Regan, tu ne peux pas savoir à quel point je suis heureux de t'entendre, murmura-t-il. Darcy a hâte de te parler.

Elle serra les dents mais refusa de se laisser distraire.

— Peut-être plus tard.

Elle sentit le moment où il comprit qu'il ne s'agissait pas d'un appel de courtoisie.

— Raconte-moi.

Ce qu'elle fit.

CHAPITRE 14

J agr détestait la magie.

En tant que vampire, il s'était habitué à sa place assurée au sommet de la chaîne alimentaire.

Il était le monstre dans le noir qui terrifiait toutes les autres créatures.

En dépit de tous ses pouvoirs, néanmoins, il se retrouva sans défense lorsque Gaynor les entraîna tous deux dans le portail et qu'il fut entouré par les picotements incessants de l'étrange brume qui semblait lui mordre la peau avec une jubilation malveillante. Il disposa d'un bref instant pour savourer le fait d'avoir réussi à soustraire Regan aux sales griffes du sidhe avant d'être projeté hors du portail avec une telle violence qu'il percuta de la tête un mur de ciment.

Momentanément désorienté, il ne s'aperçut pas que la magie ne constituait pas le seul danger. Pas avant d'entendre claquer une lourde porte de métal et de se retourner pour découvrir qu'il était enfermé dans une cellule spécialement conçue pour détenir des démons.

N'importe quels démons.

Y compris les vampires.

Après avoir essuyé rageusement le sang qui lui dégoulinait sur le front, il laissa ses sens se déployer.

Il apprit d'abord qu'il se trouvait loin sous terre – ce qui signifiait qu'il n'aurait pas à se soucier de l'aube, au minimum – et que les murs et le plafond de ciment faisaient plusieurs dizaines de centimètres d'épaisseur. Il remarqua ensuite qu'un grand nombre de sortilèges étaient gravés sur les parois et que les épaisses portes d'acier avaient été fabriquées pour vider de ses forces tout démon assez stupide pour se faire piéger.

Il sentit une terreur sinistre, virulente, s'insinuer en lui.

Des siècles s'étaient écoulés depuis qu'il avait été enfermé dans une cage, mais il en conservait encore un vif souvenir.

Si vif que c'en était douloureux.

Il serra les dents et referma les poings. La folie menaçait de le consumer. La même folie qui avait conduit au massacre sanglant de ses précédents bourreaux.

L'espace d'un périlleux instant, il hésita au bord du gouffre, ses anciens tourments se rappelant à sa mémoire en une vague destructrice. Puis, sans crier gare, l'image de Regan apparut dans son esprit et la panique reflua.

Ne pensant qu'à la belle garou, il repoussa les ténèbres.

Par tous les dieux, il ne s'autoriserait pas à craquer alors que la jeune femme avait besoin de lui. Rien n'importait que de trouver un moyen de s'échapper afin d'être en mesure de la protéger.

Ses pensées s'éclaircirent jusqu'à ce qu'il recouvre la maîtrise de lui-même, sans pour autant l'empêcher d'être sérieusement en rogne.

Pris au piège par un sidhe insignifiant.

Il ne s'en remettrait jamais. Avec un feulement de frustration, il frappa la porte, et découvrit un peu tard que le métal contenait suffisamment d'argent pour lui brûler l'avant-bras.

—Gaynor, laisse-moi sortir, rugit-il.

Il sentait le sidhe de l'autre côté.

—Bon sang, vampire, résonna la voix étouffée de ce dernier. Pourquoi a-t-il fallu que vous vous en mêliez ?

—Tu viens juste de signer ton arrêt de mort, sidhe.

—Merde. (Jagr distingua le bruit assourdi des pas de Gaynor qui arpentait le sol avec nervosité.) Je n'ai pas demandé à être impliqué dans ce bordel. Si seulement cette maudite bâtarde n'était jamais entrée dans mon salon de thé.

—Tes regrets ne font que commencer, gronda Jagr dont la frustration s'accentua lorsque ses pouvoirs s'affaiblirent. *Bon sang.* Regan était dehors, seule. Il devait se libérer.

—Laisse-moi sortir et j'envisagerai de te laisser vivre.

Gaynor éclata d'un rire amer.

—Vous me croyez aussi bête ? Je suis peut-être un sidhe pitoyable qui habite à Trifouilly-les-Oies mais, même moi, j'ai entendu parler de Jagr, le chef wisigoth cinglé qui a exterminé un clan entier de vampires. Si je vous laisse sortir, je serai mort en un clin d'œil.

Le sidhe n'avait pas complètement tort. En une tout autre nuit, Jagr écumerait de rage, incapable de penser à autre chose qu'à le déchiqueter en mille morceaux.

Cette nuit-là, cependant, il ne se préoccupait que de Regan.

—Laisse-moi partir indemne et je jure…

—Oubliez ça, vamp. Je n'ouvrirai pas cette porte.

—Alors, qu'est-ce que tu comptes faire ? Me tuer ? le provoqua-t-il.

—Et avoir une horde de vampires enragés qui veulent me faire la peau ? Non, merci bien.

Jagr fut obligé de reculer comme la brûlure de l'argent s'insinuait à travers ses vêtements.

— Tu crois que mon clan ne s'est pas déjà lancé à tes trousses ? répliqua-t-il d'une voix rauque.

Malgré l'épaisse porte, il entendit les battements rapides du cœur du sidhe. Sa peur était tangible.

— On ne peut pas me traquer à travers un portail.

— Ça ne fait rien, le monde n'est pas assez vaste pour que tu puisses t'y cacher, le tortura-t-il délibérément.

— Putain de bordel de merde. (Les bruits de pas reprirent.) Rien de tout cela n'est ma faute.

Jagr feula.

— Tu as menacé la vie d'une sang-pur et enlevé un vampire, et tu prétends n'y être pour rien ?

— Je n'ai fait qu'inviter Culligan à Hannibal, geignit-il. Je n'ai pas obligé cette satanée garou à le suivre. Et, pour votre information, je n'avais nullement l'intention de capturer Regan, malgré tout l'argent que Sadie m'a offert.

— Espèce de sale petit menteur. (Le vampire avait mal aux crocs tant l'envie de les plonger profondément dans la gorge du sidhe le démangeait.) Tu nous as délibérément attirés à l'endroit où tu avais ouvert un portail.

— Uniquement après votre arrivée au salon de thé, protesta-t-il avec désespoir. C'est vous qui êtes venus me trouver… je n'ai pas cherché les ennuis.

— Mais tu as promptement tenté de profiter de la situation.

— Je vous en prie, vampire, grommela Gaynor. Je suis un sidhe. À quoi vous attendiez-vous en me jetant la garou dans les bras comme une prune bien mûre ? Les bâtards offrent une putain de fortune pour mettre la main sur elle.

Les bâtards. Toujours les bâtards.

Un jour proche il avait l'intention de débarrasser le monde de ces chiens galeux.

Un jour très, très proche.

— Et au lieu d'une fortune, tout ce que tu as gagné c'est une condamnation à mort.

Jagr entendit le cœur de Gaynor s'emballer au point qu'il se demanda s'il n'allait pas éclater. Puis, brusquement, le sidhe s'éloigna à grands pas de la cellule.

— Non, ce n'est pas moi qui vais porter le chapeau, jura-t-il en partant. Sadie m'a fourré là-dedans, elle n'a qu'à m'en sortir.

Laissé seul dans les ténèbres, le vampire inclina la tête en arrière et hurla de rage.

Debout au milieu de la grotte vide, Sadie donna un violent coup de pied au jeune bâtard recroquevillé en une boule compacte de souffrance sur le sol.

Elle était restée accroupie des heures durant dans le noir, à espérer que Regan ou le vamp sortiraient de la caverne. Ou du moins à guetter quelque indice montrant qu'ils se préparaient pour l'aube qui approchait.

Finalement, elle s'était lassée d'attendre.

La patience, c'était pour les loosers, pas pour les bâtardes destinées à se faire un nom dans le monde.

Après avoir grimpé furtivement la falaise raide, elle avait fait signe au bâtard à qui elle avait ordonné de monter la garde de la rejoindre. Elle n'avait pas vraiment de plan en tête. Elle était juste fatiguée de se cacher et de comploter sans être récompensée de ses efforts.

Malgré l'odeur persistante de vamp et de garou, elle avait compris que la grotte était vide avant même d'en avoir atteint l'entrée. Furieuse, elle avait pris conscience que non seulement sa proie s'était échappée, mais qu'elle avait bel et bien été bernée par quelques vêtements.

D'un geste brusque, elle avait renversé son compagnon à terre. Quelqu'un devait payer pour ce dernier désastre.

— Espèce de bon à rien. Comment as-tu osé laisser s'enfuir la sang-pur ?

Elle ponctua ses paroles de coups de pied, ne tenant allègrement pas compte du fait qu'elle était tout autant à blâmer pour leur disparition. La merde, ça tombait. Ce n'était jamais sa faute, pas si elle trouvait quelqu'un d'autre à qui faire porter le chapeau.

— Je t'avais dit de ne pas quitter cette grotte des yeux.

— C'est ce que j'ai fait, je le jure. (Le bâtard grogna quand le pied de Sadie entra en contact avec sa joue.) Le vampire doit s'être enveloppé de ténèbres.

Elle serra les poings. Elle n'aimait pas qu'on lui rappelle qu'il existait des démons ici-bas qui possédaient des facultés bien supérieures à celles d'un simple bâtard.

— Je ne veux pas de tes mauvaises excuses. On est tombés par hasard sur la piste du garou qui conduisait à cette grotte. Comment va-t-on bien pouvoir les retrouver maintenant ?

Le bâtard tenta de s'enfoncer plus profondément dans la terre, comme si ça pouvait le protéger de ses violents coups de pied.

— Je pensais que tu comptais attirer la sang-pur à la cabane grâce au sidhe.

Sadie gronda. Pour l'amour de Dieu, ce bâtard était-il suicidaire ? Il s'y prenait exactement comme il fallait pour lui donner des envies de meurtre.

— Et tu crois que je vais faire quoi exactement avec son vampire apprivoisé, alors que je serai occupée à la capturer ? répliqua-t-elle entre ses dents, son envie de se métamorphoser lui donnant la chair de poule. Lui demander poliment de ne pas me tuer ? Je devrais peut-être aussi inviter Salvatore à se joindre à nous ?

Comprenant un peu tard que Sadie était à bout de nerfs, le bâtard eut la sagesse de se rabattre sur une supplication abjecte.

— Pardonne-moi, maîtresse, je t'en conjure.

— Le pardon n'est pas dans ma nature, maudit bâtard.

Alors qu'elle se préparait à le frapper de nouveau, elle fut interrompue par la vibration du portable qu'elle avait fourré dans sa poche.

— Sauvé par le gong, minable. Ou, devrais-je dire, le vibreur ?

Sans plus prêter attention au bâtard incompétent recroquevillé à terre, elle sortit le téléphone et haussa les sourcils en lisant le nom sur l'écran. Elle ouvrit le clapet et colla l'appareil à son oreille.

— Gaynor, dis-moi que tu as de bonnes nouvelles.

Ce n'était pas le cas.

Elle était déjà tendue et menaçait d'exploser tandis qu'elle l'écoutait avouer d'une voix hésitante avoir enlevé Jagr par erreur.

— Mon Dieu, je suis entourée de crétins, lâcha-t-elle entre ses dents, passant en revue les implications de ce nouveau désastre. Où es-tu ?

Il lui fournit de vagues indications, manifestement peu enthousiaste à l'idée de leur rencontre imminente. Ce qui prouvait qu'il n'était pas complètement idiot.

— Tu ferais mieux d'espérer que je pourrai tourner tout ça à mon avantage, sidhe, car sinon je mangerai ton cœur au petit déjeuner, l'avertit-elle avant de couper la communication et de ranger le portable dans sa poche.

Elle se baissa pour empoigner le bâtard servile par les cheveux et, d'un coup sec, le mit à genoux.

— J'ai une autre tâche pour toi.

Il s'humecta les lèvres avec nervosité.

— Comment puis-je être utile ?

— Regan a été séparée du vamp. Je veux que tu prennes les bâtards qui restent et que vous la trouviez.

— Mais…

Elle le jeta en arrière et le regarda percuter la paroi puis glisser à terre.

— T'as intérêt à assurer.

— Oui, maîtresse, parvint-il à croasser.

La conversation téléphonique entre Regan et Styx s'en tint strictement aux faits. La jeune femme l'informa juste que Jagr avait été enlevé par un sidhe et, de son côté, il lui promit qu'il arriverait au repaire de Tane dans les vingt-quatre heures.

Court et cordial.

Mais Regan n'était pas crédule au point de croire qu'il s'agissait d'un simple coup de fil.

Ni qu'il serait dépourvu de conséquences à long terme.

Ayant fait tout ce qui était en son pouvoir, elle retourna à l'appartement que Tane leur avait alloué et, après quelques heures, celui-ci n'eut plus aucun secret pour elle.

Elle estima avoir parcouru une dizaine de kilomètres en arpentant les pièces d'un bout à l'autre. Elle réorganisa la petite cuisine, plia ses nouveaux vêtements et les replaça soigneusement dans les sacs. Finalement elle s'allongea sur le lit, espérant désespérément sentir les effluves du parfum de Jagr, pour s'apercevoir que la personne qui avait fait le ménage avait changé les draps.

Non que du linge propre puisse effacer le souvenir des tendres caresses de Jagr ou du feu glacé de ses baisers.

Nul pouvoir au monde ne pouvait réaliser un tel exploit.

Sans prêter attention aux claquements, sifflements et véritables hurlements d'alarme qui retentirent dans sa tête, elle se pelotonna encore plus étroitement sur le matelas, laissant l'image de Jagr qui se dressait au-dessus d'elle, une expression de félicité farouche sur le visage tandis qu'il allait et venait en elle, accaparer ses pensées.

Une fois qu'il serait en sécurité, elle reprendrait son vain combat, et prétendrait qu'elle pouvait le quitter, lui et toutes les complications dont elle ne voulait pas, sans un remords.

Pour l'heure, elle avait juste besoin de s'accrocher à la certitude absolue qu'il serait sauvé.

Les minutes s'égrenèrent jusqu'à ce qu'elle ressente le poids de l'aube qui approchait. Même si elle ne redoutait pas la lumière du jour comme les vampires, le sang des garous coulait dans ses veines. Elle était, par nature, une créature de la nuit.

Elle s'extirpa du lit, une horrible terreur nichée au creux du ventre.

Bon Dieu, si Jagr ne rentrait pas rapidement, il serait coincé jusqu'au crépuscule.

À condition qu'il ne soit pas détenu quelque part où le soleil pouvait…

Non.

Cette attente avait assez duré. Elle n'avait peut-être pas les pouvoirs d'un vampire, mais au moins elle pouvait agir pendant la journée.

Entrant comme un ouragan dans le salon hideux, elle contourna le jacuzzi et n'était plus qu'à un pas de la porte quand celle-ci s'ouvrit brusquement pour dévoiler le corps massif de Tane.

—Alors ? demanda-t-elle.

Elle sut la réponse avant même qu'il secoue la tête.

—Ça n'a rien donné.

—Bon sang.

Les traits dorés de l'assassin se durcirent.

—Dès que le soleil sera couché, je repartirai à sa recherche.

—J'ai appelé Styx, marmonna-t-elle distraitement.

Toutes ses pensées étaient tournées vers Jagr et l'importance primordiale de faire... quelque chose. N'importe quoi.

—Il arrivera ce soir avec la cavalerie, ajouta-t-elle.

À sa grande surprise, Tane lui toucha la joue, d'un geste presque empli de douceur.

—On va le retrouver, Regan.

La frustration la submergea face à l'assurance catégorique qui transparaissait dans sa voix.

—Ouais, mais avant qu'on l'ait empalé, décapité ou jeté au soleil ?

Le vampire haussa les épaules.

—C'est toi que les bâtards veulent. Ils le garderont en vie s'ils pensent pouvoir l'utiliser pour t'attirer dans un piège.

Elle s'accrocha à cet espoir ; cependant il n'apaisa pas son besoin désespéré de voler à son secours.

—Même si c'est vrai, il doit être enfermé. Et peut-être aussi torturé. (Elle soutint son regard, souhaitant qu'il comprenne.) Tane, il ne peut pas revivre ça. Ça pourrait le briser.

Seul l'allongement de ses terrifiants crocs indiqua que non seulement il comprenait, mais que l'idée qu'on puisse faire du mal à son frère le rendait fou.

—Même si on savait où il se trouve, il serait impossible de le sauver maintenant. Le soleil se lève déjà.

Au ton de sa voix, elle perçut l'opinion qu'il se faisait de cet astre. Elle n'était pas bonne. Il fit glisser ses doigts sur sa joue avant de reculer.

—Je sais que tu es inquiète, mais nous avons les mains liées jusqu'à la tombée de la nuit.

Elle esquissa un geste exaspéré, la louve en elle à bout de patience.

—Je ne peux pas rester là à attendre.

Il plissa ses yeux sombres, légèrement bridés.

—Tu as bien conscience que Jagr va me trancher la tête s'il t'arrive quoi que ce soit ?

—Tu comptes m'empêcher de partir ?

Il pinça les lèvres, sentant certainement l'affrontement imminent.

—Non, jolie louve, je soupçonne que Jagr n'est pas le seul à en avoir assez des prisons. (Sa voix se fit plus dure, menaçante.) Surtout ne te fais pas tuer. Ma santé en dépend.

—Je ferai de mon mieux, promit-elle d'un ton pince-sans-rire.

Après avoir reculé dans le couloir, Tane s'arrêta pour lui adresser un regard éloquent.

—Si tu décides de conduire, louve, prends l'un des Hummers. Ce véhicule a au moins une chance de résister.

Regan ne releva pas l'insulte à ses talents de conductrice. Après tout, elle avait bousillé son camion. Elle préféra se retourner pour se rendre dans la chambre.

Elle se dirigea directement vers un coin et s'agenouilla devant la lourde sacoche de Jagr.

L'espace d'un instant seulement, elle hésita.

Après trente ans à se voir refuser même un semblant d'intimité, elle éprouvait une profonde répugnance à l'idée de s'introduire dans celle d'autrui. Surtout celle de Jagr, qui avait partagé ses interminables humiliations.

Cela dit, elle n'était pas stupide au point de se lancer à sa recherche sans une arme. Contrairement aux autres sang-pur, elle ne pouvait pas s'appuyer sur ses métamorphoses pour se battre. Elle avait besoin d'un truc aiguisé. Et gros.

Après avoir pris une grande inspiration, elle s'obligea à ouvrir la sacoche. Elle s'arrêta en sentant sous ses doigts la douceur du cuir à la place de l'acier dur et froid auquel elle s'attendait. Avec un sourire contrit, elle sortit le lourd volume écrit dans une langue qu'elle ne connaissait pas.

Avec mélancolie, elle laissa courir ses doigts sur le vieux cuir de la couverture. Elle avait rencontré divers démons et guerriers, et même de puissants dirigeants, au cours de ses voyages avec Culligan, mais aucun n'avait présenté un mélange si fascinant de contrastes.

D'une distance glaciale et pourtant si terriblement vulnérable. Fort et pourtant tendre. Doté d'un pouvoir brut et impitoyable ainsi que de l'âme d'un érudit.

Elle secoua la tête et posa le livre par terre avant de reporter son attention sur la sacoche. Cette fois, elle n'eut aucun mal à trouver l'un des nombreux poignards disposés dans le fond.

Prenant soin d'en choisir un sans argent – vu sa chance actuelle, elle serait capable de se poignarder elle-même – et assez gros pour ouvrir un trou de jolie taille dans un adversaire, elle referma étroitement les doigts sur la poignée avant de quitter l'appartement.

Elle s'attendait presque à ce qu'on l'arrête tandis qu'elle refaisait le chemin vers la sortie du repaire ; cependant, alors que les vampires la regardaient dans un silence à vous glacer les sangs, aucun ne s'élança pour lui bloquer le passage.

Dieu merci. Elle ne pensait pas que son poignard, même gros et brillant, lui servirait à grand-chose contre eux.

Elle traversa les champs en courant, les sens à l'affût du parfum de Jagr.

Si le sidhe avait possédé un minimum de cervelle, il aurait emmené son prisonnier à l'autre bout du monde, mais elle avait appris auprès de Culligan que ces démons inconstants se contentaient d'agir d'abord et de réfléchir ensuite. S'ils le faisaient jamais.

Bien sûr, espérer tomber sur Jagr était un peu comme espérer trouver un chaudron rempli de pièces d'or au pied d'un arc-en-ciel. Pourtant, elle devait…

Elle s'arrêta, soudain frappée par une idée folle.

Pourquoi chercher une aiguille dans une botte de foin, comme disait le proverbe, quand elle pouvait remonter directement à la source de ses ennuis ?

Si elle pouvait traquer la bâtarde qui avait demandé à Gaynor de la capturer, elle avait une chance de retrouver le sidhe. S'il y avait une chose dont Regan était certaine, c'était que ce démon ne voudrait pas rester trop longtemps avec un vampire furieux sur les bras.

Et elle comprit subitement qu'elle avait peut-être un moyen à sa disposition pour mettre la main sur cette chienne.

Réprimant son envie de foncer aussi vite que possible à Hannibal, elle s'obligea à conserver un rythme régulier lui permettant de continuer à chercher Jagr tout en se tenant sur ses gardes, au cas où un danger surgirait.

Inutile de mourir pour ce qui pourrait très bien se révéler une chasse au dahu.

Alors qu'elle courait, le soleil franchit la ligne de l'horizon, baignant le paysage d'une douce brume pêche et rose pâle. La rosée qui s'accrochait aux herbes scintilla à la lumière, qui se fragmenta jusqu'à ce que le monde semble inondé de tons pastel.

Regan remarqua à peine ce spectacle éblouissant. Ainsi que l'humidité qui remontait le long de l'ourlet de son jean. Elle était en mission et rien ne l'en détournerait.

Choisissant une route plus directe, elle parvint en face du salon de thé et se cacha dans les buissons pour observer la jolie maison pendant de longues minutes.

Le quartier calme s'éveillait peu à peu. Une femme vêtue d'un tailleur sobre et élégant grimpa dans sa Lexus et s'éloigna dans la rue à grande vitesse. Un homme plus âgé balaya sa véranda. Un enfant colla son visage aux carreaux avec enthousiasme.

Tout était parfaitement humain, sans la moindre bébête en vue.

Regan se redressa et traversa la chaussée comme une flèche, sachant que c'était maintenant ou jamais.

Alors qu'elle contournait le bâtiment avec tous ses treillis prétentieux et ses vasques kitsch, elle laissa son nez la guider jusqu'à la fenêtre à guillotine de la cuisine puis utilisa sa force considérable pour soulever le châssis de quelques centimètres et huma les diverses senteurs.

Elle grimaça à ces arômes enivrants. *Nom de Dieu.* Jagr ne s'était pas trompé quand il avait accusé Gaynor d'ensorceler ses produits. Malgré son immunité à la magie, elle salivait.

Satanés sidhes.

Les yeux fermés, elle se concentra pour isoler les différents parfums de thés, pâtisseries et confiseries. Finalement, elle identifia celui du caramel au beurre de cacahuète.

Comme elle l'avait escompté, c'était une odeur caractéristique. Du beurre de cacahuète riche et crémeux avec une coquette dose de magie des sidhes.

Elle ne la confondrait donc pas avec celle de n'importe quel autre caramel qui semblait appartenir à l'un des groupes d'aliments de base à Hannibal.

Après avoir fait le tour du salon de thé une dernière fois dans le vain espoir de découvrir un signe de Jagr ou de ce satané sidhe, elle partit enfin et commença à courir vers l'est.

Gaynor avait avoué avoir senti les effluves du fleuve sur Sadie et, puisque Jagr n'avait pas perçu qu'il mentait, elle n'avait plus qu'à croiser les doigts pour que la bâtarde ne s'en soit pas éloignée.

Refusant de se pencher sur le fait que le Mississippi s'étendait sur près de quatre mille kilomètres, elle traversa les rues presque vides au pas de course sans se soucier des chiens qui aboyaient et des chats qui s'enfuyaient parfois à son passage.

Un instant, elle se demanda si Levet avait déniché un endroit sûr pour se transformer en pierre. Même si elle avait entendu dire au fil des années que les gargouilles étaient pratiquement indestructibles, elle ignorait si cela s'appliquait aussi aux gargouilles miniatures et, contrairement à Jagr, elle trouvait ce minuscule démon étrangement charmant.

Elle détesterait qu'il lui arrive quelque chose alors qu'il tentait de l'aider.

Levet quitta ses pensées quand elle atteignit la partie historique de la ville au charme pittoresque. Elle tourna à droite au niveau des marches conduisant au phare qui se dressait en haut du promontoire et dépassa en courant les boutiques d'antiquités et de souvenirs qui occupaient désormais les vieux bâtiments. Dieu merci, elle avait pris le temps de sentir la recette de caramels de Gaynor. Toute la zone empestait ces confiseries.

Elle s'engagea dans une autre rue, passa devant l'auberge qui ravitaillait autrefois les bateaux à vapeur de passage et grimpa la digue qui s'élevait derrière. À partir de là, il était aisé de redescendre vers le fleuve.

Elle hésita une seconde avant de se diriger plein sud, refusant farouchement de jeter un regard à la falaise qui abritait la grotte qu'elle avait partagée avec Jagr. Les bâtards devaient s'être installés en dehors de la ville afin de pouvoir chasser tranquillement, loin des regards indiscrets.

Si elle ne trouvait aucune trace d'eux dans les prochaines heures, elle reviendrait sur ses pas et tenterait sa chance au nord.

Pas vraiment un plan, mais c'était mieux que de rester dans le repaire de Tane à faire des trous dans la moquette à force de tourner en rond.

Enfin, au moins légèrement mieux, se dit-elle trois heures plus tard en dégageant son jean pris dans un autre de ces buissons épineux infernaux. Fouiller les berges et les versants escarpés le long du fleuve n'était pas seulement chronophage, mais épuisant, même pour une sang-pur. De toute évidence, la vie à la Huckleberry Finn était bien plus romantique dans les livres que dans la réalité.

En soupirant, elle s'appuya contre un rocher qui surgissait de l'eau. Elle ne se trouvait qu'à quelques kilomètres au sud de Hannibal, mais aurait tout aussi bien pu être perdue au milieu de nulle part.

Pas de bruits de voitures ni de rires d'enfants ni de chiens qui aboyaient. En fait, elle n'entendait même aucun chant d'oiseau...

Elle se redressa brusquement.

Elle avait beau être au milieu de nulle part, les animaux sauvages habituels auraient dû se manifester dans ces bois touffus. Un oiseau, un écureuil, un raton laveur curieux...

Que ce ne soit pas le cas ne pouvait que signifier que quelque chose de dangereux s'était aventuré dans le coin. Quelque chose qui s'était installé depuis suffisamment longtemps pour les faire fuir.

Alors que ses forces lui revenaient, accompagnées d'une vague d'espoir, elle grimpa avec détermination la berge en pente raide, se servant du poignard pour couper le feuillage plus fourni. Au moins ce satané truc allait lui être bien utile.

Lorsqu'elle atteignit le sommet du versant, elle ralentit et avança avec circonspection. Si elle avait vu juste – ce qui n'avait rien de certain –, une meute de bâtards errait dans ces bois, dissimulée à ses sens par le sort de la sorcière.

S'efforcer d'éviter de trébucher sur l'un d'eux semblait une bonne idée.

Elle se faufila d'arbre en arbre, les oreilles grandes ouvertes, comptant sur sa vision et son ouïe supérieures pour la prévenir en cas de danger. Le soleil poursuivait lentement sa course dans le ciel, l'avertissant que les heures passaient, mais la jeune femme ne céda pas à son envie de se dépêcher. C'était censé être une... comment appelait-on ça ? Une mission de reconnaissance. Une opération du genre « trouve et tire-toi ».

Sur le point d'admettre qu'elle perdait son temps, encore, l'odeur caractéristique de caramel au beurre de cacahuète lui chatouilla les narines. *Oui !* Elle continua à marcher et aperçut finalement un toit en tôle derrière les arbres.

Une cabane. Ce devait être ça.

La gorge nouée, elle s'en approcha furtivement. *Ouais.* Indéniablement, une cabane. Scrutant à travers les fourrés, elle observa le bâtiment en bois. Ce n'était pas grand-chose. Juste quelques planches brutes clouées ensemble, avec une porte et deux fenêtres. L'appentis attenant n'était guère mieux, dépourvu de fenêtres et penchant au point de menacer de se détacher du toit rouillé.

Une habitation qui, de charmante, était devenue carrément rustique.

Et qui ne correspondait en rien au décor qu'elle s'était imaginé convenir à une meute de bâtards ayant des problèmes avec l'autorité.

Évidemment, c'était ce qui, en général, caractérisait une bonne cachette.

De nouveau accroupie derrière un buisson, Regan surveilla le bâtiment, les nerfs tendus en raison du silence troublant. L'endroit paraissait désert, mais elle n'était pas stupide.

Une cabane isolée. Apparemment abandonnée.

Un piège attendant de se refermer.

Mais aussi ce qui, de la journée, se rapprochait le plus d'un indice.

Rassemblant son courage, elle se faufila sans un bruit vers la cabane, son cœur battant si fort qu'elle craignit qu'il ne révèle sa présence. À sa grande stupeur, rien ne l'attaqua – merveille des merveilles – et, le dos plaqué aux planches grossières, elle se releva peu à peu pour regarder par la fenêtre.

Deux chaises délabrées, un lourd buffet, un vieux canapé et une cheminée qui semblait avoir récemment servi.

Pas de bâtards hurlants. Pas de sorcière pratiquant la magie.

Pas de Sadie. Pas de Gaynor.

Elle serra les dents, trop têtue – à moins que ce ne soit de la stupidité – pour s'avouer vaincue.

Elle se redressa et avança tout doucement vers l'appentis adjacent, toujours adossée à la cabane, comme si cela la rendait invisible. Hé, c'était ce qu'ils faisaient dans les films. Puis, après s'être arrêtée un instant pour coller l'oreille à la porte, elle l'ouvrit.

Prête à filer au premier signe de danger, elle scruta l'intérieur plongé dans l'obscurité, découvrant sans surprise quelques outils rouillés couverts de toiles d'araignées dans les coins et un tonneau en bois qu'on avait renversé pour le transformer en table où poser une lampe à pétrole.

Y trouver un fouet et un grand nombre de poignards, épées et pistolets disposés sur une étagère bancale l'étonna un peu plus.

Le sidhe en sale état, presque méconnaissable, enchaîné au mur constituait néanmoins le clou du spectacle.

Culligan.

CHAPITRE 15

L'espace d'un instant, Regan demeura figée dans l'embrasure de la porte.

Après des jours d'interminables, éreintantes et incessantes recherches, elle était tombée sur sa putain de proie alors qu'elle ne la cherchait même pas.

Si ça, c'était pas ironique ?

Elle serra le poignard en observant le sidhe qui avait fait de sa vie un enfer.

Il avait l'air… épouvantable.

Les yeux bandés, il reposait de tout son poids contre les chaînes comme s'il ne pouvait pas tenir debout, ses cheveux roux emmêlés formaient des touffes dégoûtantes et du sang et de la terre tachaient sa peau blanche.

Le démon effronté et suffisant qui avait pris tant de plaisir à la tourmenter avait disparu, remplacé par un triste et pitoyable déchet.

La jeune femme esquissa un sourire de satisfaction absolue tandis que le sidhe tentait de relever la tête avec faiblesse, percevant manifestement que quelqu'un était entré dans l'appentis mais trop désorienté pour identifier son odeur.

— Qui est là ? croassa-t-il. S'il vous plaît, aidez-moi. Je suis séquestré contre ma volonté. S'il vous plaît…

Ses supplications moururent soudain quand Regan franchit le peu de distance qui les séparait pour lui arracher le bandeau. La lumière du soleil qui se déversait dans la pièce le fit cligner des yeux, puis il les écarquilla d'horreur en reconnaissant son sauveur.

—Oh, merde.

—Bonjour, Culligan, susurra-t-elle.

Elle baissa le regard sur le petit médaillon à son cou. L'amulette de la sorcière. Ce qui expliquait pourquoi elle n'avait pas senti ce salopard en s'approchant de la cabane.

—Toi, lâcha-t-il d'une voix râpeuse en se débattant contre les lourdes chaînes qui le retenaient.

—Surprise.

—Qu'est-ce que tu fous ici ?

—Je t'ai dit que tu ne pouvais pas m'échapper.

Elle arracha l'amulette accrochée à une lanière en cuir et la fourra dans sa poche. Aussitôt, le parfum de prune écœurant satura l'air et sa propre odeur disparut. *Tiens, tiens.* N'était-ce pas pratique ? Son sourire s'élargit sous l'effet d'une joie malicieuse.

—Bien sûr, à ce moment-là, je ne m'attendais pas à ce que les bâtards aient l'impolitesse de me voler mon jouet et de me le cacher. J'espère qu'ils ne t'ont pas cassé.

De la sueur perla sur le front du sidhe comme des visions de sa mort dansaient dans son esprit.

—Cet endroit grouille de bâtards, affirma-t-il dans une tentative désespérée de la faire fuir. Tu essaies de te faire capturer ?

Il n'avait pas tort.

Une garou intelligente lui arracherait le cœur puis s'enfuirait avant le retour des bâtards.

Malheureusement, elle n'était plus simplement en quête de vengeance. Jagr avait besoin d'elle. Et si cela signifiait laisser ce salopard en vie et risquer sa peau… qu'il en soit ainsi.

Bien sûr, elle pouvait tout de même s'amuser avec ce crétin.

Elle leva le poignard et ouvrit une ligne fine au niveau de son cœur, regardant le sang dégouliner sur son torse.

—À vrai dire, il n'y a pas un seul bâtard en vue, railla-t-elle.

Il frémit, alors même qu'elle ne lui avait pas vraiment fait mal. Pas encore.

—C'est un piège. Ils seront là d'un instant à l'autre.

Elle enfonça davantage la pointe du poignard.

—Trop tard pour m'empêcher de t'extirper le cœur.

—Attends. (Il lutta pour respirer, les yeux agrandis par une peur délicieuse.) Ne précipitons pas les choses, Regan.

—Précipiter? (Elle sentit son sang bouillir de rage.) J'ai attendu trente ans pour te tuer. Je ne rêve qu'à ça, nuit après nuit.

—Comment peux-tu parler ainsi? J'ai été comme un père pour toi. (Il poussa un cri perçant lorsque la lame glissa plus profondément.) D'accord, peut-être pas un père, mais n'oublie pas que je t'ai sauvée de ce fossé. Tu aurais pu mourir si je n'avais pas été là.

Elle plissa les yeux.

—Un fossé, hein?

—C'était peut-être plus un caniveau.

—Espèce de minable, j'ai discuté avec Gaynor, cracha-t-elle. Je sais que ce sont les bâtards qui m'ont remise entre tes mains à Chicago.

Elle vit la terreur briller dans ses yeux vert pâle avant qu'il tente frénétiquement de se couvrir.

— Gaynor ? Tu ne peux pas croire un mot de ce qu'il dit. Il m'a fait venir à Hannibal par la ruse. (Son visage se tendit.) Le sale traître.

— Je croirais ce sale traître s'il m'affirmait que le ciel est vert avant de croire un mot qui sort de ton horrible bouche.

Il baissa les yeux sur l'arme plantée juste au-dessus de son cœur et s'humecta les lèvres.

— Bon, j'ai compris. Tu es en colère. Je ne t'ai pas traitée aussi bien que je l'aurais dû. Mais ça ne signifie pas que nous ne puissions pas parvenir à un… arrangement.

Le rire mordant de la jeune femme résonna dans le petit appentis.

— Un arrangement ?

— N'importe quoi. Dis-moi simplement ce que tu veux.

Quelques jours auparavant, elle souhaitait voir ce sidhe mourir. D'une mort lente et douloureuse, et de sa main.

À présent, elle devait accepter qu'il existait des choses plus importantes.

Jagr.

Et la vérité sur son passé.

— Je veux des réponses.

— D'accord. Comme tu veux.

— Raconte-moi comment tu as mis tes vilaines pattes sur moi quand j'étais bébé.

— Je t'ai dit que je t'ai trouvée dans un… (Il hurla lorsqu'elle enfonça la lame à un cheveu de son cœur.) Merde.

— Encore un mensonge, et tu es mort, l'avertit-elle. Tu ne m'as pas trouvée dans un fossé.

La peur qui fit se recroqueviller le sidhe réchauffa l'âme vengeresse de Regan. Il renonça à ses histoires.

— D'accord, d'accord. (Il inspira précautionneusement.) J'étais à Chicago, à m'occuper de mes propres affaires, si je puis ajouter, quand j'ai été abordé par un bâtard qui prétendait détenir une cargaison brûlante qu'il devait fourguer en urgence.

— J'étais cette « cargaison brûlante » ?

— Toi et tes sœurs, précisa-t-il. Les bâtards avaient fait une bourde et avaient attiré l'attention des services sociaux du coin. On leur avait déjà enlevé l'un des bébés, mais ils avaient réussi à filer avec les trois autres.

Regan se raidit. Eh bien, cette petite info intéresserait Darcy. D'après Salvatore, elle n'avait jamais pu découvrir comment elle avait fini aux mains des humains. Et, évidemment, Regan avait maintenant appris comment Culligan s'était débrouillé pour tenir une sang-pur en son pouvoir, à défaut de savoir comment les bâtards s'étaient emparés d'elle et de ses sœurs au départ.

— Ils ont essayé d'étouffer l'affaire, mais des rumeurs ont filtré dans la rue et ils ont eu peur qu'elles parviennent aux oreilles des garous. Ils devaient se débarrasser des preuves avant de se faire prendre la main dans le sac.

— Que sont devenues mes sœurs ? demanda-t-elle, stupéfaite de s'apercevoir que la réponse comptait vraiment pour elle.

Qu'était-il arrivé à la louve solitaire qui n'en avait rien à faire de sa famille ? À celle qui préférerait qu'on lui arrache les yeux plutôt que d'être invitée à déjeuner pour Thanksgiving ?

Jagr était arrivé, lui chuchota une petite voix dans sa tête.

Il avait… adouci son cœur. *Ce satané vampire.*

Inconscient des conflits intérieurs de la jeune femme, Culligan jeta un nouveau regard au poignard enfoncé dans sa poitrine.

— Une est restée avec les humains, une autre a été refilée à des bâtards dans un autre État. Tu m'as été confiée, et la dernière… je l'ignore.

Elle serra les dents.

— Les bâtards détiennent une de mes sœurs ?

— Je ne l'ai pas vue, mais c'est ce qu'ils prétendent. Ils se livreraient à certaines expériences sur elle.

La jeune femme oublia de respirer.

— De quel genre ?

— Je ressemble à un scientifique ? (Ses paroles irritées se muèrent en un hurlement d'atroce souffrance lorsqu'elle tourna la lame.) Aïe ! Bon sang, ils cherchent à rendre les bâtards plus puissants. C'est tout ce que je sais, je le jure.

Ainsi, soupçonner le mystérieux Caine d'être obsédé par la création d'une variante bâtarde de la créature de Frankenstein n'était pas aussi farfelu qu'il le semblait. *Bon Dieu*. Ce type était-il cinglé ? Qui savait ce qui pouvait arriver s'il commençait à tripatouiller la magie séculaire qui transformait un humain en bâtard ?

Évidemment, Salvatore était-il différent ? Il avait délibérément modifié l'ADN de ses sœurs et d'elle pour produire des filles qui ne se métamorphoseraient pas. Pour qu'elles deviennent des sortes de poulinières destinées à sauver l'espèce déclinante des garous.

Satanés hommes arrogants qui se prenaient pour Dieu.

Dans un monde parfait, les femmes auraient le pouvoir.

— Si les bâtards détiennent ma sœur, qu'est-ce qu'ils me veulent ? s'enquit-elle entre ses dents.

—Je suppose que tu représentes une solution de remplacement au cas où ta sœur leur claquerait entre les doigts avant la fin de leurs expériences.

—Les salauds.

Culligan frémit.

—Tu n'imagines même pas. Libère-moi, Regan, et je t'aiderai.

—Tu sais où ils retiennent ma sœur prisonnière ?

—Je… (Le mensonge qu'il s'apprêtait à dire mourut sur ses lèvres quand elle plissa les yeux en signe d'avertissement.) Non, pas… exactement, mais…

—Minable, grommela-t-elle, prenant soudain conscience que ce mot décrivait parfaitement ce pitoyable démon.

Culligan était un imbécile faible et cupide qui n'apportait rien au monde.

Il ne faisait même pas un méchant décent.

Elle resserra la main sur le manche du poignard, la soif de vengeance amère qui l'étouffait quelque peu atténuée à cette pensée. Comme si elle venait juste de sortir le croque-mitaine du placard pour découvrir qu'il n'était qu'une chiffe molle.

Culligan trembla alors que, à contrecœur, elle enfonçait la lame plus profondément.

—Bon sang, fais gaffe !

En réponse, la jeune femme se pencha vers lui, une expression impitoyable sur le visage. Elle avait assez tenté sa chance. Il était temps d'obtenir l'information qu'elle était venue chercher.

—C'est ma dernière question. Et crois-moi, ta vie en dépend. (La pointe de la lame appuyait contre son cœur qui palpitait.) Où est Jagr ?

—Quoi ? Qui ?

—Le vampire qui… que Darcy a envoyé à Hannibal.

Elle s'efforça de dissimuler son angoisse cuisante. Culligan essaierait de s'en servir à son avantage.

—Gaynor l'a emporté dans un portail. Où peut-il être allé ?

Le sidhe lui jeta un regard furieux, même s'il eut la sagesse de ne pas se débattre.

—Comment pourrais-je bien en avoir la moindre idée ? Au cas où tu ne le saurais pas, j'ai été un peu pris, depuis mon arrivée à Hannibal.

Sans crier gare, Regan arracha l'arme de sa poitrine et la posa sur ses bijoux de famille.

—Gaynor est ton ami depuis des siècles. Tu dois savoir quelque chose.

La panique brilla dans ses yeux verts. Comme elle l'avait prévu, cet imbécile redoutait beaucoup plus d'être castré que tué.

—Tu es une vraie psychopathe, ou quoi ?

—C'est ce que trente ans de torture feraient à n'importe quelle jeune femme parfaitement convenable. (Sa voix aurait pu rivaliser en froideur avec celle de Jagr.) Maintenant, commence à parler ou je coupe.

Elle vit la sueur ruisseler le long de son corps tandis qu'il luttait pour retrouver la parole.

—Tout ce que je peux te dire, c'est que, par le passé, Gaynor avait toujours un repaire souterrain équipé d'une cellule dans laquelle il pouvait séquestrer des démons inférieurs.

Elle fronça les sourcils.

—Pourquoi enfermerait-il des démons ?

—Tu peux te faire une fortune en rançons si tu en captures qui aient des familles ou des clans prêts à payer pour leur libération.

—Bon Dieu.

Elle secoua la tête, dégoûtée. Il devrait y avoir une saison de la chasse aux sidhes.

—Cette cellule serait-elle assez résistante pour retenir un vampire ?

Il haussa les épaules.

—S'il l'a correctement ensorcelée.

—Où se trouverait-elle ?

Une expression rusée passa sur ses traits fins. Le crétin comptait tenter de la duper. Ou du moins, c'était le cas jusqu'à ce qu'elle plonge le poignard dans une de ses boules.

—Arrrg !

Il se mit à loucher et Regan attendit pour voir s'il s'évanouirait. Comme il demeura conscient, elle se pencha jusqu'à ce que leurs nez se touchent.

—Où se trouverait-elle ?

—Près de son affaire… (Les mots sortirent péniblement, d'une voix entrecoupée.) Ce salon de thé qu'il tient.

Regan se figea, prise de nausées.

—Comment en es-tu sûr ?

—Gaynor est peut-être capable de faire apparaître un portail, mais il possède à peine plus de force que moi. Il ne peut pas voyager sur plus de quelques centaines de mètres avec un passager. S'il a emporté ton vampire, il ne peut pas être allé bien loin.

—S'il est là-bas, pourquoi je n'ai pas senti sa présence ?

—Les sortilèges doivent empêcher les odeurs de se répandre.

—Bon sang.

Elle se redressa brusquement et s'écarta de Culligan en maudissant sa stupidité. Quelle idiote elle était. Si elle n'avait pas cherché Jagr en catastrophe, elle ne serait peut-être pas passée à côté de l'évidence.

Mon Dieu, il se trouvait peut-être juste sous ses pieds pendant qu'elle faisait furtivement le tour du salon de thé…

Elle secoua vivement la tête.

Bon sang, elle avait perdu assez de temps.

Elle devait rejoindre Jagr.

Pivotant sur ses talons, elle se dirigea vers la porte, impatiente de revenir au salon de thé. Même s'il ne pouvait pas se déplacer avant la tombée de la nuit, elle avait besoin de le retrouver.

Pour être près de lui.

Si ça, c'était pas effrayant ?

Elle sortait de l'appentis quand une voix dans son dos lui rappela brusquement que Culligan était toujours enchaîné au mur.

— Hé ! attends, où tu vas ? Tu ne peux pas me laisser ici.

Elle se retourna pour le dévisager avec une pointe de surprise. Dans sa hâte de voler au secours de Jagr, elle l'avait tout simplement oublié.

Le sidhe qui lui avait mené la vie dure pendant trente ans.

Le sidhe qu'elle s'était juré de torturer avant de le tuer.

Cela révélait à coup sûr quelque profond et stupéfiant changement dans sa psyché, mais le temps lui manquait pour s'en soucier.

— En fait, si, rétorqua-t-elle.

Que les bâtards semblent se débrouiller comme des chefs pour rendre Culligan malheureux apaisa la soif de vengeance qui pouvait persister en elle.

Comme s'il lisait dans ses pensées, il se débattit tel un forcené contre les fers qui le retenaient.

— Ils vont m'achever. Tu veux avoir ça sur la conscience ?

Elle arqua les sourcils avec lenteur.

— Franchement, Culligan, je m'en fous.

En matière de répliques finales, elle avait vraiment fait fort, et elle ne put réprimer un sourire suffisant en sortant de l'appentis, claquant la porte derrière elle.

Plus tard, elle regretterait peut-être de ne pas lui avoir ouvert le ventre pour utiliser ses entrailles en guise d'appâts pour les poissons, mais, pour l'heure, laisser aux bâtards le soin de le torturer lui convenait parfaitement.

Son sourire et sa satisfaction durèrent en tout deux secondes.

Exactement le temps nécessaire au bâtard qui ne lui était pas inconnu pour émerger des arbres.

Duncan.

Durant un étrange moment hors du temps, ils se contentèrent de se regarder fixement, interloqués. Puis, sans crier gare, il leva le bras pour lui lancer quelque chose directement au visage.

La jeune femme se baissa d'instinct, s'attendant à ce qu'un couteau ou une épée se plante dans la porte derrière elle.

Au lieu de quoi, une explosion l'éblouit et elle ne disposa que d'une seconde pour comprendre qu'elle avait abandonné Jagr avant que les ténèbres engloutissent le monde.

Le soleil colorait l'horizon de ses derniers rayons déclinants alors que Regan luttait pour chasser le brouillard douloureux qui lui obscurcissait l'esprit.

Putain de merde. Elle avait l'impression d'avoir été heurtée par une bétonneuse.

Finalement, sans tenir compte des élancements d'atroce souffrance logés à l'arrière de sa tête, elle ouvrit des yeux réticents. *Eh bien… merde.* Elle aurait dû les garder fermés.

Non que prétendre qu'il s'agissait d'un horrible cauchemar changerait le fait qu'elle était ligotée à un arbre avec des chaînes contenant suffisamment d'argent pour miner ses forces et laisser des brûlures à vif sur sa peau. Ou qu'elle avait été transportée depuis la cabane sur l'une des petites îles couvertes d'arbres et de broussailles qui parsemaient le milieu du fleuve.

Encore dans les vapes, elle observa Duncan sortir de la tente dressée au centre de la clairière.

Elle réprima un grondement instinctif.

Le salaud. Non seulement il lui avait donné un mal de crâne infernal et l'avait attachée à un arbre comme un animal, mais elle était partie au royaume des rêves tout l'après-midi.

À ce rythme, elle ne rejoindrait jamais Jagr.

Le séduisant bâtard s'arrêta juste devant elle. Il n'avait vraiment pas l'air très frais, avec ses longs cheveux pleins de nœuds qui retombaient autour de son visage fin et son pantalon noir maculé de boue. Sa chemise avait carrément disparu.

De frustration, elle lui décocha un regard mauvais, et éprouva une joie ridicule lorsqu'il recula avec prudence.

— Qu'est-ce que tu m'as fait ? demanda-t-elle d'une voix rauque.

Au prix d'un grand effort, il recouvra une fragile partie de son ancienne arrogance.

— Ce n'était qu'une petite bombe ensorcelée que j'ai empruntée à la sorcière favorite de Sadie avant de lui arracher la gorge.

Regan cligna des yeux, singulièrement choquée par cet aveu à brûle-pourpoint.

— Tu as tué la sorcière ?

— Les amulettes contiennent un sort pour masquer l'odeur de la personne qui les porte. (Il grimaça.) Malheureusement, il s'y en ajoute un autre, pour que la sorcière puisse les retrouver partout dans le monde. Une vilaine façon pour Sadie de garder le contrôle sur sa meute. Pas de sorcière, pas de GPS.

— Bon Dieu, tu n'aurais pas pu juste enlever ton amulette ?

— Et laisser mon parfum annoncer ma présence à tous les garous et vampires qui ont afflué à Hannibal ? Pas près d'arriver. Sans la sorcière, je profite de tous les avantages de l'amulette, sans souffrir de ses effets secondaires.

Regan pinça les lèvres.

— Et on raconte que les voleurs n'ont pas d'honneur ?

— Tu devrais me remercier, chérie.

À dessein, il baissa le regard sur la poche où elle avait fourré l'amulette qu'elle avait dérobée à Culligan. De toute évidence, il l'avait fouillée avant de la ligoter.

— Par ailleurs, j'ai perdu toute prétention à l'honneur quand j'ai uni ma destinée à celle de Caine, il y a trente ans. J'aurais dû y réfléchir à deux fois mais ce type sait manier les mots. C'est un beau parleur, comme dirait ma mère, et il m'a convaincu que ses idées folles étaient vraiment réalisables.

— Caine. (Elle plissa les yeux de rage en se débattant vainement contre les chaînes qui la brûlaient.) Tu étais avec le bâtard qui nous a enlevées. Espèce de salopard. Comment a-t-il mis la main sur quatre bébés sang-pur ?

La stupéfaction se dessina sur son visage.

—Comment as-tu… (Il s'interrompit et passa les doigts dans ses cheveux emmêlés.) Peu importe. Caine n'a jamais voulu avouer comment il s'était emparé de tes sœurs et toi. Tout ce que je sais, c'est qu'il s'est montré avec vous sur les terrains de chasse de l'Illinois et a affirmé qu'une prophétie prédisait que le sang des sang-pur nous rendrait complets.

Ah, oui, la pierre angulaire de toute secte digne de ce nom. Une mystérieuse prophétie… la promesse de la grandeur… blablabla, blablabla.

—D'où tenait-il cette prophétie ? demanda-t-elle.

Duncan haussa les épaules.

—C'est l'une de ces questions que personne n'a eu les couilles de poser. Ou alors, on n'en avait juste pas envie. Il nous a promis le pouvoir, l'immortalité. L'occasion de nous élever du bas du tas de fumier au sommet. (Le bâtard renifla, dégoûté de lui-même.) Mince alors, j'aurais dû me douter que c'était un baratineur quand il nous a emmenés à Chicago et a manqué de nous faire arrêter.

Son récit confirmait ce qu'elle avait appris de Gaynor et Culligan, mais il n'expliquait pas comment ni pourquoi Caine avait réussi à enlever quatre bébés sang-pur.

Regan détourna ses pensées du passé. Elle ne découvrirait peut-être jamais comment ce garou avait mis ses sales pattes sur elle, et, pour l'heure, ça n'avait pas vraiment d'importance. Tout ce qui comptait vraiment pour elle, c'était trouver un moyen de se libérer pour pouvoir retrouver Jagr.

—Si c'est un baratineur, pourquoi tu m'as kidnappée ? lança-t-elle.

La contrariété lui contracta le visage.

—Je n'ai pas voulu te kidnapper. Je suis retourné à la cabane pour capturer Sadie. Bien sûr, cette chienne n'est jamais dans le coin quand j'ai enfin besoin d'elle.

Capturer Sadie ?

D'accord, ça n'avait, genre, aucun sens.

—Je croyais que vous faisiez partie de la même meute, tous les deux ?

—C'est autant une psychopathe que Caine, et je ne porterai le chapeau pour aucun des deux.

Regan secoua la tête. Manifestement, la bombe ensorcelée l'avait laissée aussi bête que ses pieds. Elle n'avait pas la moindre idée de ce dont il parlait.

Et franchement, elle s'en fichait un peu.

Dans quelques minutes, le soleil disparaîtrait. Elle devait retrouver Jagr.

—Alors, si c'est Sadie que tu voulais, pourquoi tu m'as kidnappée ?

Passant de nouveau les mains dans ses cheveux, Duncan arpenta la petite clairière.

—Il me faut espérer que tu feras l'affaire.

—Pour quoi ?

Il s'arrêta et prit une profonde inspiration avant de se retourner avec lenteur pour la transpercer d'un regard dur, impitoyable.

—Je veux négocier les termes d'un marché.

—Avec Caine ?

—Non, Salvatore.

Ouais. Vraiment bête comme ses pieds.

—Tu… veux négocier avec Salvatore ? parvint-elle finalement à bredouiller. Pourquoi ?

La résignation chassa la fragile arrogance, et elle aperçut pour la première fois le véritable visage du bâtard.

— Parce que je suis las de cette mission suicide. Sans parler d'être le souffre-douleur de Sadie, avoua-t-il, la voix criarde. Je suis prêt à échanger tout ce que je sais sur Caine et sa conspiration si on me promet la protection des garous.

Regan ne mit soudain plus en doute sa sincérité, mais sa santé mentale.

— Tu as déjà rencontré Salvatore ? demanda-t-elle. Il n'est pas du genre à accorder son pardon en faisant une croix sur le passé. Je doute que quelques ragots sur Caine y changent grand-chose.

Les yeux de Duncan brillèrent de rage.

— Très bien ; si Caine ne l'intéresse pas, qu'en est-il de ta sœur ?

Malgré elle, son cœur s'arrêta, dévoilant au bâtard à l'ouïe sensible l'importance que les informations sur sa sœur présentaient pour elle. Bon sang, elle savait que ses émotions importunes l'enquiquineraient.

Elle serra les dents.

— Tu sais où Caine la retient prisonnière ?

Il hésita, comme s'il réfléchissait à un mensonge, puis, avec une réticence manifeste, il avoua la vérité.

— Il la déplace beaucoup, mais je connais les emplacements de la plupart de ses laboratoires. Ce n'est qu'une question de temps avant que vous puissiez le coincer.

La jeune femme fronça les sourcils. Juste le genre de conneries vagues et peu fiables que n'importe qui pouvait inventer. Pourtant, elle ne pouvait rejeter l'existence d'une possibilité même très faible de sauver sa sœur.

Elle, plus que quiconque, savait que des miracles se produisaient, parfois.

Ce qui ne signifiait pas, cela dit, que l'arrogant roi des garous serait prêt à conclure un marché avec ce bâtard déloyal.

— Pourquoi Salvatore te ferait-il confiance ? demanda-t-elle. Tu as déjà démontré que tu étais un traître.

— C'est pour ça que je voulais capturer Sadie, grogna-t-il, frustré. Je comptais la livrer en gage de bonne volonté, mais tu es sortie de la cabane à sa place. Maintenant je n'ai d'autre choix que d'espérer avoir prouvé la pureté de mes intentions en ne te remettant pas aux mains de Caine quand je l'aurais pu.

Elle renifla avec dédain. Si les intentions de Duncan étaient pures, alors elle était la putain de reine d'Angleterre.

— Ouais, c'est ça.

Il haussa les épaules.

— D'accord, mes intentions sont entièrement égoïstes, mais si tu désires revoir ta sœur, je suis ton meilleur espoir.

Elle serra les dents. Céder à un chantage flagrant avait beau ne pas lui plaire, en cet instant elle ferait n'importe quoi, y compris vendre son âme, pour retrouver sa liberté et rejoindre Jagr.

En plus, s'il existait même la plus petite chance que sa sœur soit sauvée, alors elle devait assurément s'en saisir.

— C'est bon, laisse-moi partir et j'entrerai en contact avec Salvatore…

— Non, l'interrompit-il brutalement, le visage dur.

Elle se débattit contre les chaînes sans tenir compte de la douleur fulgurante qui faisait tressaillir son corps. Elle avait enduré bien pire au cours des ans.

— Je n'ai pas le temps pour ces conneries, cracha-t-elle. Libère-moi ou je jure devant Dieu que Salvatore sera le cadet de tes soucis.

Il blêmit à la menace absolue qui transparaissait dans sa voix, mais tint bon avec entêtement.

— J'ai besoin qu'il me donne sa parole qu'il me protégera avant de te relâcher.

— Et comment exactement est-il censé te donner sa parole ? (Elle plissa les yeux.) Tu l'as kidnappé, lui aussi ?

— Voici la solution de repli.

En deux grandes enjambées, il s'approcha d'un buisson et enleva d'un coup sec la couverture qui le cachait.

Sauf qu'il ne s'agissait pas d'un buisson.

Elle écarquilla les yeux d'horreur en reconnaissant la gargouille miniature alors enfermée dans la pierre.

— Levet, souffla-t-elle, décochant un regard furieux à Duncan. Va au diable.

— Il n'est pas blessé. Dans quelques minutes, il se réveillera et pourra entrer directement en contact avec Salvatore.

Elle fronça les sourcils.

— C'est une gargouille, pas un téléphone portable.

— Toutes les gargouilles, même les plus petites, sont capables d'ouvrir un portail dans l'esprit des gens.

Elle grimaça à l'idée de cette étrange déchirure dans l'espace qu'avait créée Gaynor se produisant dans la tête de quelqu'un.

— Ouille.

Duncan la dévisagea avec une pointe d'étonnement, comme stupéfait par son ignorance crasse.

— Pas un portail matériel. Plus comme… une connexion sans fil. Qui ne peut pas être écoutée, pas plus qu'on ne peut en retrouver la trace, même par la magie. (Il leva distraitement la main pour caresser l'amulette suspendue à son cou.) Personne n'aura connaissance de cet appel à part nous trois et Salvatore.

— On est un peu parano ? grommela-t-elle.

Elle se sentait bête de ne pas avoir été au courant de la faculté de Levet.

À sa raillerie, le bâtard lui décocha un regard furieux, le visage fermé dans les ombres qui s'épaississaient.

— Tu n'as pas rencontré Caine. Il a beau être un vrai mystique, il est terriblement intelligent et ses espions sont partout. Personne ayant tenté de le trahir n'a vécu pour le raconter.

Sur le point de lui signaler que Caine n'arrivait pas à la cheville de Salvatore en matière de ruse impitoyable, la jeune femme fut distraite par le craquement caractéristique de la pierre.

Tournant la tête, elle observa avec un respect mêlé de crainte le granit s'effriter autour de la forme statufiée de la gargouille pour dévoiler Levet.

— *Sacrebleu**.

Se secouant avec puissance, Levet se débarrassa des morceaux de pierre qui s'accrochaient encore à lui, puis s'avança en se dandinant et agita les bras avec colère.

— Espèce de chien galeux couvert de puces, je vais te… (Apercevant un peu tard Regan ligotée à l'arbre, il écarquilla les yeux, alarmé.) *Ma chérie**, qu'est-ce que tu fais ici ? Tu n'es pas blessée ?

— Je suis en rogne, grommela-t-elle.

Levet parcourut l'île des yeux, les sourcils froncés.

— Où est ton vampire ?

Regan se tourna pour foudroyer Duncan du regard.

— Il m'attend et il ne va pas être content si je suis en retard.

Le bâtard resta impassible, les poings sur les hanches.

— Arrange-toi pour que la gargouille entre en contact avec Salvatore, et tu seras libre comme l'air.

Elle serra les dents, consciente d'être devant un dilemme.

Évidemment, lui chuchota une voix dans sa tête, ce n'était pas la première fois.

Par l'enfer, ce n'était même pas la première fois de la journée.

— Bon Dieu. (Elle porta son attention sur la gargouille qui se tenait sur ses gardes.) Levet, je vais te demander une faveur.

CHAPITRE 16

Malgré sa volonté inflexible de garder ses démons intérieurs à distance, les heures qui s'égrenaient commençaient à laisser une trace. Alors qu'il arpentait la prison exiguë, Jagr sentait ses pouvoirs baisser inexorablement tandis que les murs semblaient se refermer sur lui.

Des souvenirs de ses interminables années de tortures lui transpercèrent l'esprit, et il banda ses muscles jusqu'à se recroqueviller en une boule tremblante dans un coin.

Finalement, même l'image de sa belle Regan ne put plus retenir la folie qui flottait autour de lui.

De désespoir, Jagr s'immergea dans le sommeil profond, semblable à la mort, auquel seul un vampire pouvait accéder.

Cet état comateux le rendait vulnérable, mais il lui permettait de conserver ses forces et, encore plus important, il modérait la rage noire qui menaçait de le consumer.

Il perdit la notion des heures. Du moins, jusqu'à ce que les ténèbres apaisantes se dissipent au bruit des pas qui s'approchaient de sa cellule.

Peu à peu, il laissa sa conscience remonter à la surface, veillant à demeurer parfaitement immobile. À première vue, il ressemblait à un cadavre, pas de battements de cœur, pas de pouls, pas même un souffle. Une faculté qui avait rendu service aux vampires au cours des années.

Qui craindrait un homme mort ?

Il entendit un raclement, presque comme si la personne qui se trouvait de l'autre côté de la porte n'avait pas l'habitude de la serrure. Enfin, le déclic caractéristique résonna et le battant s'ouvrit.

Les crocs de Jagr s'allongèrent tandis qu'il écoutait un bruit de pas s'approcher de lui.

Sa première pensée fut qu'il ne percevait aucune odeur. Une impossibilité sans l'aide d'une sorcière. Sa seconde fut que l'intrus n'avait pas pris la peine de verrouiller derrière lui.

La liberté.

Au prix d'un effort déterminé, il brida la violente vague d'espoir qui monta en lui.

Il ne s'échapperait pas tant qu'il ne se serait pas occupé de l'ennemi qui s'avançait lentement vers lui.

Les yeux fermés, le vampire se concentra sur les bruits de pas, puisque le parfum de la créature était masqué.

Plus proches, plus proches, plus proches.

Il sentit un déplacement d'air lorsque l'intrus s'agenouilla à ses côtés, manifestement persuadé qu'il était mort ou, du moins, hors d'état de nuire.

La dernière erreur que cet imbécile commettrait jamais.

Prêt à attaquer, Jagr laissa la soif de sang qu'il avait si désespérément tenté de garder à distance affluer librement dans son corps. Avec ses forces minées par ces satanés sortilèges, il avait besoin de sa rage pour nourrir ses pouvoirs.

— Jagr.

Cette voix douce rompit le silence, mais le vampire n'était plus capable d'entendre. Tuer l'ennemi pour atteindre la porte et s'échapper constituait sa seule pensée.

D'un mouvement trop rapide pour être esquivé même par le plus talentueux des démons, il lança le bras vers le haut, agrippant son ennemi à la gorge.

Un gargouillement s'éleva alors qu'il ouvrait brusquement les yeux sur le beau visage pâle au-dessus de lui.

Quelque chose vacilla dans le fond de son esprit. Quelque étrange alarme qui réclamait à cor et à cri son attention, mais sa soif de sang, tel un brouillard rouge, envahit son champ de vision, obscurcissant les traits délicats et étouffant la détresse qui lui serrait le cœur.

Tuer.

Tuer pour être libre.

Dans un rugissement sourd, il bondit sur ses pieds, tenant toujours sa proie par le cou. Elle était étonnamment svelte. Aussi aisée à briser qu'une brindille.

— Jagr, souffla une voix éraillée. C'est Regan.

Regan.

Sa soif de sang faiblit.

Ce nom…

D'un geste brutal, il attira sa captive plus près de lui et enfouit le visage dans la courbe de sa gorge. Rien. Pas d'odeur. Rien qui justifie qu'il interrompe son coup fatal.

— Jagr… s'il te plaît, supplia la voix.

La femme lui toucha le visage de la main avec une douceur familière.

Jagr secoua la tête et la laissa tomber alors qu'il s'efforçait de s'éclaircir les idées.

Son instinct lui réclamait du sang en hurlant, mais une force plus puissante refusait d'accéder à cette demande.

Il connaissait cette femme, chuchota une voix dans son esprit embrouillé. Elle était…

Sienne.

Sous sa protection.

Frissonnant, il réprima son envie farouche d'attaquer et croisa les bras sur son ventre. *Merde.* Il devenait vraiment fou.

— Jagr ?

La femme se releva péniblement, trop courageuse, ou trop acharnée, pour rester à terre.

— Tu es blessé ?

— N'approche pas, gronda-t-il.

— Qu'est-ce qui ne va pas ?

— Je... (Il secoua de nouveau la tête.) Pourquoi je ne sens pas ton odeur ?

Il vit ses magnifiques yeux verts s'agrandir puis, avec des gestes saccadés, elle s'empressa de plonger la main dans la poche de son jean trop moulant pour en sortir une petite amulette. Elle s'humecta les lèvres alors que Jagr suivait le moindre de ses mouvements, montrant les crocs, les yeux flamboyants, certainement de faim. Il n'avait pas besoin de humer la peur de la femme pour la reconnaître.

Avec une lenteur étudiée pour ne pas l'effrayer, elle lança le talisman vers la porte ouverte.

Aussitôt la senteur suave du jasmin emplit la cellule et se faufila à travers le voile cramoisi de la soif de sang du vampire.

Se délectant de ces effluves capiteux, Jagr éprouva un frisson d'excitation dans le creux de son ventre.

— Ce parfum, souffla-t-il. Je le connais.

— Oui.

Les sourcils froncés, elle s'avança vers lui, comme pour le toucher.

Il recula précipitamment d'un pas, conscient de son instabilité. Et du fait que quelque chose en lui se briserait s'il faisait du mal à cette femme par accident.

—Ne t'approche pas.

Comme percevant le danger qui vibrait dans l'air, elle se tint parfaitement immobile, le visage inquiet.

—Je suis là pour t'aider, dit-elle doucement. Mais nous ne disposons pas de beaucoup de temps. J'ai réussi à me glisser ici sans me faire remarquer des bâtards de garde mais, sans l'amulette, ils ne vont pas tarder à sentir mon odeur.

Jagr gronda, les crocs douloureux. *Des bâtards. Oui.* Il avait toujours détesté ces salopards.

—Où?

Elle fronça les sourcils.

—Quoi?

Il claqua des dents d'impatience.

—Peu importe. Je les trouverai seul.

Pivotant sur ses talons, il se dirigea vers la porte. Il tremblait de rage et sa soif de sang rugissait encore dans son corps. Il avait besoin de tuer. Et s'il voulait épargner la femme en face de lui, une autre proie lui était nécessaire.

Les bâtards feraient parfaitement l'affaire.

La femme lui cria de rester là mais il n'y prêta pas attention. C'était un vampire en chasse et tout ce qui aurait la bêtise de croiser son chemin mourrait.

En quatre longues enjambées, il traversa la salle et atteignit les étroites marches de pierre. Il les grimpa en deux bonds rapides. Il fut arrêté par une porte en haut de l'escalier mais, balançant le bras d'arrière en avant, il fracassa cette barrière fragile.

Des éclats de bois volèrent et se répandirent devant lui alors qu'il franchissait le chambranle aux bords déchiquetés.

Un glapissement retentit lorsque les projectiles, petits mais acérés, frappèrent le bâtard qui montait la garde. Et se transforma en un hurlement d'atroce souffrance quand le vampire l'empoigna par les cheveux et le jeta à travers ce qui semblait être une cuisine.

Jagr regarda l'homme mince percuter violemment le mur, laissant un sillage sanglant en s'écroulant sur le sol. Le salaud était vivant, mais avant que Jagr ait pu lui arracher le cœur, il distingua des bruits de pas en provenance de l'extérieur du bâtiment.

Il se pencha pour sortir les poignards aux lames d'argent qu'il gardait en permanence dans ses bottes. Une partie de lui-même avait beau se réjouir à la pensée de lacérer ses ennemis à mains nues, la soif de sang ne le rendait pas complètement stupide.

Tant qu'il ignorait combien de garous exactement rôdaient dans cet endroit, il ne prendrait aucun risque.

Un grondement sourd s'éleva et Jagr entendit l'une des personnes qui accouraient vers lui se déplacer soudain à quatre pattes. Il écarta les jambes, un poignard serré dans chaque main, les lèvres retroussées pour dévoiler ses crocs meurtriers.

Que le spectacle commence!

Le bâtard qui s'était métamorphosé entra le premier, défonçant la porte-fenêtre qui donnait sur une terrasse, à l'arrière de la maison. La créature était grande pour un garou, de la taille d'un gros poney, et ne manquait pas de muscles sous sa longue fourrure brune hirsute. Mais les crocs tranchants comme des rasoirs et capables de couper net un os représentaient le véritable danger. Même un vampire pouvait mourir si sa tête était arrachée.

Dans un autre grondement féroce, le bâtard s'élança droit sur Jagr. L'animal stupide était trop enragé pour se rendre compte qu'il s'agissait d'une mission suicide.

Ce qui convenait parfaitement à Jagr.

Préparé à l'impact de la collision, il bougea à peine lorsque la bête le percuta. Sans aucune difficulté, il évita les crocs dirigés sur sa gorge et plongea profondément les deux armes dans son poitrail.

Ses yeux flamboyants s'agrandirent, et elle laissa échapper un unique râle tandis que son corps lourd glissait des lames et tombait à la renverse. Elle se retransforma en homme, en un homme complètement mort, le temps de toucher le sol.

Jagr n'eut pas le loisir d'admirer son œuvre puisque deux autres bâtards apparaissaient à la porte-fenêtre démolie, et s'élançaient ensemble.

Avec une précision fatale, il jeta l'un des poignards. Celui-ci tournoya dans l'air, l'argent dont il était fait miroitant en accrochant les rayons obliques de la lune. Le bâtard qui se précipitait vers lui, surpris au beau milieu de sa métamorphose en loup, n'eut pas la moindre chance d'esquiver la lame qui s'enfonça dans sa poitrine.

Le second agresseur hurla de rage quand son compagnon retomba comme une masse. Pourtant, contre toute attente, il conserva suffisamment de bon sens pour renoncer à une attaque directe.

Alors qu'il tournait autour du vampire avec lenteur, il réprima son besoin instinctif de se transformer. Ses yeux flamboyaient et sa peau ondulait tandis que le loup en lui s'efforçait de se libérer.

Jagr lui décocha un sourire railleur.

—On danse ou on se bat, chien ?

Le bâtard fit claquer ses dents et sortit un gros pistolet de sous sa chemise.

— Pressé de mourir, vampire ?

— Pas avant d'avoir mangé.

Un large sourire se dessinant peu à peu sur ses lèvres, Jagr laissa son pouvoir rentré se déployer. Le souffle glacial explosa dans la pièce, faisant tomber les casseroles des étagères et voler en éclats les fenêtres. Le dernier garou hurla quand il fut soulevé du sol et cloué au mur par son pouvoir tangible.

Sans prêter attention aux balles que son ennemi tirait désespérément dans sa direction, Jagr s'avança posément. Il pouvait aisément le tuer avec ses pouvoirs. Ou même avec le poignard qu'il serrait toujours dans sa main.

Sa soif de sang, cependant, exigeait plus.

Soudain violemment assailli par la faim, il l'empoigna par les cheveux et lui inclina brusquement la tête sur le côté. Quelqu'un l'appela par son nom et le parfum nocturne terriblement alléchant du jasmin lui caressa les narines, mais il n'était plus accessible à la moindre distraction.

Ses crocs l'élançaient tant son envie de chair douce et de sang chaud était forte. Rien de moins ne le satisferait à présent.

Dans un rugissement de victoire, il mordit avec une brutalité douloureuse, ses canines s'enfonçant profondément dans le cou du bâtard.

L'homme se débattit un instant, et laissa tomber le pistolet vide en rouant de coups le torse du vampire. Celui-ci ne les sentait même pas. Pas quand le goût riche et apaisant du sang lui emplissait la bouche et que sa chaleur enivrante le débarrassait des effets persistants des sortilèges.

Il lui fallut quelques minutes pour boire le bâtard jusqu'à la dernière goutte, même si ce dernier cessa de lutter après deux ou trois grosses gorgées.

Lorsqu'il lâcha enfin le corps sans vie, Jagr rugit, son pouvoir affluant en lui.

Bien qu'un bâtard ne soit pas un démon à part entière, son sang était beaucoup plus puissant que celui d'un simple humain et il procura au vampire une vague de satisfaction qui calma sa rage noire.

Frissonnant de soulagement, il laissa sa folie disparaître. Peu à peu, le brouillard rouge se dissipant de son esprit, ses pensées s'éclaircirent et ses muscles noués se détendirent.

Alors que le voile se levait, il parcourut des yeux la cuisine saccagée, les sourcils froncés.

Que s'était-il passé ?

De pénibles minutes s'égrenèrent tandis qu'il s'efforçait de se rappeler l'endroit où il se trouvait et ce qui était arrivé.

Dans son dernier véritable souvenir, il était dans une cellule exiguë. Le sidhe – Gaynor, oui c'était son nom – l'avait attiré dans un portail. À partir de là, tout devenait confus.

Il avait fait les cent pas, juré et tenté en vain de défoncer la porte. Tout ça, il se le rappelait sacrément bien. Puis il s'était réfugié tout au fond de lui-même pour échapper à la panique qui le menaçait, non ?

Alors, comment était-il sorti de la cellule ?

— Jagr ?

La voix douce de Regan n'était qu'un chuchotement, mais, accompagnée du parfum nocturne du jasmin, elle lui donna l'impression qu'un gros poids lourd le percutait.

Oh… merde.

Le voile qui persistait se déchira avec violence quand des images de son évasion lui transpercèrent l'esprit avec une netteté cruelle.

L'intrus qui entrait dans sa cellule. Se penchait au-dessus de lui. Et puis…

Pivotant sur ses talons, Jagr examina avec fébrilité la silhouette svelte qui se tenait dans l'encadrement de la porte du sous-sol. Malgré l'obscurité, il distingua les légères meurtrissures qui marquaient son cou fin.

Des meurtrissures qu'il lui avait faites.

Regan n'était pas une poule mouillée. Certes, elle ne se prenait pas pour une héroïne et ne ressentait pas le besoin de courir partout pour prouver son courage, mais elle était capable d'affronter la douleur et même le danger si nécessaire.

Ainsi, ce ne fut pas par peur qu'elle demeura dans le sous-sol lorsque Jagr se précipita hors de la cellule et monta au rez-de-chaussée pour attaquer les bâtards.

Du moins, pas par peur pour sa propre vie.

En ce moment, Jagr était à la merci de ses émotions déchaînées. Aucune grosse surprise, là. Ce vampire devait souffrir d'un énorme syndrome de stress post-traumatique après avoir enduré des siècles de tortures, et se retrouver enfermé dans une minuscule cage l'avait manifestement fait craquer.

Et alors qu'elle refusait de croire qu'il la blesserait gravement, même submergé par sa soif de sang, elle savait que tout pouvait se produire au cours d'un combat. Un tir ami ne concernait pas que les humains.

S'il lui arrivait quelque chose par accident, cet imbécile s'en voudrait pour le reste de l'éternité.

Alors, sans céder à son besoin désespéré de se précipiter en haut des marches pour s'assurer que Jagr, aveuglé par la rage, ne se faisait pas tuer par les gardes devant lesquels elle était passée à peine quelques instants auparavant, elle resta au pied de l'escalier, le poignard serré dans la main, à haïr son sentiment d'impuissance.

Dieux merci, les brûlures laissées par les satanées chaînes en argent de Duncan avaient déjà disparu. Sur le moment, qu'il ait fallu autant de temps à Levet pour convaincre Salvatore de rencontrer ce maudit bâtard l'avait exaspérée. Elle avait beau comprendre les réticences du roi des garous à conclure un marché avec un traître avéré, elle ne se préoccupait que d'être libérée pour rejoindre Jagr.

Et, bien sûr, elle avait perdu de longues minutes à discuter avec la gargouille. Celle-ci avait tenu absolument à revenir à Hannibal avec elle, mais, alors que la jeune femme aurait accepté toute l'aide qu'on lui aurait offerte, elle n'avait pas pu écarter sa sœur de ses pensées.

Si Duncan était vraiment en mesure de leur révéler où elle était susceptible d'être cachée, alors elle ne voulait pas que ce salaud échappe à leur surveillance ne serait-ce qu'une seconde. Elle ne le laisserait pas disparaître avant que Salvatore lui ait soutiré cette information.

Regan secoua la tête et reporta son attention sur le sous-sol exigu.

Dans le fond, elle percevait l'attraction désagréable des sortilèges qui recouvraient les parois de la cellule et l'odeur persistante du désespoir de Jagr, mais elle se concentra sur le fracas qui lui parvenait du rez-de-chaussée. Au premier signe que le vampire était en danger, elle grimperait ces marches pour botter le cul des bâtards.

Finalement, elle entendit les bruits d'un combat bref et violent s'évanouir et, après avoir pris une profonde inspiration, elle s'engagea dans l'escalier.

Ce qu'elle découvrit en entrant dans la cuisine saccagée ne la surprit pas particulièrement. Des fenêtres fracassées, un mur lézardé, des casseroles qui jonchaient le sol où reposaient trois garous blessés ou morts, alors que le quatrième se faisait rapidement vider de son sang par le vampire furieux.

Cela dit, elle ne put s'empêcher d'admirer la force brutale de Jagr.

Pas étonnant que, quand l'heure était venue de négocier avec le chef de clan local, Culligan ait toujours été si nerveux.

Alors qu'elle l'observait à une distance respectueuse, Regan sentit le moment où la rage folle de Jagr commença à se dissiper. Une certaine chaleur s'insinua dans le froid mordant de l'air et le guerrier se détendit à vue d'œil.

Bien sûr, elle n'était pas stupide au point de courir se précipiter dans ses bras comme, bizarrement, elle en mourait d'envie.

Elle préféra l'appeler par son nom d'une voix douce, veillant à ne pas le faire sursauter en s'avançant.

D'abord, elle crut qu'il feindrait de ne pas l'entendre, puis il se retourna avec lenteur, une expression prudente sur les traits tandis que son regard la brûlait.

La jeune femme fut submergée par une vague de soulagement lorsqu'elle remarqua, grâce à la lueur qui brilla dans ses magnifiques yeux bleus, qu'il la reconnaissait. Il était de retour. Et lucide.

Elle fit un pas vers lui mais s'arrêta brusquement lorsqu'il posa le regard sur son cou et qu'un regret sinistre assombrit son visage.

Bon Dieu.

Elle s'interdit de lever la main pour cacher les marques révélatrices et demeura parfaitement immobile alors qu'il s'approchait d'elle d'une démarche saccadée, comme si son esprit et son corps étaient en désaccord.

— Regan, souffla-t-il.

Il ne s'arrêta que lorsque son pouvoir froid enveloppa la jeune femme, telle une couverture bienvenue.

Regan s'humecta les lèvres, incapable de supporter la honte qui déformait les traits sévères de Jagr. Depuis leur première rencontre mémorable, elle s'était battue avec acharnement pour empêcher cet homme de franchir ses défenses. Même quand son propre corps la trahissait.

En cet instant, elle savait que, si elle souhaitait être définitivement débarrassée de ce vampire qui s'immisçait de manière exaspérante dans sa vie, elle n'avait qu'à garder la bouche fermée et le laisser se noyer dans sa culpabilité. Celle-ci était gravée sur tout son visage.

Mais alors même que cette pensée lui traversait l'esprit, elle la repoussait déjà dans l'oubli dont elle n'aurait jamais dû sortir.

Absolument hors de question.

Et elle s'en fichait de ce que cela pouvait révéler sur ses émotions pitoyables.

— Ça va ? demanda-t-elle.

Elle résista à l'envie de le serrer dans ses bras pour lui offrir le réconfort dont il avait si manifestement besoin. Il n'était pas prêt. Pas encore.

Comme pour confirmer son analyse, il secoua la tête avec lenteur.

—Non, ça ne va pas du tout, dit-il d'une voix rauque sans quitter sa gorge des yeux. Je t'ai fait du mal.

—Je vais bien.

Elle attendit un peu, mais quand il refusa de détourner le regard des meurtrissures qui s'estompaient, elle lui prit le visage entre les mains et l'obligea à relever la tête.

—Je vais bien! Compris?

—J'étais à deux doigts de te tuer.

—Ha!

Elle plissa les yeux, énervée. L'heure n'était pas aux mièvreries démonstratives. Pas avec un guerrier mortifié porté sur l'autoflagellation.

—Je ne suis peut-être pas un lourdaud gigantesque comme certains, mais il n'est pas si facile de se débarrasser de moi. Je t'aurais arrêté, si j'avais pensé être vraiment en danger.

Il serra les mâchoires. *Que c'était pénible, un vampire têtu.*

—Non, Regan, tu n'aurais pas pu. Si je n'avais pas hésité…

—Mais tu as hésité, l'interrompit-elle en lui étreignant le visage comme si elle pouvait lui faire rentrer un peu de bon sens dans la tête. Il n'y a pas mort d'homme.

—Et la prochaine fois que je serai submergé par la folie? insista-t-il d'une voix voilée.

—La prochaine fois? Ça arrive souvent?

—C'est arrivé souvent au début.

Eh bien… euh. Elle se serait inquiétée s'il ne s'était pas transformé en Rambo après ce que lui avaient fait Kesi et sa joyeuse bande de tortionnaires.

—Et à l'heure actuelle?

Il baissa brusquement les yeux.

—Ça n'a pas d'importance.

Regan renifla. Il ne souhaitait pas répondre parce qu'il devait savoir que ça irait dans son sens.

—Combien de temps s'est écoulé depuis la dernière fois où…

Elle se reprit, refusant de le traiter de fou. Il la rendait peut-être folle, mais c'était le démon le plus sain d'esprit qu'elle ait rencontré de toute sa vie.

—… tu as perdu le contrôle?

—Ça n'a pas d'importance.

—Combien de temps?

Quand il demeura muet, elle laissa échapper un grognement guttural.

—Jagr?

—Plusieurs siècles, reconnut-il à contrecœur.

Voilà. Elle le savait.

—Bon. Dans ce cas, je commencerai à m'inquiéter d'ici à quelques centaines d'années.

L'expression de Jagr durcit lorsqu'il lui effleura le cou des doigts juste un instant. Il se disait à coup sûr qu'il risquait de la blesser par inadvertance.

—On ne peut pas effacer ce qui s'est passé. Je suis dangereux.

—Uniquement parce que tu as été enfermé.

Bon sang, si seulement il n'était pas trop grand pour qu'elle le secoue. On pouvait lui faire confiance pour s'empêtrer dans les filets du vampire le plus gigantesque et le plus difficile à avoir jamais foulé la terre.

—Bon Dieu, n'importe qui aurait un peu pété un câble. Ce n'était pas ta faute.

—Ce n'est pas de faute qu'il s'agit, mais de conséquences.

— Et quelles sont ces conséquences désastreuses ? demanda-t-elle. Quelques bleus qui ont, et je suis bien placée pour le savoir, déjà guéri ?

Regan vit ses yeux se glacer. Elle sourit d'un air contrit. La colère, et même le pouvoir de Jagr s'enveloppaient toujours de glace plutôt que de feu. Sa façon à lui de contrôler la rage qui bouillonnait en lui, commençait-elle à soupçonner.

Le feu, il le réservait pour la passion.

Ce qui lui convenait parfaitement à elle aussi.

— Pourquoi ne prends-tu pas au sérieux ce qui s'est passé ? (Il fronça brusquement les sourcils.) Bon sang, Regan, tu devrais avoir peur de moi.

— Ne me dis pas ce qui devrait me faire peur, chef. (Elle baissa les mains et appuya un doigt contre son torse.) Je suis tout à fait capable d'en décider.

— Dans ce cas, tu es une idiote.

La jeune femme, qui avait tendance à s'emporter facilement, explosa.

Très bien. Il voulait se comporter en salaud ? Alors, elle le traiterait comme tel.

— Ah, ouais ?

Consciente de ne disposer que d'une seule occasion de le prendre au dépourvu, elle se colla à lui et frotta délibérément ses douces rondeurs contre son corps ferme. Temporairement distrait par sa ruse, Jagr ne s'attendit pas à ce qu'elle glisse le pied derrière sa jambe et pousse soudain de toutes ses forces sur son torse. Il grogna de surprise, incapable d'empêcher sa chute inévitable. Il retomba violemment sur le dos mais, ne lui laissant aucun répit, Regan se jucha prestement sur son ventre, le poignard qu'elle avait sorti de sa ceinture pointé droit sur son cœur.

—Eh bien, qui c'est l'idiot maintenant? demanda-t-elle entre ses dents.

Elle conserva le dessus pendant moins d'une seconde. Dans un grondement sourd, Jagr tourna sur le côté et inversa leurs positions, pour qu'elle se retrouve clouée au sol par son corps massif.

—Je pense qu'il n'y a rien à ajouter, dit-il d'une voix rauque.

—C'est ce que tu crois, chef. Je t'aurais déjà arraché le cœur si j'avais voulu.

Il arborait l'expression typique d'un homme à bout de nerfs.

Il montrait même les crocs.

—Ça suffit, Regan.

—Non, ça suffit, Jagr, cracha-t-elle, bien décidée à tenir bon.

Jagr s'était isolé des siècles durant, repoussant tous ceux dont il aurait pu être proche. Cette fois, il n'allait pas s'en sortir si facilement.

—J'ai compris que tu n'étais pas un enfant de chœur. Hip hip hip, hourra! Je n'ai pas besoin d'un putain de saint. Mais d'un guerrier. J'ai besoin de... (elle déglutit péniblement, et s'obligea à avouer la vérité) toi.

Il se figea, et elle lut un court instant dans ses yeux la solitude, absolue, douloureuse, qui rencontrait un écho tout au fond d'elle, avant qu'il ne les ferme.

—Petite, j'ai prêté serment de te protéger. (Ses lèvres tremblaient, comme s'il luttait pour contenir ses émotions.) Même de moi.

Elle plissa les yeux.

—Et j'ai prêté serment de n'être jamais à la merci d'un autre homme.

Sursautant comme si elle avait touché une corde sensible, il se releva brusquement et la foudroya du regard avec une expression outrée.

— Tu n'es pas à ma merci.

— Non ? (Elle se remit debout avec bien moins de grâce que lui, les poings sur les hanches.) Tu veux prendre mes décisions à ma place. Me dire ce qui est le mieux pour moi. Me…

— Je veux te protéger. Bon sang !

— C'est peut-être comme ça que tu le vois, mais moi j'ai l'impression que tu cherches à me retenir prisonnière.

Soudain, il se frotta le visage en un geste d'extrême lassitude.

— Bon Dieu, tu me rends fou.

Elle sourit d'un air ironique. Elle n'avait pas gagné la bataille, mais ne l'avait pas perdue non plus.

Pas encore.

— Bienvenue dans mon monde, grommela-t-elle.

Il secoua la tête, balayant du regard la cuisine saccagée.

— Ce n'est ni le lieu ni le moment pour cette discussion.

— Eh bien, on est au moins d'accord sur une chose. (Elle grimaça.) Nous devons partir d'ici. Quelqu'un va finir par venir voir les gardes.

— Rentre au repaire de Tane. Je vais…

— Tu m'accompagnes, l'interrompit-elle.

Il plissa les yeux et une rafale froide emplit la pièce.

— J'ai quelques dettes à régler d'abord.

S'attendant à cette réponse, elle afficha un sourire suave.

— Tu veux vraiment que je coure à travers la campagne toute seule, Jagr ? Qui sait ce qui pourrait se passer dans ma tête de linotte ?

Un instant il lutta contre son désir féroce de chercher vengeance. Il avait été torturé de la pire des façons et il devait faire payer les responsables.

Finalement, il serra les poings, reconnaissant qu'il ne pouvait lui faire confiance pour retourner seule au repaire de Tane. Typique des hommes.

—Tu ne joues pas franc-jeu, louve, marmonna-t-il.

Elle arqua les sourcils.

—Où tu veux en venir, vampire?

Il haussa les épaules, résigné.

—Allons-y.

Alors qu'elle se dirigeait vers la porte, Regan s'arrêta soudain.

—Attends ici, j'ai oublié un truc.

Elle se précipita vers l'escalier du sous-sol.

—Regan.

Sans tenir compte de son grondement menaçant, elle dévala les marches quatre à quatre et ramassa l'amulette qu'elle avait lancée près de la porte de la cellule. Ces maudits talismans ne lui avaient apporté que des migraines depuis son arrivée à Hannibal. Qu'elle en ait un pour rendre la pareille ne semblait que justice.

Après avoir fourré l'objet dans sa poche, elle courut dans la cuisine où elle trouva Jagr qui faisait les cent pas devant la porte-fenêtre qui avait connu des jours meilleurs.

—Je suis prête.

Le vampire lui décocha un regard noir empli de frustration avant de franchir la porte irrécupérable.

—Tu sais, petite, pour une femme qui ne veut pas qu'on décide pour elle, tu es bien pressée de décider pour moi, l'accusa-t-il d'une voix rude.

Refusant de se sentir coupable de l'avoir manipulé, Regan suivit la haute silhouette qui traversait la terrasse et contournait le salon de thé silencieux. En ce moment, il n'était pas en état de se lancer à la recherche des bâtards. Pas quand son besoin farouche de revanche dominait son instinct de conservation.

En plus, elle n'avait pas l'intention de laisser la culpabilité qu'il éprouvait de l'avoir meurtrie s'envenimer et se transformer en une putain d'énorme blessure qui s'ajouterait à toutes ses autres cicatrices.

Bien sûr, c'était plus facile à dire qu'à faire.

Fendant délibérément les ténèbres à une vitesse que la jeune femme eut le plus grand mal à égaler, Jagr se dirigea directement vers le repaire de Tane, le visage sombre à la lueur argentée de la lune.

Elle serra les dents et maintint son allure avec détermination. Il n'avait qu'à bouder maintenant. Une fois qu'ils seraient arrivés à destination…

Eh bien, elle ne savait pas exactement ce qu'elle comptait faire, mais elle ne manquerait pas d'insuffler un peu de bon sens dans ce crâne épais.

Et peut-être qu'elle arracherait aussi ce pull de ce large torse, avant de faire glisser sa langue…

Ce fantasme occupa ses pensées pendant qu'elle courait dans les champs plongés dans l'obscurité, parvenant à tenir le coup malgré le rythme exténuant du vampire.

Malheureusement, perdue dans ses rêves érotiques, elle n'était pas préparée à l'arrêt brutal de Jagr devant le bâtiment croulant qui abritait le repaire de Tane.

—Merde.

Foncer dans son dos lui fit l'impression de percuter un mur de plein fouet. Elle frotta son nez douloureux en jetant un regard furieux à son compagnon exaspérant.

— Qu'est-ce qu'il y a?

Il inclina la tête en arrière, les traits durs.

— Styx.

— Oh.

Bon sang. Elle avait oublié sa conversation affolée avec le roi des vampires.

— Je l'ai appelé pour lui demander de venir, ajouta-t-elle.

Aussitôt, il se tourna vers elle pour la dévisager avec une expression interloquée.

— Tu l'as appelé, toi?

— J'étais inquiète.

— Bien sûr. (Il afficha un sourire sans joie, résigné.) Excellent choix. Il n'existe pas de guerrier plus puissant que l'Anasso. Tu seras en sécurité avec lui.

Elle resta bouche bée en comprenant qu'il croyait qu'elle avait téléphoné à Styx pour qu'il fasse office de vampire de substitution quand Jagr avait été capturé.

Avant d'avoir pu réprimer son impulsion, elle s'élança pour lui assener un coup de poing en plein dans le torse. Un effort inutile. Ce maudit vampire ne broncha même pas.

— Je ne l'ai pas appelé pour qu'il s'occupe de moi, bon sang!

Elle secoua la main. Merde, elle s'était presque cassé les doigts.

— Par l'enfer, j'ai fait tout mon possible pour éviter ça, poursuivit-elle.

— Pourquoi alors?

— Parce que j'aurais mis tout en œuvre… (elle fut obligée de s'interrompre pour déglutir) tout en œuvre pour te retrouver.

Les yeux bleus de Jagr s'assombrirent mais, avant qu'il ait pu parler, une haute silhouette sortit de l'ombre du bâtiment imposant.

— Jagr. Regan.

Ayant envie de hurler de frustration, la jeune femme se retourna pour décocher un regard furieux à l'intrus.

Et se figea, choquée.

Nom de Dieu.

Aussi grand, voire plus, que Jagr, le vampire avait les traits d'un ancien Aztèque, avec des cheveux de jais coiffés en une tresse qui lui retombait bien au-delà de la taille et des yeux marron doré dont l'intensité la brûlait.

Mais ce ne fut pas seulement à cause de sa beauté absolue et de la façon dont son pantalon en cuir et son ample chemise en soie caressaient son corps musclé qu'elle recula instinctivement vers Jagr.

Son pouvoir emplissait l'air de sa présence tangible et lui picotait la peau avec une intensité presque douloureuse.

Bon Dieu, sa sœur devait être pourvue de nerfs d'acier pour s'attacher à ce dangereux démon.

À côté d'elle, Jagr inclina la tête avec raideur.

— Mon seigneur.

Styx déplaça son troublant regard doré pour scruter la silhouette tendue de Jagr, et plissa les yeux en remarquant son expression crispée.

— Je suis heureux de découvrir que tu n'es pas blessé, si ce n'est indemne, mon frère, gronda l'Anasso d'une voix profonde où transparaissait l'ombre d'une interrogation.

—Tu ne seras pas heureux de découvrir que j'ai manqué à mon devoir, répliqua Jagr en inclinant de nouveau la tête. Pardonne-moi.

Avant que Regan ait pu deviner son intention, il se dirigeait vers les marches conduisant à la véranda, le dos droit et les épaules tendues.

—Jagr, attends !

Elle trépigna quand, sans lui prêter attention, il disparut par la porte ouverte.

—Bon sang. Il est…

—Compliqué, suggéra Styx avec obligeance. Oui, je sais.

Oubliant le fait qu'elle se trouvait en présence du démon peut-être le plus redoutable du monde, sans parler du fait qu'il était son beau-frère, elle serra les poings et s'engagea dans le sillage de Jagr.

Il la laissait en plan ?

C'était pas près d'arriver.

—Eh bien, je m'apprête à le rendre moins compliqué, marmonna-t-elle. Excuse-moi.

—Regan.

Sa voix ténébreuse était agréable, mais possédait des accents suffisamment autoritaires pour la faire s'immobiliser d'instinct et regarder par-dessus son épaule.

—Quoi ?

Son visage séduisant était grave au clair de lune.

—Je souhaiterais m'entretenir avec toi pour discuter de ton avenir.

Son avenir ? Merde. Elle n'avait pas envie de s'occuper des attentes que son appel avait certainement éveillées chez sa sœur. Ni d'un avenir qui pourrait inclure une famille dont elle n'avait jamais voulu.

Pas quand elle avait le vampire le plus exaspérant de la planète, et qui plus est têtu comme une mule, à remettre à sa place.

—Je…

Son refus spontané mourut sur ses lèvres lorsqu'elle plongea les yeux dans son regard doré. Il n'en démordrait pas. Cela aurait tout aussi bien pu être tatoué sur son front. Elle soupira. *Génial.* Exactement ce dont elle avait besoin. Un autre impitoyable vampire ayant une idée en tête.

—Ouais, d'accord. Mais plus tard. (Elle marcha vers la porte.) Beaucoup plus tard.

Sadie était en rogne.

Rien d'inhabituel.

Être en rogne représentait son état d'esprit permanent ces derniers temps.

Non. Pas juste ces derniers temps.

Elle pouvait déterminer avec précision le moment exact où sa vie était devenue merdique.

Dès l'instant où Regan, la-putain-de-princesse-des-garous, était arrivée en ville.

Satanée chienne.

Tout était sa faute.

C'était elle qui avait attiré le courroux des vampires sur les bâtards. Elle qui avait poussé Salvatore à fourrer son nez dans ce qui ne le regardait pas. C'était même à cause d'elle que cette maudite gargouille, qui se révélait une véritable enquiquineuse, était venue.

Et pourtant, Sadie savait que c'était elle, Sadie, qu'on tiendrait pour responsable de ce fiasco.

Caine n'était pas un homme qui admettait l'échec.

Par l'enfer, la dernière personne qui avait manqué à ses engagements envers lui avait été empaillée pour rappeler de manière horrible ce qu'il advenait de ceux qui décevaient le chef autoproclamé des bâtards.

Ce qui, à coup sûr, expliquait pourquoi Duncan avait disparu de la circulation, ainsi que la sorcière.

Eh bien, qu'ils aillent se faire foutre!

Sadie ne fuyait pas. Elle ne se cachait pas.

Plus maintenant.

Caine lui avait ordonné de capturer Regan quoi qu'il arrive, et c'était exactement ce qu'elle ferait.

Déployant le fouet, elle arracha un autre lambeau de chair du dos de Gaynor, qui se recroquevillait dans un coin du sous-sol.

Après avoir encore cherché en vain la sang-pur et être revenue au salon de thé pour découvrir ses gardes morts et l'absence du vampire, Sadie n'avait pas perdu une minute pour se défouler sur le sidhe.

Elle était incapable d'avoir les idées claires, aveuglée par sa colère et l'esprit obscurci par sa soif de violence.

En plus, elle ne pouvait pas courir le risque de se métamorphoser. Pas quand le temps lui manquait.

—Imbécile, lâcha-t-elle entre ses dents, regardant le sang dégouliner le long du dos lacéré, le fouet serré dans la main. Tu m'as juré que le vampire ne pouvait pas s'échapper de ta cage.

—Il ne s'est pas échappé.

—Ah. (La lanière claqua de nouveau.) Tu l'as caché dans l'armoire?

Le sidhe hurla.

—Non.

—Dans la poubelle?

— Non.

Il se colla encore plus étroitement au mur, sa ressemblance avec Culligan devenant de plus en plus remarquable tandis qu'il geignait et se ratatinait sous ses coups.

— Mais il n'est pas sorti tout seul, ajouta-t-il. Je sens l'odeur de cette garou partout dans la cellule.

Savoir que Gaynor avait raison n'apaisa en rien sa fureur. Pendant qu'elle était dehors à traquer cette maudite femme pour la convaincre d'accepter de se rendre sans violence, cette dernière s'était montrée plus maligne qu'eux tous.

À présent, Sadie ne détenait pas sa prise, et son unique monnaie d'échange était partie.

Regan paierait pour ça.

Avec son sang.

— Et comment a-t-elle trouvé cet endroit ?

— Je l'ignore.

— Menteur.

Afin de donner à son châtiment un tour un peu plus personnel, elle s'avança pour lui flanquer un coup de pied à la tête. Dans un bruit sourd satisfaisant, il roula sur le côté.

— Tu as dû lui révéler quelque chose quand tu lui as parlé. Après tout, nul ne se douterait qu'un démon ayant un chouïa de bon sens serait assez stupide pour dissimuler son repaire très privé juste en dessous de son salon de thé très public.

— S'il vous plaît… (Comble du ridicule, le sidhe tenta de se traîner sur le sol.) Je n'ai rien dit. Je le jure.

Elle le suivit en lui assenant des coups de pied dans les côtes.

— Ainsi, une garou bornée qui sort tout juste de ses langes a réussi à se montrer plus rusée qu'un sidhe séculaire ?

Recroquevillé en boule, Gaynor eut le cran de la foudroyer du regard.

— Elle a aussi réussi à se faufiler sous le nez de quatre de vos bâtards.

Sadie se figea, soudain distraite par une pensée désagréable.

— En effet, dit-elle avec lenteur. Et son odeur ne se trouve pas à l'extérieur du bâtiment. Pourquoi ?

De longues minutes s'écoulèrent alors que Gaynor luttait pour respirer malgré ses poumons endommagés.

— Elle a peut-être déniché une sorcière, haleta-t-il enfin.

— Ou pris la mienne, gronda Sadie, ses yeux flamboyant dans le noir tandis qu'elle envisageait les différentes possibilités. Bien sûr, elle n'avait qu'à mettre ses petites mains avides sur l'une des amulettes.

Le sidhe grogna quand il reçut un autre coup à la tête.

— Pourquoi me punissez-vous ? Je ne lui ai pas donné un de ces maudits talismans.

— Pourquoi je te punis ? (Elle se pencha pour l'empoigner par les cheveux et dévisagea avec fureur son visage ravagé.) Parce que je le peux, espèce de larve pitoyable.

CHAPITRE 17

Jagr s'aperçut sans surprise que ses mains tremblaient alors qu'il tressait ses cheveux et enfilait un jean propre. L'eau chaude avait peut-être réussi à laver la crasse qui recouvrait sa peau mais elle n'avait rien fait pour effacer les vestiges de sa folie.

Ou le souvenir effroyable de ses doigts qui se refermaient sur la gorge de Regan.

Rien n'effacerait jamais ça.

Il avait été si près…

Trop près.

Appuyé au mur de la salle de bains, il se cogna la tête avec assez de force pour en lézarder le marbre.

Dans son esprit, les images de couloirs baignés de sang le tourmentaient. Un brouillard enveloppait encore ces heures durant lesquelles il avait massacré Kesi et son clan, mais pas sa longue sortie du repaire. Ni les années instables qui avaient suivi, quand il frappait sans crier gare, tuant sauvagement tous ceux qui se trouvaient à proximité.

Au cours des derniers siècles, il s'était autorisé à croire que ces jours étaient derrière lui. Il avait profondément enfoui sa rage et soigneusement perfectionné sa maîtrise de lui-même. Oh, il serait toujours d'un tempérament dangereux et aurait toujours tendance à recourir à la violence si nécessaire. Mais il ne donnait jamais libre cours à sa fureur.

Jusqu'à cette nuit-là.

De nouveau, la vision de Regan, les yeux écarquillés et la bouche entrouverte alors qu'il lui écrasait la gorge, lui transperça l'esprit.

Non.

Jamais, au grand jamais, il ne reprendrait un tel risque.

Sans prêter attention à l'atroce déchirement inattendu qu'il ressentit à la seule pensée de quitter la jeune femme, Jagr s'obligea à sortir de la salle de bains pour revenir dans la chambre adjacente.

Il lança sa sacoche sur le lit et en retira ses derniers poignards avant d'y fourrer ses vêtements sales.

Il tendait le bras vers le tee-shirt propre qu'il avait laissé sur une console quand le parfum de jasmin caractéristique le fit se retourner vivement vers la porte.

Après avoir franchi le seuil de la pièce, Regan effleura de ses yeux émeraude le sac ouvert avant de les poser sur le torse encore nu du vampire.

Jagr s'enflamma sous le regard empli de désir avec lequel elle considéra ses cicatrices.

Il les avait toujours soigneusement cachées. Elles représentaient un symbole honteux que nul n'était autorisé à voir. Mais, debout face à la belle garou, il n'éprouva que plaisir torride pendant qu'elle examinait son corps ferme. Sans dégoût ni pitié ni aversion.

Elle le regardait, tout simplement.

Alors qu'il n'aspirait qu'à arracher le jean qu'il portait pour tout vêtement, il se força à s'intéresser de nouveau à son sac.

Son désir pour Regan avait beau constituer une force brutale, ce n'était rien comparé à son besoin impérieux de la protéger.

Pour la première fois depuis des siècles, l'existence d'un autre comptait plus que la sienne.

Faisant claquer sa langue avec impatience, Regan vint se jucher sur le lit, une expression indéchiffrable sur le visage, même si l'air autour d'elle crépitait indubitablement sous l'effet de sa colère.

—Je pensais bien te trouver ici, espèce de gros balourd.

Il ne releva pas les yeux. C'était déjà suffisamment dur de la savoir si proche. D'être enveloppé dans son parfum exotique et de percevoir la chaleur de son corps.

Quant à la voir sur le lit sur lequel il lui avait si récemment écarté les cuisses pour s'enfoncer en elle… bon sang, il y avait de quoi briser le peu de maîtrise de soi qui lui restait.

—Balourd ? grommela-t-il.

—C'est un mot.

Il la sentit bouger sur le lit. *Grands dieux.* Il sentit son jean serrer douloureusement son membre qui se dressait.

—Qu'est-ce que tu fais ? s'enquit-elle.

Ne la regarde pas. Ne la regarde pas !

—J'aurais cru que c'était plutôt évident.

—Je suppose que oui. Difficile de ne pas remarquer un vampire de près d'un mètre quatre-vingt-dix qui fait la gueule. À moins que tu boudes ? Difficile à dire, railla-t-elle. J'imagine que tu pars ?

—D'abord, je compte aller à la chasse au sidhe.

—Et après ?

La douleur lui déchira la poitrine, le faisant presque tomber à genoux.

323

— Après je rentrerai à Chicago.

La jeune femme laissa échapper un juron d'une vulgarité choquante.

— Ainsi, tu t'enfuis dans ta prison… oh, je veux dire, ton repaire. C'est tellement plus sûr de regarder le monde à travers MTV et YouTube, pas vrai, chef?

Il serra les poings, refusant de reconnaître l'amère vérité de ces paroles.

— Va retrouver Styx, Regan. Il sera capable de dénicher Culligan.

— Je n'ai pas besoin de lui, de toi ou de quiconque pour ça, affirma-t-elle entre ses dents. Je l'ai déjà trouvé.

Les défenses qu'il avait péniblement érigées s'écroulèrent quand il se tourna brusquement vers elle pour la transpercer d'un regard stupéfait.

— Quoi?

Il vit les yeux de la jeune femme briller, comme si elle était ravie de sa violente réaction.

— Où tu crois que j'ai dégoté cette petite amulette bien pratique? (Elle fronça soudain les sourcils.) Une amulette, si je puis ajouter, que ton ami Tane m'a confisquée avant de me laisser descendre ici.

Jagr secoua la tête. Il remercierait Tane plus tard de s'être assuré que Regan ne le prenait pas à l'improviste, mais, pour l'heure, il ne pouvait penser qu'au fait qu'elle avait retrouvé le sidhe qui l'avait torturée pendant trente ans.

— Il est mort?

Elle haussa les épaules.

— Il était vivant lorsque j'ai quitté la cabane, mais ses chances de passer la nuit s'élèvent à zéro. Pas quand les bâtards comprendront qu'il est aussi pitoyable en tant qu'appât qu'en tant que sidhe.

Il s'avança vers elle. Il avait les pieds nus qui s'enfonçaient dans les épais tapis, et sa tresse qu'il n'avait pas séchée lui mouillait le dos. Non qu'il s'en aperçoive. Il était entièrement absorbé par le petit bout de femme juché au bout du lit.

— Tu as trouvé le sidhe et… tu es partie ?

— J'avais d'autres préoccupations, comme je te l'ai expliqué plus d'une fois, répondit-elle.

Jagr fronça les sourcils. Elle se comportait comme si avoir découvert le démon qui lui avait infligé des années de souffrances, le démon pour la mort duquel elle avait risqué sa vie, n'avait été qu'une broutille.

— Bon sang, Regan, tu as attendu toute ta vie d'assouvir ta vengeance.

Elle ne détourna pas son regard d'émeraude.

— J'en ai parfaitement conscience.

— Alors, pourquoi n'en as-tu pas profité ?

— Je te l'ai dit.

Il poussa un grondement guttural en observant son expression têtue.

Très bien, c'était officiel.

Cette femme allait lui faire perdre la raison.

— Il devait y avoir autre chose que la nécessité de me retrouver, petite.

Il croisa les bras, déterminé à ne pas reculer. Il ne comprenait pas pourquoi il devait savoir. Juste qu'il le devait.

— Le tuer t'aurait pris moins d'une seconde, ajouta-t-il. Dis-moi la vérité.

Elle se leva brusquement, et se tint si près de lui que tout son corps fut baigné dans la chaleur de son parfum suave de jasmin.

— Bon Dieu, je n'en sais rien, s'écria-t-elle d'une voix rauque. Je suppose que c'est en partie lié au fait qu'il avait l'air si terriblement pitoyable, enchaîné dans cette cabane. Durant de si nombreuses années, il a incarné le croque-mitaine pour moi. Il m'a brutalisée pendant si longtemps que j'avais fini par le croire invincible. (Elle esquissa un rictus en secouant la tête.) Mais là je l'ai vu tel qu'il était vraiment. Un imbécile faible et lâche qui rampait dans les égouts parce qu'il ne possédait ni le talent ni l'intelligence pour être un honnête homme. Il ne valait tout simplement pas qu'on se donne la peine de le tuer.

Quand Jagr lut dans les yeux de la jeune femme une vulnérabilité qui l'atteignit dans son âme même, il frissonna, tant l'envie de la prendre dans ses bras était violente.

C'était plus que du désir. Plus qu'une nécessité instinctive de la protéger.

C'était…

Grands dieux, il ignorait comment appeler ça.

Il savait juste que c'était enfoui si profondément en lui qu'il ne s'en débarrasserait jamais.

— Et l'autre partie ? demanda-t-il, la voix rauque.

— Je me suis aperçue que je n'avais pas besoin de le tuer. (Elle écarta grand les bras.) Je n'ai déjà plus de chaînes.

Il ne savait plus ce qu'il ressentait. De l'orgueil, du soulagement, de la stupéfaction ou juste du regret, oui un perfide sentiment de regret à ne plus lui être utile.

Incapable de réprimer son impulsion, il lui effleura la joue des doigts.

— Regan.

Elle se rapprocha de lui, envoyant d'atroces frissons dans son corps.

— Je comprends maintenant, dit-elle avec douceur. Ce n'est pas lui qui me gardait enfermée. Mais bien moi. Il est temps de passer à autre chose.

Au contact de sa peau douce sous ses doigts, il frémit. Du satin, chaud et horriblement tentant. Il sentit les muscles de ses cuisses se crisper en réponse, tandis que son érection se faisait dure et douloureuse.

—Ainsi, tu es libre, chuchota-t-il, sans prêter attention au désir qui hurlait en lui.

Il devrait s'y habituer.

—Non, je ne le serai jamais complètement. Les souvenirs me hanteront toujours. (Elle leva la main pour en recouvrir ses doigts, qu'elle serra sur sa joue.) Tout comme ils te hantent.

Ayant l'impression d'avoir été brûlé, Jagr arracha sa main et recula.

—Ils ne se contentent pas de me hanter, souligna-t-il, la voix rauque.

Contrariée, elle pinça les lèvres.

—Tu as réagi à la situation. Comme l'aurait fait n'importe quel autre humain, démon ou fae.

—Une rage aveugle, meurtrière ?

—S'il s'était agi d'une rage aveugle et meurtrière, tu ne te serais pas limité aux bâtards qui te retenaient prisonnier. Tout Hannibal serait mort.

Elle marquait un point. C'était vrai. Dans les premiers temps, la rage le consumait au point de le rendre incapable d'arrêter. Seule la menace de l'aube mettait un terme à ses carnages et le ramenait à son repaire.

Cela dit, il avait perdu la maîtrise de lui-même au point d'étrangler Regan. Et ça, c'était inacceptable.

Il baissa le regard sur sa gorge, de nouveau lisse et sans la moindre meurtrissure.

—Je t'ai blessée.

Elle roula des yeux.

— Pour l'amour de Dieu, je me suis déjà fait bien plus mal en trébuchant.

Il secoua la tête.

— Tu ne comprends pas.

— Je comprends que tout le monde peut perdre le contrôle.

Délibérément, elle s'avança, ayant peut-être conscience qu'il ne pouvait pas former de pensées cohérentes quand elle se trouvait si près de lui.

— Salvatore m'a appris que Styx avait failli exterminer toute son espèce en protégeant un vampire fou qu'il avait fait le serment de servir, ajouta-t-elle, et que le chef de ton propre clan avait tenté de tuer votre cher roi. Devraient-ils être enfermés dans leur repaire ?

De nouveau, il ne put nier ces paroles. Styx avait protégé le précédent Anasso alors même qu'il était évident que ce dernier menaçait la paix qu'ils avaient obtenue au prix de siècles de luttes. Et Viper avait été prêt à sacrifier son propre roi pour sauver Shay de la mort.

Le bruit courait aussi que Styx avait été submergé par sa soif de sang lorsqu'il avait été attaqué par une bande de vampires rebelles qui voulaient s'emparer de sa couronne.

— Rien de ce que tu pourrais dire ne me fera changer d'avis, s'obligea-t-il à affirmer.

Ses propres mots sonnaient faux à ses oreilles. À coup sûr, parce qu'il souhaitait qu'on le fasse changer d'avis.

— Bon.

Manifestement lasse qu'il refuse avec entêtement d'oublier la fièvre noire qui persistait tout au fond de lui, Regan prit les choses en main.

Littéralement.

Le regard toujours rivé sur le visage crispé de Jagr, elle saisit le bord de son haut trop moulant et, d'un geste ample, le fit passer par-dessus sa tête et le jeta à terre.

Jagr grogna, ayant l'impression de recevoir un coup de marteau dans le ventre.

Malgré lui, il baissa les yeux et se délecta de la vision de ces membres sveltes et musclés, de cette peau à l'ivoire parfait. Un fin morceau de dentelle lui couvrait la poitrine, mais il ne cachait pas grand-chose. Surtout quand ses tétons rosés se durcirent sous son regard brûlant.

Une folle envie de la renverser sur le lit poussa Jagr à reculer jusqu'à heurter le mur.

— Regan, qu'est-ce que tu fais, bon sang ?

Un sourire coquin sur les lèvres, elle leva la main avec désinvolture pour décrocher la minuscule agrafe de son soutien-gorge, qu'elle laissa tomber sur son petit haut.

— Tu as dit que je ne pouvais pas te faire changer d'avis, susurra-t-elle. Du moins, pas avec des mots.

Il eut la bouche sèche et son cerveau se déconnecta alors que son désir prenait le contrôle.

— Tu penses donc pouvoir me manipuler avec…

Ses paroles s'étranglèrent dans sa gorge quand elle ouvrit la fermeture Éclair de son jean et se tortilla pour le faire glisser au bas de ses jambes. Un instant elle s'arrêta pour retirer ses chaussures, puis le pantalon disparut et elle se tint devant lui vêtue seulement d'une culotte blanche.

Nom de Dieu.

Les trucs qu'il pourrait lui faire. Des trucs délicieux, immoraux, peut-être même illégaux, qui impliqueraient ses lèvres, sa langue et ses canines qui l'élançaient.

Comme s'il craignait d'avoir été oublié, son sexe bougea douloureusement contre son jean, rappelant à

Jagr exactement à quel point il était agréable d'être enfoui profondément dans la chaleur de la jeune femme.

—Ça marche? murmura-t-elle en faisant remonter ses mains sur son torse.

Si ça marchait? Il s'embrasait, consumé par un feu qui faisait rage en lui comme en enfer. Et pire, il commençait à oublier pourquoi il ne devrait pas l'allonger sous lui pendant qu'il explorerait la moindre parcelle de son corps délectable.

Il ferma les yeux de toutes ses forces pour essayer d'ignorer cette faim qu'il éprouvait.

—Grands dieux, souffla-t-il.

Il se crispait tellement qu'il en avait des crampes. C'était si dur de réprimer l'instinct farouche qui le poussait à emmener cette femme dans son lit pour ne plus jamais la laisser partir.

Le rire doux de Regan lui caressa le torse, et elle fit courir ses doigts jusqu'à la ceinture de son jean, avec laquelle elle joua, espiègle.

—Tu montres les crocs, vampire.

Il ouvrit brusquement les yeux et agrippa la jeune femme par les épaules, veillant à ne pas trop serrer sa chair tendre.

—Et tu joues à un jeu périlleux, garou.

—Je devrais avoir peur?

—Oui, gronda-t-il, même s'il savait avec une certitude absolue qu'il n'y avait pas de véritable danger.

Du moins, pas pour Regan.

Lui, au contraire, risquait sérieusement d'exploser s'il n'assouvissait pas son besoin brutal de la pénétrer.

Et vite.

À dessein, elle s'humecta les lèvres.

—Tu vas me faire mal?

—Continue, et je te dévore.

Il lut une invitation dans ses yeux verts.

—Tu me le promets?

Il frappa le mur derrière lui des deux mains et remarqua à peine les grands trous qu'il avait ouverts dans les lambris. *Pas grave.* Tane n'aurait qu'à lui envoyer la facture.

—Regan, je te désire trop et je doute de pouvoir me contrôler, dit-il entre ses dents, le corps tremblant. Si je commence, je ne serai plus en mesure de m'arrêter.

—Qui a parlé de s'arrêter?

Il secoua la tête. C'était une erreur. Même s'il avait été sûr de sa maîtrise de soi, Regan n'avait plus besoin d'un guerrier. Par l'enfer, elle n'en avait jamais vraiment eu besoin.

Et, à coup sûr, elle faisait déjà des projets d'avenir.

Des projets qui n'incluaient pas un vampire tourmenté.

Alors, pourquoi ne pas profiter de ce qu'elle lui offrait avant de retourner dans son repaire sombre et isolé? lui chuchota la voix de la tentation.

Parce qu'il atteindrait rapidement le point de non-retour, celui où il ne serait jamais plus capable de la laisser s'en aller, répondit la voix de la raison.

Ce qui expliquait pourquoi il tenait tant à s'accrocher à la peur de lui faire du mal.

Déjà, l'idée de partir lui donnait envie de hurler de douleur. Qu'est-ce que ce serait, s'ils devenaient encore plus intimes?

Tout juste conscient de ses gestes, Jagr lui caressa les épaules, soyeuses, parfaites, cherchant désespérément à se cramponner à un vestige de bon sens.

—Bon sang, femme, tu as essayé de te débarrasser de moi depuis mon arrivée à Hannibal, dit-il d'une voix rauque. Pourquoi souhaiterais-tu soudain que je reste?

Elle haussa les épaules.

— Je suis une femme. J'ai le droit de changer d'avis quand et aussi souvent que j'en ai envie.

— Pratique.

— Parfois.

Avec un sourire, elle fit sauter le bouton de son jean.

— Arrête.

Il feula en lui saisissant le poignet. Comment était-il censé se montrer raisonnable quand elle refusait de coopérer?

Elle ne tenta pas de se dégager. Mais se pencha pour tracer de la langue un chemin chaud et humide de son sternum à la base de sa gorge.

— Tu ne me désires pas? chuchota-t-elle contre sa peau.

Il ravala son cri de plaisir, les canines totalement allongées et son dernier espoir de s'accrocher au bon sens brisé.

— Je… si. (Il l'empoigna par les hanches pour l'attirer contre son érection douloureuse.) Je te désire.

Elle le dévisagea, les yeux déjà mi-clos.

— Alors, où est le problème?

Il y avait un problème. Il venait juste d'y penser. Malheureusement, il se révélait aussi insaisissable qu'une fée de brume et, lorsqu'elle tira de nouveau sur le bouton de son jean, il disparut complètement.

Jagr pencha la tête pour enfouir le visage dans la courbe de son cou, respirant le chaud parfum de jasmin, ce qui ne concourut en rien à éclaircir son esprit embrumé par le désir.

— Bon sang, Regan, souffla-t-il en frottant ses canines contre sa peau douce. Ne dis pas que je ne t'aurai pas prévenue.

Elle frémit à son tendre avertissement, mais pas de peur. Il sentait déjà les effluves enivrants de son émoi tandis qu'elle ouvrait sa fermeture Éclair avec des gestes maladroits.

Jagr s'empressa de l'aider à faire glisser le pantalon gênant, qu'il repoussa du pied avec impatience. Plus tard il regretterait certainement cette faiblesse momentanée, mais pour l'heure la sensation des délicates mains de la jeune femme qui exploraient les muscles tendus de son ventre était tout ce qui comptait.

—Je t'ai dit, chef, que je n'avais pas besoin que tu me protèges, affirma-t-elle d'une voix rauque, lui mordillant le torse. Pas même de toi.

Jagr frissonna, à deux doigts de l'orgasme rien qu'avec cette légère caresse.

—Fais attention avec ces dents, petite, marmonna-t-il en lui effleurant compulsivement le dos des mains. Les vampires n'échangent pas du sang que pour se nourrir.

Elle inclina la tête en arrière pour le dévisager avec une pointe de curiosité.

—Qu'est-ce que tu entends par là?

—Le sang d'un vampire constitue la source de son pouvoir, ainsi que le moyen par lequel il revendique sa compagne. (Un sourire contrit se dessina sur ses lèvres.) Absorbe de mon sang et je pourrais très bien t'être lié pour l'éternité.

Elle écarquilla ses yeux, où brilla, à sa confession à brûle-pourpoint, l'incertitude.

—Jagr…

—Si tu veux fuir, ce serait bien de le faire tout de suite.

Un instant, il crut qu'elle partirait. En proie à une déception impitoyable, il sentit son corps se tendre et son ventre se nouer.

Pourquoi ne l'avait-il pas fermée, bon Dieu?

Un silence absolu, pénible, s'installa dans la chambre et Jagr se prépara à être rejeté. Regan avait beau être plus courageuse que toutes les créatures qu'il ait jamais connues, elle redoutait plus que tout de se retrouver de nouveau enfermée.

Et, pour elle, les attachements émotionnels étaient tout aussi terrifiants que n'importe quelle chaîne d'argent.

Sinon, pourquoi refuserait-elle de rencontrer Darcy ?

Alors même qu'il se crispait, cependant, Regan secouait imperceptiblement la tête et, contre toute attente, se penchait pour éparpiller des baisers sur son torse, s'attardant sur chaque téton dressé pour lui donner un coup de langue. Il grogna, plongeant une main dans sa chevelure satinée en un encouragement silencieux.

Plus tard il se demanderait pourquoi Regan avait cessé si abruptement de nier le désir qui vibrait en permanence entre eux, mais pour l'heure…

Grands dieux, pour l'heure il ne pouvait que savourer.

Traçant de sa langue un chemin dévastateur, elle lui lécha le nombril, et le membre de Jagr bougea en une supplication muette. Il ferma les yeux, déchiré entre l'envie de la renverser sur le lit pour la pénétrer dans une rapide et merveilleuse explosion de plaisir et celle de la laisser continuer son irrésistible supplice.

Lorsqu'il sentit les lèvres douces de Regan descendre encore plus bas, il se décida enfin.

Par le passé, il avait toujours été l'agresseur lors d'une relation sexuelle. Sa nature prédatrice préférait endosser le rôle du chasseur que celui de la proie. En plus, il était ainsi plus facile de rendre le rapport aussi bref et simple que possible. La dernière chose qu'il souhaitait, c'était une femme crampon.

Il n'avait jamais soupçonné l'érotisme d'une femme qui prenait les choses en main.

Alors qu'il passait les doigts dans les mèches de Regan qui s'agenouillait devant lui, il oublia la terreur que lui avait inspirée le fait de s'être perdu dans sa soif de sang. Et même les doutes persistants qu'avait suscités la soudaine détermination de la garou à le séduire.

Il n'avait qu'une seule pensée en tête.

Que cette bouche chaude et humide se referme sur son érection douloureuse.

Un plaisir plus facile à rêver qu'à obtenir.

Alors même que Regan devait avoir remarqué les frémissements vigoureux de son sexe, elle refusa de satisfaire sa prière silencieuse et choisit de lui mordiller la hanche avant de descendre à l'intérieur de sa cuisse.

Grommelant un juron désespéré, il lui releva le visage pour plonger son regard avide dans le sien.

— Si tu as l'intention de me punir, petite, tu t'en sors très bien.

Elle esquissa un minuscule sourire tandis qu'elle soutenait son regard et le tourmentait en faisant remonter un doigt sur toute la longueur de son sexe.

— Eh bien, je détesterais que mes efforts soient vains.

Il gémit lorsqu'elle en atteignit le bout et joua avec la petite goutte qui y affleurait.

— Tu es une femme cruelle.

— J'essaie, en effet, murmura-t-elle en se penchant pour le lécher du haut en bas avant de revenir en arrière.

Il réprima un hurlement de volupté, soulevant instinctivement les hanches vers ses lèvres attirantes.

— Oh... bon sang, ce que c'est bon, grogna-t-il, s'obligeant à garder les yeux ouverts pour savourer la vision de la jeune femme qui lui procurait du plaisir.

Il jouit presque à cette seule vue.

Il laissa son regard, perdu dans une brume sensuelle, errer sur les mèches de cheveux qui chatoyaient comme de l'or à la faible lumière, sur les lignes parfaites de son profil et sur sa peau ivoire.

Rien n'avait jamais été si beau.

Sa petite garou, dotée de l'âme d'une guerrière et de l'innocence d'un ange.

Il sentit son désir se teinter d'une tendresse bouleversante. Il avait prévenu Regan qu'elle devait faire attention, percevant déjà que, si elle buvait de son sang, ils seraient unis, mais en cet instant il comprit que cela n'avait pas d'importance.

Elle l'avait déjà revendiqué de toutes les façons qui comptaient, et qu'ils achèvent ou non la cérémonie de l'union, jamais, au grand jamais, il n'aimerait une autre femme.

Cette pensée aurait dû le terrifier.

Un vampire qui trouvait sa compagne et la perdait finissait en général comme une coquille vide.

Mais Jagr n'éprouva que de l'apaisement, une vague de paix immense qui repoussa les ténèbres qui subsistaient en lui.

Le passé et toutes ses souffrances n'importaient plus.

Regan était comme une explosion de lumière qui chassait les ombres amères.

Il eut à peine le temps de prendre conscience de cette révélation avant de ne plus pouvoir penser du tout quand sa tentatrice saisit entre ses doigts son membre dressé pour l'explorer avec un soin exquis sur toute sa longueur.

D'instinct, il serra les mains dans ses cheveux, le corps si tendu qu'il éclata presque lorsqu'elle posa les lèvres sur le bout de son sexe et les fit glisser par-dessus.

Paradisiaque.
Absolument paradisiaque.

Un gémissement guttural lui échappa, son monde réduit aux frissons que lui procuraient des lèvres chaudes et une langue râpeuse.

En quelques caresses lentes et humides, elle le précipita bien trop vite vers l'orgasme. *Bon sang.* Il voulait savourer ce plaisir farouche. Passer la nuit plaqué au mur pendant que Regan lui offrait les sensations les plus intenses et divines qu'il ait jamais connues. Mais, alors même que la douce délivrance l'attirait, il empoigna la jeune femme par les bras pour la relever.

Il voulait s'enfouir profondément en elle, regarder son beau visage lorsqu'elle parviendrait à sa propre jouissance.

— J'ai besoin d'être en toi, Regan, grogna-t-il, s'emparant de ses lèvres en un baiser rude et exigeant avant de s'écarter pour la dévisager avec une avidité à l'état brut, éclatante. Tout de suite.

— Alors, qu'est-ce que tu attends, chef ? demanda-t-elle d'une voix rauque, lui transperçant le cœur de son sourire.

Le lit s'étendait derrière elle ; pourtant, trop impatient pour franchir même cette courte distance, il glissa les mains sous son joli petit cul et, d'un mouvement puissant, la souleva du sol alors qu'elle enroulait les jambes autour de sa taille.

— Toi, chuchota-t-il en plaçant l'extrémité de son érection à son entrée. Je t'attendais, toi.

Regan gémit, le corps déjà moite et prêt à l'accueillir.

Agrippé à ses hanches, il captura sa bouche en un baiser dévorant avant de s'enfoncer en elle, ne s'arrêtant que lorsqu'il fut enfoui aussi loin qu'il le pouvait.

— Jagr, souffla-t-elle.

Elle se resserra autour de lui comme un fourreau chaud et voluptueux.

Il se figea un instant, savourant le sentiment de plénitude qui l'envahit. C'était cela, être avec sa compagne véritable. Ce lien intense, bien plus fort qu'une simple partie de jambes en l'air.

Deux âmes, deux cœurs, deux esprits qui ne formaient plus qu'un.

Tandis qu'ils s'imprégnaient tous deux du plaisir absolu à être si intimement enlacés, leurs regards se rencontrèrent et Jagr commença à aller et venir en elle avec douceur. Elle leva les mains pour lui encadrer le visage, réclamant ses lèvres en un baiser brûlant. Il gémit son ivresse, lui étreignant les cuisses avec plus de force.

Plus. Il en voulait plus.

Il lui mordilla l'oreille, récompensé par le frisson qui parcourut le corps de la jeune femme sous l'effet d'un désir éclatant.

— Mon Dieu, je veux te goûter, marmonna-t-il en traçant un chemin de petites morsures et de caresses sur son cou, veillant à ne pas lui entamer la peau de ses canines. Partout.

Regan eut le souffle coupé lorsqu'il lécha le dessous de ses seins.

— C'est... c'est un bon début.

Il rit en s'enfonçant encore plus loin, trouvant de la langue le bout durci de son téton.

— Et là ?

Elle resserra les jambes lorsqu'il accéléra son rythme, et elle laissa sa tête partir en arrière, dévoilant la courbe douce et attirante de sa gorge.

Oh… grands dieux.

Son instinct tout entier le pressait de percer cette perfection ivoirine. D'y planter profondément ses canines pour absorber son essence pendant qu'il allait et venait en elle. Pour laisser une marque montrant qu'elle lui appartenait, exclusivement.

Dans un grondement bas, il arracha ses pensées à cette dangereuse et séduisante perspective et se concentra sur les mouvements de ses reins. Une tâche rendue considérablement plus aisée lorsqu'elle lui planta les ongles dans le dos et gémit de plaisir.

— Plus vite.

— Oui, ma garou exigeante, souffla-t-il en tétant un de ses tendres seins.

Un jour il connaîtrait la satisfaction de boire le sang de Regan tout en la pénétrant. Pour cette nuit-là, c'était suffisant.

Plus que suffisant, reconnut-il lorsqu'il s'enfonça en elle.

Elle enfonça les ongles dans son dos avec plus de force alors qu'il allait et venait en elle à un rythme régulier.

— Bon Dieu, Jagr, je…

Il referma les mains sur elle encore plus fort, son désir devenant une douleur insupportable. Il sentit le feu commencer à le consumer et rien n'avait jamais été plus merveilleux.

Ils étaient propulsés ensemble vers le plaisir. Il entendait les halètements de Regan s'élever, mêlés à ses propres gémissements sourds. Plus profondément, plus vite, montant toujours plus haut.

Puis, dans un dernier coup de reins, il l'entendit crier de jouissance alors qu'il atteignait l'orgasme avec une telle force que les lampes restantes volèrent en éclats et que les statues de marbre dans la salle de bains explosèrent en une fine couche de poussière.

CHAPITRE 18

Allongée dans les bras de Jagr sur le lit, Regan avait l'impression de flotter dans une brume de plaisir.

Un plaisir torride, frissonnant et comblé.

Seigneur.

Cela avait été...

Eh bien, elle n'avait pas vraiment de mots pour décrire ce qui venait juste de se produire entre eux. Farouche, assurément. Irrésistible. Bouleversant.

Et follement merveilleux.

Avec un sourire contrit, elle parcourut la pièce des yeux. Il ne restait pas grand-chose à casser après leurs derniers ébats, mais ce qui avait survécu était à présent éparpillé sur les tapis.

— J'espère sincèrement que tes goûts te portent plutôt vers Tupperware que vers Tiffany, dans ton petit repaire, chef, murmura-t-elle, incapable de s'empêcher de suivre des doigts les cicatrices qui couraient sur toute la longueur de son ventre. Ça pourrait te coûter cher, après une nuit passionnée.

Il se déplaça pour lui voler un bref baiser qui accéléra les battements de son cœur.

— Puisque tu sembles être l'unique déclencheur de mes tendances destructrices, je prendrai soin de mettre la porcelaine à l'abri quand tu viendras me voir.

Il parla d'un ton léger mais Regan se tendit et, malgré elle, se replia sur elle-même en percevant la note possessive dans sa voix. Dans le feu de l'action, elle avait réussi à oublier que Jagr avait laissé entendre qu'elle était sa compagne. Par l'enfer, à ce moment-là, elle aurait oublié l'imminence d'une apocalypse.

À présent, elle découvrait que, à cette perturbante pensée, elle éprouvait des difficultés à respirer. Comme si on l'étouffait.

— Tu crois que je vais venir te voir dans ton repaire ? tenta-t-elle de railler.

Quand il plissa les yeux, elle ne fut pas vraiment surprise. Il percevait bien trop ses émotions pour ne pas sentir son malaise.

— Je te tiens toute nue dans mes bras après avoir vécu l'orgasme le plus intense que nous ayons jamais connu tous les deux. (Il rencontra et retint son regard prudent.) Qu'est-ce que je pourrais croire d'autre ?

Elle sourit, faiblement.

— Qui sait ce que l'avenir nous réserve ?

Il ne lui rendit pas son sourire. En fait, il avait une expression carrément sinistre.

— Oui, en effet.

— On devrait s'habiller. J'ai promis à Styx que je…

Elle appuya les mains sur son torse et s'efforça de s'écarter de son corps ferme, mais le vampire massif roula soudain au-dessus d'elle.

— Jagr.

Dans l'épaisse obscurité, elle vit briller dans ses yeux une irritation refoulée.

— Pourquoi ?

Son corps qui l'écrasait de manière intime contre le matelas n'arrangea en rien ses problèmes de respiration.

Elle ne souhaitait pas penser aux compagnons et aux histoires d'amour compliquées. Ni à sa crainte qu'il s'attende à ce qu'elle lui offre quelque chose qu'elle n'était même pas sûre de posséder.

Elle voulait juste écarter les cuisses et se laisser emporter par des sensations pures et limpides.

Tellement plus facile.

Malheureusement, Jagr semblait résolu à l'obliger à avoir une discussion gênante au lieu de profiter du peu de temps dont ils disposaient.

— Quoi ? se força-t-elle enfin à demander.

— Pourquoi es-tu descendue ici cette nuit avec la ferme intention de me séduire ?

— Je croyais que c'était évident.

— Fais-moi plaisir.

Elle réprima un soupir résigné.

— Je te désirais. Tu as dit que tu me désirais. Certes, j'ai vécu la majeure partie de ma vie dans une cage, mais j'ai supposé que c'était une raison valable pour que deux personnes fassent l'amour. J'ai eu tort ?

— Oui, je te désirais. Je te désire même encore, mais je n'ai pas pour toi une espèce de compassion tordue.

De la compassion ? Elle fronça brusquement les sourcils.

— De quoi tu parles, bon sang ?

Les dents serrées, il lui jeta un regard furieux.

343

—Tu refusais que je me punisse pour t'avoir blessée, alors tu es venue ici, déterminée à faire le nécessaire pour me changer les idées.

Il lui fallut une seconde pour comprendre ce qu'il voulait dire ; alors, elle s'emporta immédiatement.

—Tu crois que j'ai couché avec toi par pitié ? s'écria-t-elle entre ses dents.

Il tressaillit à ces mots crus.

—Arrête.

—Quoi ? C'est toi qui insinues que je suis prête à donner mon corps pour t'apporter un peu de réconfort. Trop sympa.

—Alors, pourquoi ?

—Il doit y avoir une raison ?

—Non, ça pourrait être exactement comme tu as dit…

Il s'interrompit délibérément puis, lentement, se releva et se tint debout près du lit.

—Un accouplement sans conséquence pour soulager un besoin physique. Je devrais peut-être me montrer reconnaissant que tu n'aies pas décidé que Tane ferait l'affaire.

Après être descendue du lit tant bien que mal, Regan s'habilla avec des gestes saccadés, et observa à la dérobée Jagr en faire autant. Elle avait une étrange boule au ventre en le regardant remonter son jean délavé sur les muscles puissants de ses cuisses puis sur ses fesses. *Nom de Dieu*. Elle avait envie de passer des heures à explorer ce corps.

Non, arrête ça, Regan.

Jagr avait beau représenter tout ce qui existait de plus délicieux, elle finirait par devenir folle à cause de lui.

Les sourcils froncés, elle le regarda enfiler un tee-shirt noir qui moulait son torse parfait et se baisser pour mettre ses bottes. S'obstinant à ne pas lui prêter attention, il ramassa ses poignards et s'en arma méthodiquement.

— Bon sang, Jagr, grogna-t-elle.

Il fourra un pistolet dans sa ceinture.

— Je crois qu'on s'est dit tout ce qu'il y avait à dire.

— Mon Dieu, tu es vraiment un emmerdeur. (Elle se planta juste devant lui, furibonde.) D'accord, je suis venue ici parce que je me faisais du souci pour toi.

— Alors, tu as couché…

Elle lui avait plaqué la main sur la bouche avant qu'il ait pu lui renvoyer ses propres paroles au visage.

— Je suis venue parce que j'étais inquiète, mais ce n'est pas pour ça que je t'ai séduit.

Il écarta sa main de ses lèvres et, distraitement, tendrement, traça du pouce un cercle à l'intérieur de son poignet.

— Tu vas me dire pourquoi ?

— Parce que j'avais besoin d'être avec toi, marmonna-t-elle d'un air embarrassé.

Bon Dieu. Les confessions, ce n'était pas pour elle. Elle se sentait comme une figurante mal payée dans *Les Feux de l'amour.*

— Et ce devait être toi, ajouta-t-elle. Juste toi. Personne d'autre. (Elle secoua la tête quand il ouvrit la bouche.) Ne m'en demande pas la putain de raison, parce que je l'ignore.

Il se pencha pour frôler des lèvres le pouls qui tambourinait à son poignet.

— Si tu as besoin de moi, alors l'idée de venir me voir dans mon repaire ne devrait pas te faire paniquer.

Alarmée de plus belle, elle dégagea sa main d'un coup sec pour reculer.

—Ça n'aurait pas été le cas si tu n'avais pas évoqué toute cette histoire d'union.

Il scruta l'expression tendue de la jeune femme.

—Tu as peur que je t'enferme?

—J'ai juste… (Elle croisa les bras sur son ventre, incapable de mettre des mots sur son malaise.) Tu en es sûr?

—Sûr?

—Que je suis ta compagne?

—Tu ne portes pas encore ma marque mais, oui, j'en suis sûr.

Elle secoua la tête, se disant qu'il ne s'agissait que d'une erreur cosmique. Ce prédateur grand, beau et incroyablement sexy méritait une compagne à même de lui offrir un attachement pur et inconditionnel. Pas une garou paumée, déchirée entre l'envie de s'enfuir complètement terrorisée et la terreur absolue de ne jamais plus le revoir.

—Comment c'est possible? C'est vrai, quoi, on n'a pas cessé de s'engueuler depuis qu'on s'est rencontrés.

—L'une des petites blagues du destin, certainement.

C'était ridicule, mais elle ressentit une pointe de déception à son ton railleur.

—Tu n'as pas l'air particulièrement heureux.

—Je devrais l'être? rétorqua-t-il, les mains sur les hanches. Après des siècles de solitude, je trouve enfin la femme destinée à devenir ma compagne, et c'est une phobique de l'engagement. Pardonne-moi de ne pas sauter de joie.

Elle releva le menton, mais elle ne put s'empêcher de laisser traîner son regard sur les muscles alléchants que moulait le tee-shirt tendu à l'extrême.

Hé, elle avait beau être une démone, elle était une femme à part entière.

Qui ne serait pas distrait ?

— Je n'ai pas de phobie de l'engagement, je suis juste…

Il arqua ses sourcils dorés pendant qu'elle s'efforçait de mettre des mots sur ce qu'elle ressentait.

— Oui ?

— Je ne suis juste pas prête à réfléchir à mon avenir.

— Tu as déniché Culligan. À quoi dois-tu penser à part ton avenir ?

Elle s'accrocha à la première chose qui lui traversa l'esprit.

— À ma sœur, pour commencer.

Il fronça les sourcils.

— Darcy ?

— Non, celle que Caine retient prisonnière. (Elle rencontra son regard exaspéré avec un sourire tendu.) Je crois que nous pourrions bien disposer d'un moyen de la retrouver.

Levet n'était pas une gargouille heureuse.

Il était venu à Hannibal pour sauver Regan des griffes du sidhe malfaisant. Il était censé être le héros qui gagnait le cœur de la gente damoiselle et dont on célébrait les exploits au sein du monde démoniaque.

Au lieu de quoi non seulement il s'était fait ravir la fille par un vampire retors, mais il se retrouvait à présent obligé de jouer la baby-sitter d'un bâtard au mauvais caractère qui n'arrivait pas à décider s'il souhaitait être un méchant ou un gentil.

Où était la justice là-dedans ?

Et, pour couronner le tout, il était coincé dans une cabane de pêcheur exiguë presque cachée derrière des arbres touffus, à attendre que Salvatore les rejoigne à l'aube.

Il donna un coup de pied dans un caillou et s'engagea sur l'étroit sentier qui longeait le Mississippi.

Lorsque Salvatore avait ordonné à Duncan de le rencontrer dans un de ses sanctuaires, à moins d'une heure de Saint-Louis, Levet s'était accroché à l'espoir que l'endroit ressemblerait au Manoir Playboy. Salvatore avait beau être un chien, c'était le roi des chiens, et le bruit courait qu'il aimait les femmes.

Maudit garou.

Un grand plouf arracha Levet à son apitoiement gratifiant et, la mort dans l'âme, il se tourna vers le fleuve pour voir la tête de Bella apparaître, le reste de son corps toujours dissimulé dans les remous.

— Tiens, tiens. (Elle afficha un sourire suffisant.) Si ce n'est pas la gargouille naine.

— *Sacrebleu**. (Levet leva les mains, résigné.) Suis-je condamné à subir tes tourments jusqu'à la fin de l'éternité? Pourquoi ne t'en vas-tu pas?

La naïade fit la moue. *Waouh.* Elle parvint même à esquisser cette grimace avec charme.

— Tant que le bâtard n'a pas fait son troisième vœu, je suis libre d'errer à ma guise.

— Alors, va errer ailleurs, espèce de petite peste.

Elle se rapprocha de la rive à la nage.

— Tu es en colère juste parce que j'ai réussi à t'attirer dans un piège.

Levet renifla avec dédain, refusant de reconnaître que s'être laissé si aisément distraire par cette nymphe séduisante l'avait blessé dans son orgueil.

— Je suis en colère parce que tu me donnes mal à la tête. (Il plissa les yeux quand une pensée lui vint soudain à l'esprit.) Attends. Il reste des vœux à Duncan?

— Il m'a invoquée, dit-elle, comme agacée qu'il lui pose une question aussi évidente. C'est comme ça que ça marche. On m'invoque et on obtient trois vœux.

Bien sûr, Levet connaissait le principe de l'invocation d'une naïade. Il l'avait fait par accident, à peine quelques semaines auparavant. Ce qui l'intéressait, c'était de savoir si Duncan jouait oui ou non à quelque jeu sournois.

— Alors, pourquoi ne t'a-t-il pas demandé de le rendre invincible? répliqua-t-il.

— Je suis une nymphe, pas un dieu. Je peux changer l'apparence physique, comme je l'ai fait avec toi, ou faire apparaître des biens matériels.

Délibérément, elle lui rappela le bref épisode au cours duquel il était devenu une gargouille grandeur nature. Une gargouille capable de pillage, de saccage et de destruction systématique. Ah, c'était le bon temps.

— Mais je ne peux pas donner l'immortalité ni influencer quiconque à part la personne qui prononce les vœux.

— Ainsi, il n'a pas pu souhaiter que ses ennemis disparaissent?

— Non.

— Ni que Caine l'oublie?

— Encore, non.

— Alors, qu'est-ce qu'il a demandé?

Elle grimaça.

— Les trucs habituels.

Les soupçons de Levet commencèrent à s'apaiser.

— La richesse?

— Évidemment. C'est d'un banal.

— Quoi d'autre?

— Sa propre île.

— Pourquoi voudrait-il une île ?

— Je crois qu'il nourrit le projet grandiose de prendre le contrôle des bâtards rebelles et de diriger sa propre meute, une fois que Salvatore aura tué Caine pour lui.

Le petit démon fit claquer ses ailes, en proie à un amusement moqueur.

— Quelle chatte.

— « Chatte » ? (Bella cligna des yeux, déconcertée.) Oh… tu veux dire « con » ?

— Chatte, con, peu importe, répliqua-t-il. Salvatore ne laissera jamais les bâtards s'échapper dans une sorte de jardin d'Éden privé. Ils pourront s'estimer heureux de garder leur peau. Le roi des garous a beau être un sang-pur, il est aussi enragé que n'importe quel chien. On aurait dû le piquer depuis des années, si tu veux mon avis.

— Je ne dis pas à mes victimes… (Bella s'empressa d'essayer de rattraper son lapsus.) Je veux dire, je ne dis pas à mes « maîtres chanceux » quoi souhaiter. J'obéis, c'est tout.

Levet n'était pas dupe. En tant que démon de race pure, il était immunisé contre la malédiction de la naïade, mais la plupart des hommes assez cupides pour accepter les trois vœux qu'elle leur offrait ne tardaient pas à apprendre la vérité du vieux dicton « si cela semble trop beau pour être vrai… ».

— Alors, pourquoi Duncan n'a-t-il pas utilisé son dernier vœu ?

Elle esquissa un rictus.

— C'est un bâtard, pas un démon.

Il lui fallut une minute, puis il écarquilla les yeux.

— Ah ! Alors, à l'instar des humains, son dernier vœu le condamnera aux profondeurs aquatiques de ton antre ?

— Quelle petite gargouille intelligente, murmura-t-elle en rejoignant la rive à la nage.

Sortant du fleuve, elle apparut dans toute sa gloire.

Et quelle gloire.

La queue de Levet se raidit lorsqu'il vit la lumière de la lune lécher le corps parfait de la petite femme vêtue seulement d'une fine toge. La nymphe était peut-être la créature la plus idiote et la plus agaçante à avoir jamais croisé son chemin, mais, avec sa peau blanche, ses yeux bleus en amande et sa chevelure vert pâle, elle amenait toutes sortes de choses à frémir, sauter et grossir.

Grossir vraiment beaucoup.

— *Mon Dieu**, grogna-t-il.

Le sourire aux lèvres, elle s'avança vers lui en se déhanchant, passant les mains sur ses courbes généreuses.

— Je te plais ?

Levet grommela ses jurons préférés. Cette maudite naïade l'avait déjà berné. Il était excité – par les crottes de chauve-souris, il l'était – mais pas stupide.

— Je suis un homme, j'aime reluquer les jolies filles autant qu'un autre, mais je suis aussi une gargouille dotée de pouvoirs qui font trembler de peur le monde démoniaque, marmonna-t-il. Mes… bijoux de famille ne me mènent pas à la baguette.

— Dommage. (Elle franchit le peu de distance qu'il avait réussi à gagner, l'enveloppant de son parfum de pluie printanière.) J'ai si souvent pensé à toi durant mes longues journées solitaires sous l'eau.

— *Oui**, tu t'imaginais serrer mes chers testicules dans un étau.

— Oh, non. Quand je songeais à eux, ils se trouvaient en un tout autre endroit.

Délibérément, elle s'humecta les lèvres, et Levet manqua d'avaler sa langue.

Il voulait être mené à la baguette par ses bijoux de famille.

En fait, il voulait la mener, elle, à la baguette avec ses bijoux de famille.

Toutes ces histoires comme quoi il fallait se montrer raisonnable, ça craignait.

—Bah, parvint-il à croasser. Tu crois que j'ai oublié que tu m'as trahi à la première occasion ?

Elle esquissa une autre de ses moues charmantes.

—Je reconnais avoir été un tout petit peu énervée que tu m'aies condamnée à retourner dans mon antre après que je t'ai aidé à sauver tes amis. Tu peux me le reprocher ?

Une pointe d'irritation réussit à le faire bouillir malgré son violent désir.

—Par l'enfer, oui. J'ai été bombardé par un sort lancé par... un bâtard. (Il se frappa la poitrine du poing.) Moi. Sais-tu l'outrage que je subirais si cette information honteuse remontait jusqu'aux oreilles de ma famille ?

—Oh, bah. Qui le leur dirait ?

—Eh bien, laisse-moi réfléchir... (Il pointa une griffe dans sa direction.) Toi. Tu vas le leur dire. Quelle meilleure revanche que de faire de moi une source de moquerie parmi les miens ?

Elle l'observa d'un regard absent.

—Mais j'aurais cru que tu étais déjà... (Elle plaqua une main sur sa bouche.) Oups.

Levet trembla d'indignation.

—Je suis déjà quoi ?

—Rien.

—Oh, ce n'était pas rien. (Il retourna sa main, et une petite boule de feu dansa sur sa paume.) Je devrais peut-être juste te transformer en crapaud et en finir. Au moins, je n'aurais pas à m'inquiéter que tu ouvres la bouche.

Au lieu de frémir de terreur, l'exaspérante enquiquineuse se baissa pour effleurer des doigts le bout de ses ailes.

—Voyons, ne nous précipitons pas, ma minuscule gargouille.

Ohhhhh. C'était bon. Si bon.

—Je ne suis pas minuscule, protesta-t-il d'une voix tendue. Je suis majestueusement menu.

Des doigts, elle le caressa en tous sens et le câlina.

—J'aime bien « menu ».

Il gémit contre sa volonté.

—Arrête.

—Tes lèvres disent « non » mais tes ailes disent « oui ».

Il jeta un coup d'œil par-dessus son épaule, et s'aperçut que les perfides brillaient comme une enseigne au néon devant un bar populaire.

—Maudites ailes.

—Et ces cornes délectables ? (Elle remonta les mains pour jouer avec ses protubérances atrophiées.) Qu'ont-elles à raconter ?

—Bella…

Elle caressa une zone particulièrement sensible et ses genoux se dérobèrent presque sous lui. Voilà une nymphe pour qui combler une gargouille n'avait plus de secrets.

—Oh. *Sacrebleu**. Où as-tu appris à faire ça ?

—Ici et là. (Elle se pencha pour lécher la pointe d'une corne.) Tu veux découvrir ce que j'ai appris d'autre ?

Levant les yeux au ciel, Levet s'avoua vaincu. Non, il se jeta la tête la première dans la défaite.

S'il s'agissait d'un piège, tant pis.

— Oui. Grands dieux, oui.

Les grands philosophes, poètes et dramaturges consacraient des vies entières à dévoiler les ironies de la vie.

Jagr avait étudié leurs œuvres.

Il avait intellectuellement compris leurs luttes pour donner du sens à des existences parfois absurdes. Mais une partie de lui-même avait toujours été détachée de leurs expériences.

Des siècles durant, il était demeuré à distance de la société, qu'il observait depuis les ténèbres et à laquelle il se mêlait rarement. Enveloppé de paix et de solitude, il avait souvent considéré les descriptions des relations amoureuses comme des bêtises mélodramatiques.

Comment l'amour, ou même l'affection, pouvait-il offrir tant d'incertitude, de confusion et, carrément, de torture ?

À présent il le savait avec une clarté douloureuse.

Depuis que Regan était entrée dans sa vie, tout avait changé.

Comme s'il vivait sur des montagnes russes, reconnut-il avec amertume en faisant les cent pas dans la chambre de Tane. Un instant il se noyait dans un plaisir sensuel et le suivant il se débattait contre une sombre vague de résignation car Regan paniquait à l'idée d'être sa compagne.

Et le suivant encore…

Le suivant, il était consumé par une rage pure pendant que la jeune femme lui racontait à quel point elle avait agi stupidement alors qu'il était enfermé dans la cage de Gaynor.

— Tu t'es lancée à la recherche de Sadie sans Tane ? grinça-t-il d'un ton profondément glacial, cherchant à contenir ses émotions.

Debout près de la porte de la salle de bains, Regan brossait énergiquement ses boucles magnifiques, les dents serrées avec entêtement, même si elle ne pouvait ignorer l'inconscience de son comportement.

— Il était un peu trop inflammable pour se joindre à moi.

Farouchement, Jagr refusa de se rappeler combien il était merveilleux de passer les doigts dans cette crinière dorée.

— Bon Dieu, quand tu as dit avoir découvert Culligan, je n'avais pas compris que tu avais battu la campagne seule.

Il lut une mise en garde dans les yeux verts de la jeune femme.

— Parce qu'une sang-pur est incapable de se débrouiller sans un vampire comme garde du corps ?

— Parce que, s'il t'était arrivé quoi que ce soit, j'aurais pété les plombs, avoua-t-il à brûle-pourpoint. Et rien ne m'aurait ramené.

Il l'entendit haleter, et la brosse lui glissa des doigts alors que son expression méfiante s'adoucissait.

— Écoute, tout ce que je comptais faire, c'était voir si je pouvais traquer les bâtards. Je n'avais pas l'intention de les affronter sans Tane ou Styx.

Jagr se figea, prenant brutalement conscience que Regan avait réussi ce qu'il avait tenté en vain.

— Comment les as-tu trouvés ?

À la pointe d'irritation qui transparut malgré lui dans sa voix, la jeune femme retint un sourire.

— Gaynor a évoqué l'addiction de Sadie à ses caramels au beurre de cacahuète. Après en avoir humé le parfum, je l'ai cherché jusqu'à tomber de nouveau dessus.

— Des caramels au beurre de cacahuète ?

— Ça a marché.

Il grommela un juron ancien.

—Et c'est là que tu as déniché Culligan?

—Il était enchaîné dans l'appentis. (Elle haussa les épaules, mais ce geste ne masqua pas la répugnance que lui inspirait encore le sidhe.) Quand je l'ai interrogé, j'ai appris que le portail de Gaynor était faible et que tu étais probablement enfermé à proximité de l'endroit où tu avais disparu. J'ai décidé de prendre son amulette et d'essayer de te trouver.

Jagr ravala ses mots durs. Il avait beau être furieux, il préférerait se couper la langue que de bouleverser Regan pour rien.

—Et Duncan? demanda-t-il.

—Nous sommes tombés l'un sur l'autre lorsque je suis sortie de la cabane.

À la seule pensée de ce bâtard qui non seulement attaquait Regan mais la retenait prisonnière, ses crocs s'allongèrent et une vague de pouvoir glaciale emplit la pièce.

Pas de soif de sang, simplement la bonne vieille rage qu'éprouverait tout homme en apprenant qu'il était arrivé quelque chose à sa compagne.

—Il aurait pu te tuer.

Regan claqua la langue avec impatience et se planta juste devant lui.

—Un mot de plus pour dire que je me mets en danger et cette conversation est close, chef.

Chef. C'était absurde, mais ce surnom l'aida à calmer sa fureur. Il lui rappela que, en dépit de toutes ses protestations, la jeune femme n'était pas aussi détachée qu'elle l'aurait voulu.

—Bien, concéda-t-il à contrecœur.

À quoi bon discuter ? Elle ferait ce que bon lui semblerait. Comme toujours.

Et, paradoxalement, c'était ce qu'il admirait le plus chez elle.

L'ironie, en effet.

— En plus, tout s'est très bien déroulé, souligna-t-elle. Maintenant on peut au moins espérer sauver ma sœur.

Ce qui était parfaitement vrai. Jagr se frotta le visage, las malgré le sang du bâtard qu'il venait de boire.

Une petite partie de lui-même regrettait de ne pas avoir déjà fait son sac pour retrouver la paix de son repaire. Chaque minute passée en compagnie de Regan ne ferait qu'accentuer son sentiment de perte quand elle disparaîtrait de sa vie.

Mais il repoussa aussitôt cette pensée.

Tant que sa belle garou aurait besoin de lui, il resterait à ses côtés.

Pitoyable, mais vrai.

Il secoua la tête avec impétuosité et se dirigea vers la porte donnant sur le salon.

— Nous devons en informer Styx.

— Jagr.

Il s'arrêta pour la regarder par-dessus son épaule.

— Quoi ?

Elle s'humecta les lèvres, étrangement hésitante. Comme si elle luttait contre quelque démon intérieur.

Finalement elle secoua brusquement la tête.

— Rien.

Il ravala un juron d'impatience. Il n'était peut-être pas le vampire le plus perspicace du monde, mais il apprenait de ses erreurs. Et tenter de presser Regan ne la pousserait qu'à se braquer davantage.

Le savoir n'apaisa en rien sa colère, et il sortit de l'appartement comme un ouragan pour se mettre en quête de son Anasso.

Suivant l'odeur caractéristique de son pouvoir, il traversa les salles de surveillance et accéda à une vaste bibliothèque équipée d'un téléviseur plasma. Sans surprise, Styx s'était plongé dans un ouvrage rare sur l'histoire des huguenots plutôt que de regarder les chaînes cinéma. L'Anasso n'avait jamais partagé l'intérêt de Jagr pour la société en constante évolution, et ce n'était qu'en raison de sa détermination à faire plaisir à sa nouvelle compagne qu'il ne vivait plus dans une caverne humide complètement dépourvue de tout confort moderne.

Jagr franchissait à peine le seuil que Styx s'était levé, ses sourcils arqués indiquant qu'il avait parfaitement conscience des émotions embrouillées de son frère, même s'il eut l'intelligence de ne s'autoriser aucun commentaire.

Il laissa Jagr lui apprendre que Duncan essayait de négocier avec les garous et qu'il avait affirmé être en mesure de leur révéler l'endroit où la sœur de Regan était détenue.

Lorsqu'il eut terminé, Styx sortit un téléphone portable de sa poche et composa rapidement le numéro de Salvatore.

Jagr écouta d'une oreille distraite la discussion brève et tendue, ayant conscience que Regan entrait dans la pièce derrière lui.

Délibérément, il garda le regard rivé sur la silhouette imposante de l'Anasso lorsqu'elle s'immobilisa près de lui. Une vaine tentative. Elle n'avait qu'à se trouver à proximité pour qu'il se noie dans sa présence aux effluves de jasmin.

Dans un claquement audible, Styx referma son portable et le fourra dans la poche de son pantalon en cuir. Peut-être sans surprise, Regan se rapprocha de Jagr.

Dans le meilleur des cas, Styx dégageait une aura écrasante. En voyant l'expression renfrognée qui assombrissait ses traits sévères et son corps massif crispé par la contrariété, toute créature dotée d'un cerveau se tiendrait sur ses gardes.

Sans prêter attention à l'air mordant ou sans s'en rendre compte, Styx leva une main pour la passer sur ses cheveux de jais coiffés en une tresse qui lui retombait presque jusqu'aux genoux.

Darcy ne tirerait jamais ce fier vampire complètement dans le XXIe siècle.

— Il rencontre Duncan à l'aube, déclara-t-il, la voix dure. Il refuse de nous communiquer le lieu de leur entrevue.

— Refuse ? (Jagr secoua la tête.) Le chien arrogant.

Styx grimaça.

— Il a proclamé qu'il s'agissait d'une affaire de garous et que je n'avais pas autorité pour m'en mêler, même si Darcy pourrait avoir une opinion différente quand je le lui dirai.

— Parce que tu tiens vraiment compte de l'avis de ta compagne ? demanda Regan d'un ton excessivement doucereux.

Jagr fronça les sourcils, mais Styx sembla trouver cette pique amusante.

— Crois-moi, c'est un talent durement gagné, avoua-t-il en riant.

La mauvaise humeur de Jagr s'accentua, et il jeta un regard furieux à son roi. *Le traître.*

— Tu as l'intention de rentrer à Chicago ?

Styx ferma les yeux un instant et huma l'air.

—Il est trop tard pour entreprendre le trajet cette nuit, estima-t-il en rouvrant les yeux. Et je préférerais régler certains détails avant de partir.

Jagr inclina la tête.

—En parlant de détails, j'ai un sidhe à traquer.

—L'aube sera là d'ici à deux heures, l'avertit-il.

Le vampire le plus jeune tapota l'un de ses nombreux poignards.

—Ce ne sera pas long.

—Je t'accompagne. (Styx s'avança d'un pas.) Une fois le sidhe mort, nous pourrons fouiller la cabane qu'a découverte Regan. Les bâtards y sont peut-être retournés.

—Ce qui signifie que vous aurez besoin de moi pour retrouver cet endroit, dit la jeune femme, un sourire suffisant aux lèvres.

—Ce ne sera pas nécessaire. Nous pourrons suivre ta piste, répliqua Jagr, incapable de retenir ces mots qu'il savait vains.

—Ne t'avise pas de commencer. Je viens, répliqua-t-elle en avançant d'un pas.

Ils demeurèrent tous deux là, à se foudroyer du regard, jusqu'à ce que Styx tape dans le dos de Jagr.

—Je te suggérerais de laisser tomber, mon vieil ami, lui conseilla-t-il en quittant la pièce.

Jagr céda à l'inévitable plus qu'il ne s'avoua vaincu. Regan était une force de la nature qu'il ne savait pas contrôler.

Sans un mot, il suivit Styx à l'extérieur du repaire jusqu'à la Porsche garée dans l'allée circulaire. Il réussit même à tenir sa langue lorsque Regan monta à l'arrière, et il s'installa en silence à la place du passager.

Il venait tout juste de refermer la portière que Styx emballait le moteur puissant et fonçait à travers les champs déserts, un sourire que Jagr soupçonnait être amusé sur les lèvres.

Qu'était donc devenue la solidarité entre vampires?

Le salaud.

Au moins la voiture parvint à parcourir le trajet à une allure proche de la vitesse de la lumière. Après avoir dirigé Styx sur les routes secondaires, Jagr leva enfin la main.

— Arrête-toi là. (Il lui montra le bâtiment plein de fioritures dans le coin.) Le salon de thé est juste devant.

La Porsche s'immobilisa et ils sortirent dans l'ombre d'un cornouiller.

Un cornouiller que décorait un camion familier, bien que dans un état considérablement aggravé.

Styx examina l'épave en haussant les sourcils.

— Il appartient à Tane?

— Appartenait. (Jagr jeta un coup d'œil à Regan, qui avait décidément l'air coupable.) Ton œuvre?

— Hé, je n'avais jamais conduit avant. (Elle haussa les épaules, mal à l'aise.) En plus, c'était déjà un vieux tas de ferraille.

— Je te suggérerais de ne pas laisser traîner tes clés, mon seigneur, dit-il à Styx d'un ton pince-sans-rire.

— Ha ha! Très drôle, commenta Regan.

Relevant le menton, elle remonta la rue, le dos raide.

Styx sourit.

— Même si je reconnais les talents de démolisseuse de Regan, je dois avouer qu'elle n'est qu'une amatrice en matière de destruction de véhicules, comparée à Levet. Cette gargouille possède une aptitude exquise pour détériorer même les meilleures voitures. Viper te le confirmera.

— Vu l'obsession peu commune que lui inspirent ses voitures, je préfère éviter de lui rappeler des souvenirs désagréables.

— Sage décision, déclara Styx d'une voix traînante.

— Il arrive de temps en temps que mon instinct de conservation prenne le dessus.

Son regard fut irrésistiblement attiré vers Regan qui faisait les cent pas avec impatience sur le trottoir, juste en face du salon de thé.

— Quoique pas aussi souvent que je pourrais l'espérer.

Styx posa une main sur son épaule avec une douceur surprenante.

— J'aimerais te dire que ça s'arrange, mais j'essaie d'avoir pour règle de ne pas mentir plus que nécessaire.

Jagr grimaça en sentant son cœur se serrer douloureusement.

— Le temps que nous avons à passer ensemble touche à sa fin.

— Seuls les oracles sont capables de lire l'avenir. Cezar en est la preuve.

Jagr pinça les lèvres. La compagne de Cezar était l'une des rares oracles, un sort que Jagr ne souhaiterait à personne.

Une garou au mauvais caractère avec la phobie de l'engagement n'était déjà pas un cadeau.

— Je n'ai pas besoin d'un oracle pour savoir que Regan est déterminée à demeurer une vraie louve solitaire.

Manifestement lasse d'attendre, la jeune femme mit les mains sur les hanches et jeta un regard excédé aux deux vampires.

— On y va, oui ou non?

Styx regarda Jagr du coin de l'œil, d'un air amusé.

—Une vraie petite despote, non?

—Tu n'imagines même pas.

Elle leva les bras au ciel, en signe d'impuissance, tourna les talons et traversa la rue, furieuse, pour rejoindre le salon de thé silencieux.

—On devrait peut-être s'assurer qu'elle ne s'attire pas d'ennuis, murmura Styx.

—Si seulement c'était possible.

Jagr se précipita aussitôt à sa suite, un soudain sentiment d'urgence le poussant à accélérer lorsque la silhouette minuscule de la jeune femme disparut par le portail de la palissade pour contourner le bâtiment. Malgré la distance, la puanteur de pêches pourries saturait l'air.

—Regan!

Elle s'arrêta brusquement, sur ses gardes.

—Je le sens aussi. Il est mort?

—Oui. (Il n'avait pas besoin de voir le corps de Gaynor pour percevoir la violence qui enveloppait les lieux.) Et pas d'une façon agréable. Il a perdu beaucoup de sang.

Sortant des ténèbres, Styx examina la porte-fenêtre cassée.

—Trois bâtards morts, un inconscient, ainsi que le sidhe. Je ne distingue l'odeur de personne d'autre.

Jagr scruta le jardin plongé dans l'obscurité, son instinct l'avertissant d'une menace indéniable.

—Ça ne veut pas dire qu'ils ne rôdent pas dans les alentours, gronda-t-il. Ces maudites amulettes nous empêchent d'en être sûrs.

Styx fronça les sourcils.

—On devrait faire rapidement le tour du salon de thé.

—Vas-y. (Méfiant, Jagr continua à balayer la nuit du regard.) On reste ici.

—Jagr…

Il posa l'index sur les lèvres de Regan pour qu'elle ne proteste pas.

—Non, Regan, je ne fais pas ça pour te protéger.

Styx se rapprocha d'eux.

—Que se passe-t-il ?

—Je ne parviens pas à mettre le doigt dessus. Je crois juste qu'on ferait mieux de faire le guet.

Le vampire hocha la tête, sans contester le vague malaise de son ami.

—Je me fie à ton instinct, mon frère. Je ne serai pas long.

CHAPITRE 19

Regan regarda le très grand et très effrayant Styx disparaître par la porte-fenêtre avant de se tourner pour observer Jagr d'un air renfrogné.

Enveloppée par l'odeur de la mort et de la violence, elle éprouvait l'impression bizarre d'être engourdie.

Sans doute guère étonnant, après ces derniers jours.

Ce qu'une femme, même accoutumée à la brutalité des démons, pouvait supporter sans connaître une surcharge émotionnelle avait des limites.

Ce qui ne signifiait pas, cependant, qu'elle avait oublié les dangers qui la menaçaient toujours.

Un coup d'œil à l'expression tendue de Jagr suffisait à le lui rappeler.

— Qu'est-ce que tu sens ? chuchota-t-elle.

— On nous observe.

Sans même jeter un regard de son côté – apparemment une mode, cette nuit-là –, il sortit deux poignards de ses bottes et lui en donna un.

— Tiens.

Lorsqu'elle se saisit de l'arme avec précaution, elle grimaça en découvrant la longue lame mortellement affûtée.

— De l'argent ?

— Oui. Essaie de ne pas te le planter dans le corps.

— Je sais où j'aimerais le planter.

Alors qu'elle s'attendait à une réplique cinglante, elle fut désarçonnée quand Jagr se retourna avec lenteur, le visage grave.

— Sommes-nous destinés à être des ennemis, petite ?

Cette question implacable, bien que prononcée d'une voix douce, la déconcerta.

Bon Dieu, ce vampire la plongeait dans la confusion. Pourquoi ne pouvait-il pas juste la laisser paniquer ? Pourquoi ne fuyait-il donc pas, face à son comportement complètement irrationnel et versatile ?

Ce que tout honnête démon ferait.

Au lieu de quoi, il la dévisageait avec cette expression prudente et glacée dont elle savait qu'elle cachait à quel point sa réponse comptait pour lui.

— Non, chuchota-t-elle enfin, incapable de lui assener le coup final. Je ne veux pas être ton ennemie, Jagr. Il semblerait que j'en aie déjà assez.

Délicatement, il posa une main sur sa joue.

— Regan…

Elle n'avait pas la moindre idée de ce qu'il s'apprêtait à dire, et elle ne le découvrirait jamais, car il fit brusquement volte-face, le corps tendu.

— Jagr, qu'y a-t-il ?

— Un piège, grogna-t-il en se précipitant vers la porte-fenêtre à une vitesse presque fulgurante. Styx.

Momentanément abasourdie, elle le regarda disparaître dans le salon de thé. Que se passait-il donc ? Elle s'avança pour lui emboîter le pas, quand elle entendit distinctement un déclic, aussitôt suivi par le bruit d'une déflagration qui fit trembler la terre sous ses pieds.

Elle eut l'impression que tout se déroulait au ralenti tandis qu'elle voyait, horrifiée, les flammes et la fumée s'élever en volutes. Puis, tout à coup, elle sentit la secousse qui l'envoya voler en arrière alors que le bâtiment s'effondrait sous la force de l'explosion.

Jagr.

Absolument paniquée, impuissante, elle fendit l'air comme un débris et percuta finalement un chêne avec une violence telle qu'elle perdit un instant connaissance.

Les ténèbres s'installèrent et repartirent dans un éclair de douleur fulgurante, mais Regan ne tint pas compte de ses vertiges ni de son envie de vomir le peu qui restait dans son estomac. Elle n'avait pas le temps d'être malade. Jagr se trouvait dans le salon de thé. Elle devait le rejoindre, et, nom d'un chien, s'il s'était laissé mourir, elle allait…

— Enfin seule, chienne.

Consumée de peur et de désespoir, elle fut complètement prise au dépourvu par la grande femme aux cheveux et aux yeux sombres qui sauta des branches de l'arbre pour se dresser sur son chemin.

Regan s'immobilisa en trébuchant et serra les dents, balayant l'étrangère du regard. En apercevant son bustier et son pantalon en cuir, assortis à des bottes à talons hauts, elle esquissa une grimace distraite. Cependant ce ne fut pas l'accoutrement qui retint son attention, mais les muscles fermes et parfaitement dessinés qui lui apprirent que cette femme n'était pas juste une stripteaseuse du coin qui rentrait chez elle après une nuit difficile.

Ça, et l'absence totale d'odeur.

— Sadie, souffla-t-elle, le ventre noué de rage.

C'était à cause de cette femme que Regan avait été attirée à Hannibal, à cause d'elle que Gaynor avait séquestré Jagr, à cause d'elle enfin que cette explosion avait eu lieu, tuant peut-être même son vampire.

Regan allait lui arracher le cœur de sa putain de poitrine.

— Je vois que ma réputation me précède, railla la femme, qui ne se rendait manifestement pas compte qu'elle était déjà morte. Quoi? Pas de réplique bien envoyée? Je savais bien que je serais déçue lorsque je te verrais.

Regan commença à tourner autour de la bâtarde avec lenteur. Au cours de son vol plané inattendu, elle avait perdu le poignard que lui avait donné Jagr. *Allez savoir où il est.* Et, alors que son instinct hurlait d'avoir l'occasion d'arracher le cœur de Sadie, elle n'était pas bête.

Le moment était mal choisi pour prendre des risques. Pas quand Jagr avait besoin d'elle.

— Ce n'est pas à coups de répliques bien envoyées que je vais te tuer, déclara-t-elle d'une voix traînante, espérant ainsi l'empêcher de détourner d'elle son attention.

— Toi, tu vas me tuer?

— Oui.

— Tu n'es rien sans ton vampire, espèce de monstre génétiquement modifié, persifla la femme. Une garou qui ne peut même pas se métamorphoser.

Regan sentit son cœur se serrer à l'évocation de Jagr, mais elle continua à tourner autour de la bâtarde avec une détermination farouche.

— Je suis peut-être un monstre, mais un de sang pur, et tu ne peux pas en dire autant… bâtarde.

Plongeant la main dans son dos, Sadie brandit un fouet étroitement enroulé.

Un fouet?

Qui pouvait bien utiliser un fouet? Enfin, à part Indiana Jones.

D'un mouvement exercé de la main, la bâtarde détendit le poignet, envoyant la lanière claquer à quelques centimètres du visage de Regan.

Nom de Dieu.

Elle recula d'un bond, réprimant un juron de frustration. Le fouet ne la tuerait pas, mais il pouvait l'enlacer et l'immobiliser.

Sans compter qu'il avait une portée suffisante pour l'empêcher de s'emparer aisément du poignard qu'elle venait d'apercevoir.

Son seul espoir était d'éloigner Sadie de cette maudite arme pour ensuite tenter de s'en saisir à un moment où elle serait distraite.

— Tu te crois plus forte que moi ?

De nouveau, le fouet fendit l'air en ondulant, coupant la chair de sa joue.

— Je ne le crois pas, non, j'en suis sûre. (Sans prêter attention au sang qui lui dégoulinait dans le cou, elle changea de direction, comme si elle essayait d'atteindre le portail.) Tu n'es qu'une humaine infectée tout juste capable d'imiter une garou sans jamais en devenir une. Une pitoyable ratée.

Ces mots firent mouche et les yeux sombres de la femme lancèrent des éclairs.

— Tu ne sais pas de quoi tu parles.

Regan sauta sur le côté lorsque le fouet cingla l'air.

— Je suis au courant de votre projet de psychopathes d'utiliser ma sœur comme une sorte de cobaye, dans l'espoir navrant de vous élever au-dessus de votre condition de charognards du monde démoniaque.

— Nous sommes destinés à régner.

Regan se rapprocha du portail de deux pas, et dissimula sa satisfaction sans joie quand Sadie la suivit.

— Parce qu'un imbécile l'a vu dans une vision ?

« Clac. » Le fouet la coupa profondément au ventre ; son nouveau petit haut était foutu.

La chienne.

— Caine est un prophète, cracha Sadie.

Regan ne prit pas la peine de cacher la violente douleur qu'elle ressentit quand elle trébucha ; à dessein, elle jeta un coup d'œil par-dessus son épaule, comme si elle estimait la distance jusqu'au portail ouvert.

— C'est un détraqué à qui on devrait passer une camisole de force, et tu es encore plus détraquée de le croire. J'imagine que ce vieux dicton est vrai : « Chaque minute, il naît un gogo. »

Un sourire dur ourla les lèvres de la femme. Dommage, vraiment. Elle aurait été belle, sans cette expression haineuse.

Enfin, ça et son accoutrement d'entraîneuse de bas étage.

— Où est ta foi, garou ? demanda Sadie.

— Quand quelqu'un se met à débiter des histoires de visions, la première chose qui me vient à l'esprit, c'est qu'il devrait prendre des médocs, pas alléluia.

— Tu vois, c'est le problème avec la jeunesse d'aujourd'hui.

— La santé mentale ?

— Le cynisme. (Elle fit remonter une main sur son bustier et lui fit épouser un sein encore ferme.) Regarde-moi, j'étais une pute de rien du tout qui se faisait régulièrement violer par son père, et j'échangeais mon corps contre l'héroïne qui rendait supportable mon enfer personnel. Puis Caine a tout changé, et bientôt je serai reine.

— La reine des chiens ? railla Regan.

Sans tenir compte de la chaleur qui se dégageait du salon de thé en flammes, elle progressa encore de quelques pas. Bon sang, elle devait atteindre ce poignard et tuer cette chienne. Si Jagr était encore en vie… non, il était vivant. Elle ne pouvait pas se laisser aller à penser qu'il en était autrement. Et elle devait le retrouver.

—La belle affaire, ajouta-t-elle.

—C'est certainement mieux que de perdre son temps à se lamenter et à bouder parce que tu t'imagines avoir traversé une mauvaise passe.

—Une mauvaise passe ? Culligan m'a torturée pendant les trente dernières années.

—Bou, hou ! Tu as eu quelques petites coupures et des contusions, et après ? (Le fouet siffla dans l'air, et frappa Regan au cou alors même qu'elle se jetait sur le côté.) Tu devais écarter les cuisses pour tous les hommes dégoûtants qui étaient infoutus de bander à moins de te battre ? Tu dormais dans les ruelles en priant que quelqu'un te tranche la gorge pour ne pas avoir à te réveiller ?

Regan serra les dents. Elle guérissait vite mais perdait trop de sang.

—Pire, j'aurai eu à écouter l'histoire de ta vie, répliqua-t-elle, éloignant encore Sadie du poignard. Tu gonfles tout le monde avec ? Parce que ça pourrait expliquer pourquoi ton seul ami est un hors-la-loi souffrant de la folie des grandeurs.

—Ça vaut toujours mieux qu'une gargouille naine et un mort-vivant. (La haine couvait dans ses yeux noirs.) Dis-moi, c'est comment de baiser un macchabée glacé ?

Regan cracha, sa louve hurlant son désir de tuer.

—Va te faire voir !

— Ah, aurais-je touché un point sensible ? (Sans le savoir, Sadie s'écarta davantage de l'arme, se servant du fouet pour ouvrir une nouvelle entaille sur le ventre de la jeune femme.) Tu sais, tu ne peux t'en prendre qu'à toi-même pour son trépas prématuré. Enfin… son second. Si tu avais gentiment obtempéré, le séduisant vampire n'aurait eu aucune raison de mourir.

Merde. Regan pressa une main sur sa blessure béante. Quelques pas de plus.

Juste quelques-uns.

— Devenir un rat de laboratoire pour une bande de chiens me pose problème.

— Je préférerais te tuer, mais malheureusement ça va devoir attendre que Caine soit certain d'avoir tout ce dont il a besoin avec ta sœur.

Regan ne cessa pas de décrire un cercle autour de la bâtarde, mais elle plissa les yeux quand celle-ci mentionna sa sœur.

Peut-être qu'elle pourrait faire d'une pierre deux coups.

Ou deux bâtards minables.

— Pourquoi il me veut ?

Sadie ricana en balayant d'un regard dédaigneux le corps ensanglanté de Regan et ses vêtements en lambeaux.

— Toi, petit monstre, tu es notre solution de rechange au cas où elle aurait l'impolitesse de nous claquer entre les doigts.

— Sympa.

— Les révolutions sont toujours difficiles. (Son fouet cingla l'air, et elle se renfrogna quand Regan parvint à esquiver la lanière.) Du moins, pour les perdants.

— Oh, tu as parfaitement raison.

Du coin de l'œil, Regan aperçut la lame en argent du poignard qui miroitait au clair de lune. Le moment était venu de sortir la grosse artillerie.

— Comme ton cher Caine ne va pas tarder à le découvrir. Salvatore s'est déjà lancé sur sa piste.

Sadie gronda en montrant les dents, une lueur sinistre passant soudain dans ses yeux alors qu'elle sentait le besoin de se transformer vibrer dans son corps.

— Je suppose qu'il s'agit d'un subterfuge pitoyable pour me déconcentrer ?

Malgré sa douleur, Regan parvint à esquisser un sourire moqueur.

— Tu devrais vraiment travailler ta brillante personnalité, Sadie. Elle n'a pas l'air d'inspirer le genre de loyauté nécessaire à la réussite des révolutions. (Son sourire s'élargit.) Duncan est déjà passé à l'ennemi.

Sadie se figea.

— Menteuse.

Regan commença à se diriger furtivement droit sur le poignard. Elle ne pouvait pas perdre davantage de temps.

— Tu n'es pas surprise, n'est-ce pas ? demanda-t-elle, évaluant en silence la distance qui lui restait. J'ignore ce que tu lui as fait, mais il te voue une haine violente. Il mourait d'impatience d'organiser une rencontre avec Salvatore pour balancer tout ce qu'il savait sur Caine et ses laboratoires secrets.

— Comme si Caine révélerait quoi que ce soit à un simple pion comme Duncan, déclara Sadie d'un ton méprisant, mais sans pouvoir dissimuler la tension qui assombrissait son visage dur. Ils ne le trouveront jamais.

— Oh, que si.

Regan grogna quand le fouet l'atteignit à l'épaule. Une fois que tout ça serait fini, elle lui foutrait ce truc dans le cul. Pour le moment, elle en était réduite à endurer cette situation avec le sourire.

— En plus, poursuivit-elle, si tu es aussi intelligente que tu le prétends, alors tu vas prendre contact avec Salvatore pour tenter de lui proposer ton propre marché. Si tu peux le conduire directement à ma sœur, il sera peut-être prêt à négocier avec toi plutôt qu'avec Duncan.

— Il n'y aura pas de négociation, cracha Sadie, qui tremblait tant le besoin de se transformer la tenaillait. Si Salvatore se mêle de cette histoire, il mourra.

— J'espère que tu n'es pas le genre de femme à parier, Sadie, parce que tu mises sur le mauvais cheval.

— Ça suffit, hurla la bâtarde. Nous partons. Maintenant.

— Je ne crois pas, non.

Préparée à ce que Sadie tente d'enrouler le fouet autour d'elle, Regan se jeta au sol, et parvint à esquiver le coup. Toujours à quatre pattes, elle franchit la courte distance qui la séparait encore du poignard et réussit enfin à s'en saisir.

Une vague de joie la submergea. Il était temps, putain. Sadie était morte et bien morte.

Refermant les doigts sur le manche, elle s'imaginait déjà enfonçant la lame d'argent profondément dans le cœur de cette chienne quand un grondement sourd s'éleva.

Bon sang.

Regan roula prestement sur le côté, et évita de justesse les mâchoires de la bâtarde transformée.

De toute évidence Sadie avait décidé que, si elle ne pouvait pas prendre Regan vivante, alors elle la prendrait morte.

Ou peut-être était-elle incapable de contrôler son instinct.

Dans tous les cas, Regan sut immédiatement qu'elle avait un gros problème.

Allongée sur le dos, elle aperçut pour la première fois la Sadie métamorphosée. Une louve magnifique. Évidemment. Grande et fine, sa fourrure était d'un riche acajou, avec une touche d'argent sur le museau. Dans l'obscurité, ses yeux flamboyaient d'une lueur cramoisie ; Regan eut la chair de poule, comme si sa propre louve luttait pour la rejoindre.

Une émotion, peut-être même de la jalousie, l'envahit un instant avant qu'elle ne chasse cette sensation inepte pour se concentrer sur des choses plus importantes.

Comme rester en vie.

Sadie poussa un grognement guttural et se prépara à bondir ; comprenant qu'être clouée au sol lui serait fatal, Regan brandit le poignard.

Elle se trouvait trop loin pour ouvrir plus qu'une entaille superficielle dans le poitrail de la bâtarde mais, à la brûlure de l'argent, celle-ci sauta en arrière instinctivement.

Prompte à prendre le dessus, Regan se releva, sans jamais quitter des yeux la bête qui se déplaçait sur le côté, tentant de l'attraper par-derrière.

La jeune femme marcha au même rythme que Sadie, le poignard à la main. Sous sa forme actuelle, cette dernière disposait d'un net avantage, non seulement en taille, mais aussi en force pure, brutale.

Heureusement, tout bon sens tendait à disparaître quand un bâtard était enragé.

Sadie continua à décrire un cercle, faisant claquer ses crocs impressionnants et feignant parfois d'attaquer. Regan ne s'y laissa pas prendre, consciente que la louve cherchait à la pousser à réagir de manière disproportionnée, pour qu'elle crée une brèche dans sa défense.

Derrière elle l'incendie se propageait toujours dans le salon de thé, et la fumée et la chaleur envahissaient le jardin. Elle essuya la sueur qui s'était accumulée sur son front, prête à frapper avec détermination. Sadie ne tiendrait pas longtemps. C'était une bâtarde, pas une sang-pur. Ses émotions la conduiraient à sa perte.

La louve feinta encore mais, quand Regan ne broncha pas, elle rabattit les oreilles et hurla de frustration.

Regan fléchit les jambes, les doigts serrés autour de la poignée de son arme. À tout instant, à présent. À… tout… instant…

Le hurlement baissa en intensité jusqu'à se transformer en grondement et Sadie s'élança brusquement, les mâchoires ouvertes alors qu'elle se jetait directement à la gorge de Regan. Préparée à cette attaque, la jeune femme se pencha en arrière, et esquiva les crocs qui se refermaient sur elle tout en plantant son poignard dans le poitrail de l'animal.

La lame glissa avec une aisance écœurante, mais, sous l'impact du lourd corps de la louve, Regan chancela et tomba sur le dos. Sans tenir compte des dents qui plongèrent dans son épaule, elle garda l'arme profondément enfoncée. Déjà, la puanteur de la chair brûlée viciait l'air. L'argent ne tarderait pas à affaiblir Sadie.

Elle avait vu juste.

À peine quelques minutes s'écoulèrent avant qu'un chatoiement entoure la louve, et que la bâtarde retrouve une apparence humaine. Quelques minutes qui parurent une éternité à Regan, alors que la chienne réussissait à la déchiqueter jusqu'à l'omoplate.

Lorsque la louve se transforma en une femme, Regan s'obligea à ne pas céder à la douleur et roula avec cette dernière pour se jucher sur elle. Toujours agrippée au poignard qu'elle avait délibérément planté un peu au-dessus du cœur, elle lutta pour reprendre son souffle.

— Dis-moi où je peux trouver ma sœur, murmura-t-elle.

Elle vit la haine déformer les traits pâles.

— Va te faire foutre, monstre.

Sans hésiter, Regan arracha l'arme et la replongea. Cette fois, droit dans le cœur.

Cette femme mourrait plutôt que de trahir Caine, et Regan ne perdrait pas davantage de temps.

— C'est pour Jagr, grommela-t-elle quand la lame atteignit sa cible.

Elle ne resta pas pour regarder Sadie s'éteindre.

L'argent finirait par accomplir son œuvre, même si la bâtarde parvenait à enlever le poignard ; et Regan se préoccupait bien plus de retrouver Jagr.

Du sang dégoulinant d'une demi-douzaine de blessures, la jeune femme avait rejoint la terrasse de derrière quand elle entendit un rire sinistre dans son dos.

Malgré elle, elle s'arrêta et tourna la tête pour voir Sadie, qui s'était traînée jusqu'à ses vêtements en lambeaux, en sortir un pistolet.

C'était stupide mais Regan ne put s'empêcher de se demander comment cette femme avait bien pu réussir à cacher une arme. Ce putain d'accoutrement moulait tant ses formes que même un rosaire n'aurait pu se glisser entre le cuir et la peau.

Puis l'endroit où Sadie l'avait dissimulée n'eut plus d'importance.

Un sourire cruel aux lèvres, elle appuya sur la détente. Sans fin.

— Et ça, c'est pour moi !

Regan fut rapide, mais il était impossible d'échapper aux balles qui lui criblèrent le dos, lui brisant les côtes et lui perforant les poumons.

Sous la force des projectiles, elle tomba à genoux, la respiration laborieuse, sentant une violente douleur parcourir impitoyablement tout son corps.

— Merde, chuchota-t-elle, ayant conscience que sa vie commençait à s'écouler hors de son corps.

Les balles étaient enduites d'argent.

Chapitre 20

J agr se sentait terriblement mal.

Peut-être parce qu'il venait juste d'échapper à une explosion, qu'un salon de thé lui était tombé sur la tête et qu'il avait été obligé de creuser un tunnel pour ne pas se faire carboniser.

Peut-être.

Mais, non.

Malgré son corps encore endolori, sa souffrance actuelle était entièrement due à la jeune femme étendue sur le lit, dans le repaire de Tane.

Juché sur le matelas, Jagr passait les doigts avec douceur dans les cheveux dorés de Regan, parcourant compulsivement du regard sa silhouette trop svelte, qu'il avait dévêtue pour ne lui laisser que son soutien-gorge et sa culotte minuscules, afin d'exercer une surveillance constante sur ses nombreuses blessures.

Les entailles ouvertes par le fouet avaient cicatrisé avant qu'ils aient rejoint le repaire – pas assez vite cependant pour apaiser la rage de Jagr à la pensée de Regan fouettée par la maudite bâtarde –, mais pas les blessures par balle : de vilaines lésions rouges à la vue desquelles son ventre se tordait de douleur.

Des balles en argent.

Si Sadie n'avait pas été déjà morte, Jagr l'aurait déchiquetée, membre après membre.

Soudain, Regan bougea sous ses doigts et, prenant subitement conscience que son pouvoir glacial se déployait dans la pièce, il s'empressa de contenir sa fureur. Il se baissa pour lui frôler le front des lèvres en une excuse silencieuse.

—Jagr.

Il s'écarta juste assez pour la voir ouvrir difficilement des yeux hébétés de souffrance.

—Je suis là, petite.

—L'explosion… (Sa voix était basse, rocailleuse.) J'ai cru…

Avec tendresse, il coinça une mèche derrière son oreille.

—Tu as cru être débarrassée de moi? Tu n'as pas eu cette chance, j'en ai bien peur.

Au souvenir de l'horreur qu'elle avait vécue, les yeux de Regan s'assombrirent.

—Grands dieux, ne t'avise pas de plaisanter. Comment es-tu sorti du salon de thé?

—Les vampires possèdent la faculté d'invoquer la terre.

—Invoquer la terre?

Il pinça les lèvres. Ces termes donnaient à cette aptitude une grandeur pompeuse. En vérité, il s'agissait de la capacité des vampires à ramollir et à remuer le sol pour s'en couvrir durant la journée ou, plus fréquemment, pour y dissimuler les restes de leur dernier repas.

—Nous avons creusé un tunnel, répondit-il avec flegme.

—Oh.

Elle fronça brusquement les sourcils lorsqu'elle posa le regard sur les brûlures qui marquaient encore le cou de Jagr. Il avait besoin de s'alimenter et de se reposer pour pouvoir guérir complètement, mais son inquiétude pour la jeune femme effaçait toute préoccupation qu'il pourrait avoir de ses propres blessures.

— Tu es blessé, ajouta-t-elle.

— Rien qui ne guérira d'ici à quelques heures.

— Tu dois te nourrir.

— Bientôt.

Elle se renfrogna à cette réponse vague mais, remarquant la gravité de ses traits, elle eut la sagesse de réprimer toute envie de le sermonner.

— Et Styx? demanda-t-elle.

— Il se rétablit.

Durant le long silence qui suivit, Regan oscilla entre des périodes de lucidité et d'inconscience, puis, au prix d'un effort manifeste, elle ouvrit péniblement les yeux.

— Comment as-tu survécu?

Il sourit d'un air pince-sans-rire en s'apercevant qu'il éprouvait une surprenante envie de lui raconter comment il avait résisté au poids écrasant du bâtiment qui s'était écroulé sur lui et avait maintenu, grâce à ses pouvoirs, le plus gros de l'incendie à distance pendant que Styx se frayait un passage à travers la terre bien tassée à coups d'épée.

Comme un fanfaron dans un bar pour célibataires.

Pitoyable.

— Quand la déflagration initiale a soufflé le rez-de-chaussée, nous sommes tombés au sous-sol avant que l'explosion proprement dite balaie le salon de thé, murmura-t-il, gardant son ton léger. Nous avons pu éviter la majeure partie des flammes.

Elle plissa les yeux, percevant sans mal qu'il ne lui disait pas tout mais, avant qu'elle puisse le cuisiner, elle écarquilla soudain les yeux, et s'efforça de s'asseoir.

— Sadie, chuchota-t-elle.

Il l'adossa à l'oreiller d'une main douce mais ferme.

— Tu n'as pas à t'inquiéter pour la bâtarde. Elle est partie.

— Partie. (Sa détresse ne fit que s'accentuer.) Elle va prévenir Caine. Il faut que tu l'en empêches.

Il lui couvrit la joue de la main, caressant du pouce sa peau satinée en un geste apaisant.

— Tu t'es assurée que Sadie ne parle à personne, à part la Faucheuse.

— Elle est morte ?

— Oui.

Une seconde s'écoula, puis il vit briller dans ses yeux verts ce qui était indéniablement de la satisfaction.

— Tant mieux.

Incapable de résister, Jagr se pencha pour déposer un baiser léger sur son front. Il aimait ce feu qui brûlait tout au fond d'elle.

Le feu d'une survivante.

— Je suis d'accord, mais j'aurais préféré que tu la tues avant qu'elle ne te mitraille de balles en argent, chuchota-t-il.

— Moi aussi. Ça fait un mal de chien. (Elle bougea pour regarder sa poitrine et fronça les sourcils en découvrant ses blessures.) Elles sont sorties ?

L'air se refroidit lorsqu'il repoussa le souvenir d'avoir extirpé les balles de son corps. Cette image demeurerait gravée au fer rouge dans son esprit pour l'éternité.

— Je les ai enlevées avant qu'on te ramène chez Tane.

— On est rentrés depuis combien de temps ?

— Quelques heures.

Elle se renfrogna.

— Je devrais être guérie, non ?

— L'argent a causé beaucoup de dégâts.

Il s'allongea sur le matelas et l'attira à lui pour la serrer dans ses bras. Il se figea, et attendit pour voir si elle s'écarterait. Lorsque au contraire elle se pelotonna tout contre lui, il réprima un gémissement.

C'était ce que le destin avait voulu.

Cette femme le complétait d'une façon qu'il n'aurait jamais rêvée possible.

— Ont-ils trouvé ma sœur? demanda-t-elle, la voix rauque alors qu'elle tentait de tenir à distance les ténèbres curatives.

— Je n'ai parlé ni à Salvatore ni à Levet. Je doute qu'ils aient déjà eu le temps de la chercher. (Il lui couvrit l'arrière de la tête de la main pour l'installer plus confortablement contre son torse.) Tu as fait ta part, petite. Tu dois te reposer.

Elle rassembla assez de force pour lui assener un coup de poing dans le flanc.

— Tu devrais te garder de me donner des ordres, chef.

— Si ça ne te plaît pas, alors tu n'as qu'à te rétablir suffisamment pour sortir de ce lit et m'arrêter.

— Petit tyran.

Il l'embrassa sur le front.

— Dors.

— Jagr? murmura-t-elle tandis que ses yeux se refermaient irrésistiblement.

— Oui?

— Tu restes?

Son cœur se serra. Ces instants avec Regan s'inscrivaient hors du temps. Il comptait en savourer chaque seconde.

— Tant que tu auras besoin de moi, petite.

Avec un léger soupir, elle passa un bras sur le corps du vampire et s'abandonna à l'inévitable.

L'attirant encore plus près de lui, Jagr laissa le parfum nocturne du jasmin apaiser sa douleur persistante et cicatriser ses brûlures. Même s'il devait toujours se nourrir pour recouvrer ses forces, il s'apercevait que la merveilleuse magie du contact de la jeune femme guérissait rapidement ses dernières blessures.

Une preuve de plus qu'elle était sa promise.

Alors qu'il se délectait du plaisir doux-amer qu'il éprouvait à simplement la tenir dans ses bras, il ne bougea pas quand il sentit la présence envahissante de Styx.

Le respect que lui inspirait le vampire avait considérablement augmenté au cours des heures précédentes.

Styx était non seulement demeuré imperturbable quand le bâtiment leur était tombé sur la tête, mais il n'avait pas hésité à faire confiance à Jagr pour retenir le mur de feu pendant que, calmement, il cassait l'épais sol de ciment et creusait un passage dans la terre compacte.

Cette confiance avait modifié quelque chose, tout au fond de Jagr.

Il n'avait jamais souhaité appartenir à un clan. Il n'avait que faire de frères ou d'un chef qui se soucieraient de le savoir mort ou vivant.

Il voulait juste être seul.

À présent, il était obligé de reconnaître qu'il se sentait… fier que Styx ait cru en ses aptitudes.

Non qu'il soit prêt à se joindre à la société vampirique. Pas plus qu'il n'avait oublié que c'était Styx qui l'avait envoyé à Hannibal, pour commencer.

Cet Aztèque âgé et rusé avait bien des comptes à lui rendre.

Styx entra dans la chambre, s'appuya au montant de la porte et observa le couple étendu sur le lit. À la lueur des

384

bougies, son visage ressemblait à du bronze poli tandis que cuir noir et armes affûtées couvraient son corps massif.

Spontanément, Jagr cacha Regan en se penchant devant elle. Non qu'il craigne que Styx lui fasse du mal. Malgré le peu de cervelle qui lui restait, il comprenait que l'Anasso s'était engagé sur sa vie à protéger la sœur de sa compagne. Pourtant, il ne put empêcher son instinct de s'exprimer.

Heureusement Styx semblait avoir l'habitude des vampires dérangés et, avec un faible sourire, il indiqua d'un signe de tête la jeune femme à moitié dissimulée.

— Elle guérit ? demanda-t-il avec douceur.

— Lentement.

L'air sévère de Styx promettait de sinistres châtiments aux bâtards qui avaient osé s'en prendre à Regan.

— Tant d'argent ne pouvait pas manquer d'entraver sa guérison. (Il reporta son attention sur Jagr.) Tu pourrais accélérer le processus.

Jagr se tendit. Il ressentait avec une force brutale le désir de partager son sang avec sa compagne. Le moyen de la soigner coulait dans ses veines mais, à cause des barrières qu'elle avait érigées entre eux, il ne pouvait pas le lui offrir.

— Non.

Styx arqua les sourcils face à son brusque démenti.

— Elle a refusé ton sang ?

— Elle ne veut pas de moi comme compagnon. (Son ton glacial ne masquait pas sa douleur féroce.) Je ne lui imposerai pas de liens plus profonds.

Styx grimaça, comprenant qu'il ne pouvait partager son sang sans remplir sa part de la cérémonie de l'union.

— Bien sûr.

Après avoir tiré la couverture sur le corps svelte de Regan, Jagr glissa au bas du lit en prenant soin de ne pas réveiller sa belle endormie.

Renoncer à cette rare occasion de tenir Regan dans ses bras sans qu'elle s'y oppose avait beau l'ennuyer, il avait quelques questions et il comptait bien obtenir des réponses.

Il traversa la pièce pour se planter juste devant son roi, les bras croisés.

— Pourquoi m'as-tu envoyé à Hannibal, mon seigneur ?

Styx accueillit son regard accusateur avec un léger sourire.

— De toute évidence, pour sauver la sœur de ma compagne. Ce qui me rappelle que je ne t'ai pas encore remercié pour tes services. Tu n'as qu'à me dire ton prix…

— Tu disposes d'une demi-douzaine de Corbeaux, les meilleurs guerriers à être jamais nés, l'interrompit Jagr, qui n'était pas d'humeur à jouer. Pourquoi m'avoir choisi ?

— Comme moi, ils ont passé les derniers siècles à l'écart de la société, à protéger l'Anasso précédent. Ils s'efforcent encore d'acquérir les talents nécessaires pour se fondre parmi les humains, y compris la maîtrise des technologies les plus récentes. (Son sourire s'agrandit, exprimant un amusement sincère.) Tu devrais les regarder essayer de se servir de la télécommande. Toi, au contraire, tu as fait de ce domaine ton sujet d'étude.

Jagr se raidit. Il n'avait jamais confié à quiconque la fascination que lui inspirait la génération MTV, et il ne s'était certainement pas vanté de ses excursions occasionnelles au sein de la population humaine.

— Comment l'as-tu appris ?

— Viper surveille son clan de près. (Styx haussa les épaules.) Pas grand-chose ne lui échappe.

« Surveiller de près » ressemblait bien trop à de l'espionnage pour la tranquillité d'esprit de Jagr.

— Je n'avais pas compris qu'en devenant membre d'un clan on perdait tout droit à une vie privée.

— Viper protège peut-être ses frères avec un peu trop de zèle.

Jagr renifla avec dédain.

— Une mère poule fouineuse.

— Au moins, tu sais qu'il se soucie de ton bien-être.

— Il pourrait s'en soucier sans fourrer son nez dans mes affaires.

Styx lui décocha un de ses rares sourires, dévoilant des crocs capables de déchiqueter l'acier.

— Peut-être, mais ce serait loin d'être aussi drôle.

Jagr plissa les yeux à cette pique délibérée, puis il s'obligea à secouer la tête.

— Non, je ne me laisserai pas distraire, prévint-il. Dis-moi pourquoi j'ai été envoyé à Hannibal.

En silence, Styx joua avec le médaillon suspendu à son cou, réfléchissant à ce qu'il était prêt à lui avouer.

— En partie à cause de la facilité avec laquelle tu évolues au sein des humains, ainsi que de tes talents de guerrier, répondit-il, enfin.

— Et l'autre partie ?

— Je savais que tu étais la personne capable de compatir aux souffrances qu'avait endurées Regan.

Jagr tressaillit.

— Parce que j'ai été torturé ?

— Oui, admit Styx sans s'en excuser. Toi, mieux que quiconque, tu pouvais comprendre les dégâts causés par des années de captivité et accueillir avec patience ses efforts pour s'accoutumer à sa toute nouvelle liberté. (Le vampire grimaça.) Même si je dois reconnaître que je ne m'attendais pas à ce que tu déploies une telle patience.

Qu'on ait eu besoin de lui non pas pour sa force mais pour ses faiblesses contraria Jagr et attisa sa colère ; une vague de froid descendit soudain dans la pièce.

— Je te demande pardon ?

Imperturbable, Styx ne prêta pas attention au danger qui rendait l'air mordant.

— J'ai supposé que tu serais pressé d'en finir et ramènerais Regan directement à Chicago. Je n'avais pas envisagé la possibilité que tu encourages carrément sa soif de vengeance.

— Je ne l'ai pas encouragée, répliqua-t-il avec brusquerie.

— Non ?

La température chuta encore de dix degrés.

— Elle a beau être jeune, elle est capable de prendre ses propres décisions. En fait, elle y tient tout particulièrement.

Styx grogna, l'expression contrite.

— Je veux bien te croire. Tout membre de la famille de Darcy ne peut manquer d'être pourvu d'un esprit indépendant et d'une propension à l'entêtement d'un kilomètre de large.

— À l'entêtement ? (Jagr jeta un regard à la frêle jeune femme pelotonnée sur le lit.) Elle est aussi têtue qu'un démon Emula, et possède le caractère d'un chien de l'enfer.

— Une raison supplémentaire de la rendre aux siens, souligna Styx.

Jagr fronça brusquement les sourcils. Qu'il soit damné s'il se laissait réprimander comme s'il était un jeune démon. Il avait fait ce qu'il pensait être le mieux pour Regan, et il ne regrettait rien.

— Si tu souhaitais que je la traite comme ma prisonnière, alors tu aurais dû me le dire, affirma-t-il froidement. Si je me souviens bien, on m'a demandé de prendre des gants avec elle.

Sentant peut-être qu'il était allé aussi loin qu'il l'osait, Styx haussa les épaules.

— Parfaitement vrai, et, comme l'a autrefois énoncé le célèbre poète, « tout est bien qui finit bien ». Tant qu'aucune complication inattendue ne se déclare, elle devrait être suffisamment rétablie pour être transportée à Chicago ce soir même.

La mine renfrognée de Jagr ne fit que s'accentuer alors qu'il avait l'impression qu'un étau implacable lui écrasait le cœur.

Alors, c'était ça ?

C'était ainsi que tout devait se terminer ?

Grands dieux.

— Es-tu bien sûr qu'elle désire être transportée ? souffla-t-il.

Les yeux dorés de Styx prirent un éclat dur, déterminé.

— Elle aura besoin de deux ou trois jours pour recouvrer toutes ses forces. Jusque-là, elle doit bénéficier de la protection que mon repaire peut lui offrir. En plus, Darcy va me castrer si je ne la laisse pas soigner Regan.

— Et Regan pourrait bien te castrer pour lui avoir imposé une réunion de famille dont elle ne veut pas.

— Il semblerait que, quoi que je fasse, je sois perdant ; ce qui n'a rien d'inhabituel, pour un vampire uni. (Soudain, il posa une main réconfortante sur l'épaule de Jagr.) Ne crains rien, Jagr, on prendra soin de ta femme blessée.

Jagr repoussa sa main, ainsi que sa compassion, et dissimula la douleur qui le transperçait derrière un masque stoïque.

Il était seul depuis des siècles.

Qu'étaient quelques années solitaires, tristes et misérables de plus ?

Délibérément, il changea de sujet.

— Tu as eu des nouvelles de Salvatore ?

— Non. (Styx découvrit la pointe d'un croc.) Ce maudit roi des garous a la malencontreuse habitude d'oublier que je suis l'Anasso.

— Je peux le lui rappeler, si tu veux.

L'Anasso se figea, le visage impassible.

— Toi ?

— Je ne possède peut-être pas les talents de traqueur de tes Corbeaux, mais je connais l'odeur de Salvatore. Je finirai bien par tomber sur ce chien.

— Je ne doute pas de tes aptitudes, Jagr, mais que fais-tu de Regan ?

Jagr serra les dents, refusant de tenir compte de son désir déchirant de la garder à ses côtés.

C'était sa compagne, la femme destinée à compléter sa vie.

Il préférerait qu'on lui arrache le cœur plutôt que de la laisser partir sans lui.

Mais quel choix avait-il ?

À moins qu'elle accepte leur union, il n'avait aucun droit sur elle.

— Tu as dit que tu l'emmenais à Chicago, répondit-il, la voix aussi vide que l'âme.

Styx fronça les sourcils.

— Je pensais que tu viendrais avec nous.

— Regan n'a pas besoin de moi. Pas alors qu'elle se trouve sous ta protection.

— Elle n'est peut-être pas prête à le reconnaître, mais j'ai vu la façon dont elle se cramponnait à toi quand je suis entré.

Jagr ferma les poings au souvenir brûlant de Regan pelotonnée tout contre lui.

— Elle se sentait seule et vulnérable, voilà tout, marmonna-t-il, davantage pour s'en convaincre lui-même que pour Styx.

Rien n'était plus douloureux que la déception, à part s'accrocher à un vain espoir.

— Si elle s'était trouvée en pleine possession de ses moyens, elle ne se serait jamais tournée vers moi, ajouta-t-il.

Le rire mordant de Styx résonna dans la chambre.

— Bordel, et moi qui me croyais ignorant en matière de femmes.

— Où veux-tu en venir ?

— Une femme ne s'agrippe pas ainsi à un homme uniquement parce qu'elle se sent seule.

Jagr recula avec raideur, réprimant l'envie de hurler de désespoir. *Satané Styx.* S'il tentait de remuer le couteau dans la plaie, alors il s'en sortait drôlement bien.

— Je ne discuterai pas de ça avec toi, mon seigneur.

— Très bien.

D'un geste las, Styx se massa la nuque, ce qui rappela à Jagr que ce vampire plus âgé avait enduré son propre lot de souffrances.

— J'apprécierais de découvrir si Salvatore a appris quoi que ce soit du bâtard qu'il devait rencontrer. Je n'ai qu'une seule requête. (Jagr vit un tremblement agiter ses lèvres.) Non, deux.

Jagr se tenait sur ses gardes. La dernière demande de Styx l'avait conduit à se retrouver uni à une femme qui ne voulait pas de lui. Il n'était vraiment pas prêt à en supporter davantage.

— Quelles sont-elles ?

— La première est que tu t'alimentes et te reposes avant de te mettre en chasse.

— Et la dernière ?

— Que tu prennes Tane avec toi.

Jagr pinça les lèvres, mais il s'empressa d'incliner la tête en signe d'assentiment. L'Anasso se montrait prudent, voilà tout.

— Tes désirs sont des ordres.

Il n'avait pas fait deux atroces pas vers la porte que son bon sens succombait à son besoin : il s'arrêta pour jeter un ultime regard à la femme qui demeurerait à jamais gravée dans son cœur.

— Styx.

— Oui, mon frère ?

— Prends bien soin d'elle.

Styx pressa le poing sur sa poitrine en une promesse solennelle.

— Tu as ma parole.

Levet mesurait trois mètres de haut.

D'accord, il n'était pas à proprement parler littéralement aussi grand. Même une partie de jambes en l'air à couper le souffle ne pouvait le faire grandir de deux mètres en deux heures. Mais, nom d'un chien, cela avait largement contribué à le faire se sentir véritablement de cette taille.

Allongé sous un buisson touffu, il s'efforça d'effacer son sourire satisfait de ses lèvres.

Il n'avait pas rencontré une femme qui savait exactement comment caresser les cornes d'une gargouille depuis longtemps. Oh, et ce que Bella avait fait à ses ailes. Rien que d'y penser, il en avait des frissons.

Quelle petite nymphe coquine.

Dommage qu'elle ait disparu si brusquement. Elle avait beau l'avoir épuisé, il avait une chance de récupérer avant que le soleil apparaisse à l'horizon. Et quand un démon devait attendre des siècles entre deux ébats, il ne pouvait se permettre de manquer la moindre occasion.

Tout en considérant les probabilités de retrouver Bella avant l'aube, Levet flottait sur un délicieux nuage de satisfaction.

Ou, du moins, ce fut le cas jusqu'à ce qu'on écarte impitoyablement les buissons et que le visage furieux de Salvatore se dresse au-dessus de lui.

— Levet ?

Ce dernier glapit et se releva tant bien que mal, absolument pas ravi d'avoir été surpris à fantasmer comme un adolescent en rut.

— *Sacrebleu*[*], ta mère ne t'a jamais appris à ne pas t'approcher furtivement d'une gargouille ? J'aurais pu te transformer en un tas fumant de crottes de chien.

Le mécontentement contractait les traits fins du garou. Rien d'inhabituel. Le roi était toujours contrarié par une chose ou une autre. Exactement comme un maudit vampire. La fourrure en plus.

— Qu'est-ce que tu fais à te cacher dans les buissons ?

Levet n'hésita pas. Il existait un temps pour la vérité et un pour les mensonges.

C'était l'un de ces moments où mentir s'imposait.

—Je fais le guet comme tu me l'as demandé, pour m'assurer qu'il ne s'agit pas d'un piège.

—Tu fais le guet ?

—*Oui**.

Sans crier gare, Salvatore l'empoigna par une corne, le souleva du sol et le tourna et retourna comme s'il était un diamant bizarre qu'il devait examiner au lieu d'un démon plein de dignité.

Maudit chien.

—Alors, pourquoi es-tu couvert de boue ? s'enquit le roi.

—Tu n'as rien de mieux à faire que de me cuire ?

—Te cuire ? (Salvatore fronça les sourcils.) *Cristo*, c'est cuisiner, pas cuire.

—Cuire… cuisiner… quelle est la différence ? marmonna Levet, vexé. Maintenant, fais-moi descendre.

—Tu ne m'as toujours pas expliqué la boue. (Il pencha la tête pour inspirer profondément.) Ni le fait que tu empestes la naïade.

Levet croisa les bras.

—Hé, une gargouille doit bien s'amuser.

—Autrement dit, tu t'es laissé distraire ? gronda Salvatore.

—Je l'ai peut-être été un tout petit peu, mais rien n'a pu passer devant moi, ça, je peux te l'assurer.

—Nous verrons.

D'un mouvement brusque de la main, Salvatore lâcha Levet sans ménagements et entreprit de monter avec aisance la berge escarpée. Trébuchant derrière lui avec toute la grâce d'un marin éméché, le minuscule démon fouilla dans son esprit à la recherche d'un sort qui transformerait les boules d'un garou en billes.

Au loin, il distinguait les effluves des bâtards de Salvatore dispersés dans les bois environnants, et une autre odeur. Quelque chose qui sentait comme… du sang.

— *Cristo*, grommela Salvatore, se précipitant vers la petite cabane à une vitesse que Levet ne pouvait espérer égaler.

— Quoi? (Soufflant comme un bœuf, il atteignit enfin la porte.) Qu'est-ce qui se passe?

Agenouillé auprès d'un bâtard sans vie complètement métamorphosé en loup, Salvatore tourna la tête pour le foudroyer d'un regard flamboyant.

— Rien ne peut passer devant toi? gronda-t-il. Comment expliques-tu ceci?

— *Mon Dieu**, chuchota Levet en s'avançant sur le plancher nu, mais en se gardant bien de trop s'approcher du cadavre.

Salvatore toucha la tête de l'animal en une douce bénédiction.

— Duncan, je présume?

— *Oui**.

Levet sentit son ventre se nouer. Même s'il n'aimait pas ce traître, il ne lui aurait jamais souhaité un tel sort.

— Il allait bien il y a à peine une heure, ajouta-t-il.

— Combien?

— Eh bien, peut-être que deux ou trois heures serait plus exact.

— Espèce de minable, grogna le sang-pur, qui retourna son attention sur le chien mort.

Levet battit des ailes. Il ne porterait pas le chapeau. Même s'il avait effectivement une part de responsabilité dans ce drame.

— Je ressemble à un de tes bâtards pleurnicheurs ? demanda-t-il. Non. Je ne suis ici que pour rendre service à Regan, et si tu crois que je vais rester là à me faire insulter par un chien galeux infesté de poux, alors tu as un autre truc…

— Ferme-la et viens ici, l'interrompit Salvatore.

— Espèce de sale type arrogant.

— Levet.

La gargouille leva les bras au ciel et traversa le plancher en se dandinant.

— Je viens. Pas la peine de s'exciter.

Salvatore lui décocha un regard impatient avant de lui montrer le bâtard inanimé.

— Comment est-il mort ?

Levet remua la queue, se demandant avec méfiance si le roi avait reçu un coup à la tête récemment.

— Eh bien, ce n'est qu'une supposition, mais cet énorme poignard en argent planté dans son cœur pourrait bien y être pour quelque chose.

Le garou feula en arrachant l'arme, qu'il lança à l'autre bout de la pièce.

— Si c'était l'argent qui l'avait tué, il aurait repris forme humaine. Il était déjà mort quand on lui a enfoncé le poignard dans le cœur.

Levet fronça les sourcils.

— Pourquoi quelqu'un planterait-il un poignard dans un bâtard mort ?

— Ce qui m'intéresse, c'est comment il est mort.

Les mains tendues devant lui, Levet fit le tour de la pièce principale de la cabane, et s'arrêta devant la cheminée en pierre ainsi que près des chaises et de la table en bois qui composaient tout le mobilier.

—Je ne perçois aucune trace de sortilège ou de magie. En tout cas, aucun sort qui ait été dirigé contre lui. (Lorsqu'il sentit l'air lui mordre la peau, il sauta sur l'une des chaises et saisit le verre de vin à moitié vide qui avait été laissé sur la table.) Un bâtard peut-il être empoisonné ?

Salvatore se redressa brusquement et observa la bouteille de vin, les sourcils froncés.

—D'où vient-elle ? demanda-t-il.

—Elle était posée sur la table avec les deux verres, quand nous sommes arrivés. (Levet frissonna lorsque l'atmosphère se chargea du pouvoir du garou.) Que se passe-t-il ?

Les yeux flamboyants, Salvatore pointa le doigt vers la porte secrète qui s'ouvrait près de la cheminée.

—Un piège.

Un rire bas et moqueur flotta dans la nuit.

—Et moi qui croyais que le roi des garous pensait avec ses crocs et non avec son cerveau.

CHAPITRE 21

Lorsqu'elle glissa dans un état étrange entre le sommeil et une vague conscience, Regan bougea sur le grand lit et tendit le bras.

—Jagr ?

Sa voix n'était qu'un chuchotement rauque, mais elle perçut un mouvement sur le côté et le bord du matelas s'affaissa quand quelqu'un s'installa près d'elle.

—J'ai bien peur que ce ne soit pas Jagr. Juste une sœur qui rêvait de te rencontrer.

Entrouvrant à peine les yeux, Regan se figea en apercevant le petit visage en forme de cœur qui lui était beaucoup trop familier.

Bon Dieu.

Cette femme lui ressemblait comme deux gouttes d'eau. Les mêmes cheveux blonds, à part que ceux de Darcy étaient courts et hirsutes. Les mêmes yeux verts. Le même corps svelte. Elles partageaient jusqu'à la ligne têtue de la mâchoire.

Des jumelles, sans l'ombre d'un doute, mais Regan soupçonnait qu'on ne les confondrait jamais.

Il suffisait d'un coup d'œil à l'expression sereine et au doux sourire de Darcy pour comprendre ce qui les différenciait.

Regan n'avait rien de serein ni de doux.

S'efforçant de ne pas cogner sa tête douloureuse, elle se hissa contre la pile d'oreillers et parcourut du regard la pièce or et ivoire qui semblait s'étendre à l'infini.

Nom de Dieu.

Tout était immense.

Immense et brillant.

Des murs de marbre poli. Du mobilier doré. Des lustres de cristal taillé. Par l'enfer, cette abondance de faste et de paillettes ravirait même Elton John.

De toute évidence Darcy aimait le clinquant.

Regan… eh bien, pas tant que ça.

Peut-être était-ce dû à ses années passées dans un vieux camping-car, mais être allongée sous les cupidons qui dansaient sur le plafond en voûte la perturbait. En matière de démesure à la Versailles, elle était servie.

— Où suis-je?

Ne paraissant guère plus à sa place parmi toute cette élégance que Regan, Darcy coinça les pieds sous elle en s'installant plus confortablement sur le lit. Elle ne s'habillait certainement pas comme une reine. Pas avec ce jean délavé et ce tee-shirt trop grand.

— Styx t'a amenée à Chicago pour que tu puisses guérir en sécurité.

— C'est chez toi?

— Oui. (Darcy mordilla sa lèvre inférieure en observant l'expression tendue de sa sœur.) Je t'en prie, n'en veux pas à Styx. Il a fait ce qu'il pensait être le mieux.

Ouais, tu parles d'une grosse surprise. Elle avait su qu'on la traînerait dans cette ville dès l'instant où elle avait appelé Styx pour solliciter son aide.

Tout avait un prix.

Ce qui ne signifiait pas que ça devait lui plaire.

— Et il n'a pas envisagé de me demander mon avis ? répliqua-t-elle d'un ton pince-sans-rire.

— Tu as passé ces derniers jours en compagnie d'un vampire. (Darcy grimaça.) Depuis quand s'inquiètent-ils de l'opinion des autres ?

Eh bien, par l'enfer, que pouvait-elle répondre à ça ? Elle roula des yeux.

— J'imagine qu'il existe toujours la possibilité que les poules aient des dents.

— Une très faible, alors.

Regan releva le menton.

— Il aurait au moins dû attendre que je sois consciente.

Darcy tendit le bras pour lui serrer la main avec chaleur.

— C'est ma faute, Regan. Styx savait à quel point je tenais à t'accueillir ici, et il est prêt à fouler aux pieds n'importe qui en cherchant à me faire plaisir. Crois-moi, on devrait obliger un vampire uni à porter un panneau avertisseur clignotant pour la sécurité des autres.

Un vampire uni.

L'image d'un chef wisigoth blond, gigantesque et impitoyablement beau lui transperça l'esprit.

Regan tressaillit. Elle avait fait tant d'efforts pour ne pas céder à la pensée de Jagr qui la menaçait.

Tellement stupide.

Un gorille de cent dix kilos tapi au beau milieu de son cerveau. Elle serait incapable de se concentrer sur quoi que ce soit tant qu'elle ne saurait pas s'il allait bien.

— Je suppose que Jagr est ici lui aussi ?

Les mots sortirent de sa bouche comme si cela lui était complètement égal.

— Jagr ? (Darcy fronça les sourcils à cette question déroutante.) En fait, je crois qu'il est resté à Hannibal pour tenter de savoir si Salvatore avait obtenu des indications pour retrouver notre sœur.

—Oh.

Elle sentit la déception lui nouer le ventre. Il ne se trouvait même pas à Chicago. Elle ne s'était pas attendue à ça.

Comme si elle percevait sa détresse, Darcy rapprocha du lit une desserte à roulettes et enleva le torchon qui la couvrait.

—J'ai apporté un plateau. Je me suis dit que tu aurais peut-être faim une fois que tu irais mieux.

—Je suis affamée, reconnut Regan, ayant conscience qu'elle devait manger pour recouvrer ses forces.

Lorsqu'elle se tourna vers le plateau, elle grogna d'incrédulité.

—Bon Dieu !

Darcy éclata de rire.

—J'ignorais ce qui te ferait plaisir.

Regan examina les montagnes d'œufs, de jambon, de pancakes, de fruits, de toasts, de pommes de terre grillées, de chapelets de saucisses et de petits pains chauds.

—Alors tu as apporté tout ce que tu avais ?

—Je voudrais que tu te sentes ici chez toi, Regan.

Lorsqu'elle croisa le regard chaleureux et accueillant de sa sœur, Regan ne sut plus où se mettre. *Bon sang.* Sa sœur était le genre de femme charmante, fascinante et absolument adorable qu'on ne pouvait s'empêcher d'aimer. Mais Regan ne voulait pas aimer sa sœur. Ni voir grandir le lien qui les unissait.

—Je…

—Mange, l'interrompit Darcy avec fermeté. Tu te sentiras mieux après.

La culpabilité ainsi qu'un sentiment qui ressemblait à de la tristesse lui serrèrent le cœur, lui rappelant les raisons pour lesquelles elle évitait les complications émotionnelles. Elle ne pouvait manquer de décevoir Darcy.

Et Jagr.

Refoulant des larmes ridicules, elle prit une assiette qu'elle remplit généreusement d'œufs, de jambon et de saucisses. Elle aurait besoin de protéines pour que ses dernières blessures – encore d'un vilain rouge sous sa chemise de nuit en satin – finissent de guérir.

Ces maudites balles en argent.

Elle se sentait encore aussi faible qu'un nouveau-né. Et étrangement vulnérable.

Préférant jeter des coups d'œil furtifs à la chambre monstrueuse plutôt que de rencontrer le regard inquiet de Darcy, elle engloutit son petit déjeuner.

— Oui, je sais. C'est outrancier, n'est-ce pas? murmura sa sœur en indiquant d'un geste circulaire de la main l'immensité de dorures et d'ivoire. Et aussi difficile à croire que ce soit, le reste du manoir est pire.

— Ce n'est certainement pas ce à quoi j'ai été habituée.

— Moi non plus. J'ai grandi dans les rues et Styx a vécu dans une grotte humide pendant des siècles. (Elle rit doucement.) Le pauvre marche sur la pointe des pieds comme s'il avait peur de casser quelque chose.

Regan vida son verre de jus d'orange et décocha un regard perplexe à sa sœur.

— Si ça ne te plaît pas, pourquoi tu habites ici?

— Viper m'a persuadée que le roi des vampires se devait de posséder un repaire suffisamment imposant. Un jour je vais lui faire payer sa judicieuse suggestion. (Regan vit un petit sourire dangereux lui ourler les lèvres.) Même si je laisserai peut-être cet honneur à Shay. Elle sait très bien le punir, à l'occasion.

— Shay ?

— Sa compagne. C'est une Shalott parfaitement capable de mener son chef de clan à la baguette. (Son sourire s'élargit.) Tu vas l'adorer. Ainsi qu'Abby, bien sûr, qui est unie à Dante. C'est une déesse. Oh, et Anna est une oracle, elle est avec Cezar.

Regan termina son assiette, la reposa sur le plateau et s'enfonça dans les oreillers en poussant un léger soupir de contentement.

Déjà elle sentait ses forces lui revenir. D'ici à quelques jours elle serait suffisamment en forme pour se débrouiller toute seule.

C'était tout ce qui comptait.

Et ce vide au centre de son cœur...

Eh bien, c'était un des prix qu'elle devait payer.

— Tu m'as perdue à la Shalott, dit-elle, cherchant résolument à se changer les idées.

— Ne t'inquiète pas, tu rencontreras tout le monde en temps voulu. Y compris notre mère. Elle est... (Darcy s'interrompit pour s'éclaircir la voix.) Je devrais peut-être te laisser t'en faire une opinion par toi-même.

Bon Dieu, elle avait oublié qu'il y avait une mère qui patientait en coulisse.

— Ce n'est pas très rassurant.

Darcy haussa les épaules.

— Attends-toi juste plus à Morticia Addams qu'à Caroline Ingalls.

— Je ne m'attends à rien du tout.

Regan s'exprima d'un ton délibérément ferme. La dernière chose qu'elle souhaitait, c'était faire la connaissance de toute une troupe de compagnes de vampires qui rayonnaient à coup sûr d'un bonheur absolu. Sans parler d'une mère dont elle ne voulait pas.

—Je ne resterai pas ici assez longtemps pour la voir.

Elles restèrent silencieuses tandis que Darcy s'efforçait de masquer sa déception.

—Tu vas quelque part?

—Oh, tu sais, j'ai des trucs à faire, des gens à retrouver.

Regan avait tenté de détendre l'atmosphère mais l'expression de Darcy demeura grave.

—J'espère que tu te considères ici chez toi, maintenant, Regan. Tu peux rester aussi longtemps que tu le souhaites.

—Rester ici? (Elle ne put s'empêcher de frémir.) J'ai été enfermée dans une cage ces trente dernières années. J'ai besoin…

—De quoi?

—De me sentir libre.

Darcy inclina la tête sur le côté.

—Et ici ce n'est pas possible?

—Je ne sais pas.

—Regan. (De nouveau, Darcy lui prit la main, comme si elle recherchait ce contact physique.) Styx m'a raconté pour Caine. Comment il nous a enlevées quand nous étions encore bébés.

Regan se raidit à l'évocation du bâtard qui avait foutu sa vie en l'air.

—Le salaud.

—Oui, mais ce que je veux te dire, c'est que ta famille ne t'a pas abandonnée. Si j'avais su que tu existais et que tu avais des ennuis…

—Darcy, je ne te reproche pas ce qui est arrivé, l'interrompit Regan.

Darcy fronça les sourcils.

—Alors, pourquoi veux-tu partir ?

Elle soupira, s'efforçant de trouver les mots pour décrire la panique qui ne la laissait pas en paix.

—Parce que j'ai été prisonnière toute ma vie. Je ne suis pas prête pour de nouvelles chaînes.

—Des chaînes ?

Elle serra les doigts de Darcy, percevant la souffrance que lui provoquait son explication maladroite.

—Je suis désolée, mais l'idée d'une famille et d'une maison me fait l'effet de fers. J'ai besoin d'espace pour découvrir la personne que je suis et celle que je pourrais devenir.

—Dans ce cas, je vais essayer d'être patiente, chère sœur, concéda Darcy d'un air contrit. Mais je te préviens que ça ne va pas être facile.

Regan s'humecta les lèvres en observant le bonheur qui émanait incontestablement d'elle.

—Tu ne te sens jamais enfermée ?

—Enfermée ? Jamais. (Regan vit la stupéfaction agrandir ses yeux si similaires aux siens.) Styx me complète.

Une indéniable pointe de jalousie serra le cœur de Regan. Mon Dieu, pourquoi ne pouvait-elle pas laisser les choses être si simples ?

Pourquoi ne pouvait-elle pas juste accepter ce que les autres tenaient tant à lui offrir ?

Elle secoua la tête avec nervosité.

—Je suis désolée, je n'ai aucun droit de me montrer indiscrète.

—Ce n'est pas le cas, et même si ça l'était, tu en as tous les droits. Nous formons une famille. (Darcy sourit gentiment.) Regan, il faut que tu comprennes, mon enfance a été marquée par une solitude constante et la peur de ne jamais trouver ma place. Comme j'ignorais ce que j'étais ou pourquoi j'étais si différente, je ne pouvais jamais me rapprocher de personne, pour éviter qu'on se rende compte que j'étais… anormale. Puis Styx est entré en force dans ma vie, et j'ai appris que j'étais une garou, quoique malgré tout à problèmes. J'ai aussi découvert que je n'étais pas seule. Il existe toutes sortes de démons merveilleux, bizarres et loufoques dans le monde.

Regan renifla avec dérision.

— Nous sommes au moins d'accord là-dessus.

— Enfin, j'ai une famille qui m'aime exactement telle que je suis, et ça représente tout pour moi. (Darcy se pencha pour déposer un baiser léger sur le front soucieux de sa sœur.) Je voudrais que tu partages ce bonheur.

Regan sentit son cœur se serrer de nouveau de jalousie.

— Un jour, peut-être.

— Tu es fatiguée. (Darcy glissa au bas du lit et remonta les couvertures sur le corps frissonnant de Regan.) Nous parlerons plus tard.

Regan se pelotonna contre les oreillers.

— Merci.

Darcy traversa la pièce et s'arrêta à la porte.

— Regan, n'oublie jamais que tu as une place dans mon cœur.

Elle hocha distraitement la tête, même si elle savait que sa place ne se trouvait pas là.

Mais alors, où ?

Enveloppé du calme glacial qui avait tenu ses démons intérieurs à distance des siècles durant, Jagr suivait la silhouette indistincte de Tane à travers les arbres sombres qui bordaient le Mississippi.

Non que son âme ne réclame pas en hurlant Regan, qui avait été transportée à Chicago plusieurs heures auparavant. Ou que son instinct ne le pousse pas à la rejoindre pour lui imposer cette union qui vibrait dans son sang.

Mais son passé lui avait appris les talents nécessaires pour survivre même aux douleurs les plus violentes.

Tant qu'il ne pourrait pas rentrer à son repaire panser ses blessures en privé, il se contenterait de tenir bon.

Comme toujours.

Tane, qui marchait juste devant Jagr, s'arrêta brusquement, leva la main et huma l'air nocturne chargé d'humidité.

— Attends, prévint-il d'une voix que seul un autre vampire pouvait entendre. Des bâtards. Dont un mort.

Jagr s'avança à côté de son compagnon. Ils cherchaient Salvatore sur les berges du Mississippi depuis trois heures.

Il était carrément temps qu'ils fassent une pause.

— Hess, gronda Jagr en reconnaissant son odeur âcre.

Les narines de Tane se dilatèrent de dégoût. Le Charon ne portait pas les chiens dans son cœur.

— Tu les connais ?

— Les courtisans galeux de Salvatore. (Il déploya ses sens dans cet endroit isolé, et se renfrogna.) Mais ce dernier est introuvable. Intéressant.

Tane grogna comme quatre bâtards complètement métamorphosés fonçaient à toute vitesse à travers les arbres.

— Ou mortel.

Jagr libéra une vague de pouvoir glaciale, renversant les animaux qui s'élançaient sur eux.

— Du calme, chiens, s'écria-t-il d'un ton brusque.

Les loups grondèrent de frustration en montrant les crocs ; cependant, comprenant peu à peu qu'ils ne faisaient pas le poids face à deux puissants vampires, ils finirent par chatoyer et reprendre forme humaine.

Le bâtard massif au crâne rasé se redressa et, entièrement nu au milieu des épaisses broussailles, foudroya Jagr du regard.

— Où est notre roi ? grogna-t-il d'une voix plus animale qu'humaine.

— Je ressemble à la nounou d'un maudit garou ? répliqua Tane avec lenteur, faisant tournoyer d'un air absent le gros poignard en argent qu'il tenait à la main. Tu es son garde. Ce ne serait pas ton boulot, de ne pas le perdre de vue ?

— Tane.

Jagr secoua la tête. Il n'était pas d'humeur à jouer avec les bâtards. Il voulait savoir si Salvatore possédait des informations sur la sœur de Regan et en finir avec tout ce bordel. Il se tourna pour croiser le regard flamboyant de Hess.

— Qu'est-il arrivé ?

Hess serra les dents mais, estimant de toute évidence que le vampire était là pour les aider, il indiqua d'un brusque signe de tête la cabane qui se dressait dans une clairière en haut de la falaise.

— Salvatore devait rencontrer Duncan là-bas. Il y est entré avec la gargouille et ils ne sont jamais ressortis.

— Levet a disparu lui aussi ? demanda Jagr, qui songea aussitôt à l'étrange affection que Regan portait à cette maudite bestiole. Bon sang.

Tane arqua ses sourcils de jais.

— J'ignorais qu'il comptait pour toi.

Jagr haussa les épaules.

— Rien ne me ferait davantage plaisir que de renvoyer ce casse-pieds nain dans le ruisseau d'où il vient. Malheureusement, la compagne de l'Anasso l'adore.

— Ainsi que ta propre compagne ?

Jagr tressaillit en ressentant un élancement inattendu, et s'empressa de reporter son attention sur le bâtard méfiant.

— Un sang-pur et une gargouille ne peuvent pas juste disparaître, protesta-t-il. Tu n'as rien vu ?

Hess serra les dents ; il avait l'air d'avoir terriblement besoin d'un peu de violence gratuite et sanglante pour se calmer.

— Non.

Certain que ce dernier n'en savait pas plus, le vampire dépassa les bâtards et grimpa la falaise jusqu'à la cabane. Tane le rejoignit rapidement et balaya le sol du regard avec l'expertise d'un chasseur confirmé.

— Des traces de pas qui vont à l'intérieur, dit-il en indiquant les deux paires d'empreintes.

— Et aucune qui en sort, marmonna Jagr.

Il distingua aisément les odeurs de Salvatore et Levet. Ils étaient entrés ensemble dans la cabane et aucun d'eux ne l'avait quittée. Il se tourna pour toiser le garou imposant, les yeux plissés.

— Y a-t-il des tunnels ?

Hess secoua la tête tout en enfilant le jean qu'il avait laissé près de la porte.

— Salvatore a emprunté cette cabane au maître de la meute de Saint-Louis. J'ignore si elle est reliée à des tunnels.

Jagr gronda d'impatience. De toute évidence, ce bâtard ne faisait pas office de garde du roi pour sa vive intelligence.

— Ce maître de meute est-il un sang-pur ?

—Oui.

—Alors, il y a un tunnel. Toi et ta joyeuse bande d'imbéciles… faites le guet. Je ne veux pas être dérangé par des visiteurs inattendus.

—Ne me donnez pas d'ordres.

Hess fit claquer ses crocs et serra des poings assez gros pour fracasser une petite voiture. Par l'enfer, peut-être même une de taille moyenne.

—Les autres peuvent s'en charger, ajouta-t-il. Je viens avec vous.

Il fallut les réflexes rapides de Jagr pour sauver la vie à ce maudit bâtard. Saisissant le bras de Tane qui s'élançait sur Hess, il le mit en garde d'un signe de tête.

Une fois qu'ils auraient retrouvé Salvatore, le vampire plus jeune pourrait croquer autant de garous qu'il le souhaiterait. Pour l'heure, les muscles considérables de Hess pourraient leur être utiles, à défaut de son cerveau bien plus petit.

—D'accord, mais ne te mets pas sur mon chemin, l'avertit Tane, fulminant.

Après avoir laissé passer ce dernier, Jagr entra dans la cabane plongée dans l'obscurité. Son instinct hurla lorsqu'il s'approcha du loup mort au milieu de la pièce et il fronça les sourcils, un frisson glissant le long de son échine.

Qu'est-ce que ça signifiait ?

Le lourd parfum de la mort ne pouvait expliquer sa nervosité, pas plus que ses crocs qui s'allongeaient. La mort constituait sa spécialité. Alors, quoi ?

Il se pencha au-dessus du bâtard inanimé et déploya ses sens. Sa mine renfrognée s'accentua quand il remarqua l'air étrangement mordant.

Presque comme si la foudre venait de frapper.

À l'intérieur de la cabane.

Secouant la tête, il releva le visage pour regarder Tane faire le tour de la pièce.

— Alors?

— Il y a des tunnels. (Le vampire plus jeune ferma un instant les yeux.) Qui se dirigent vers l'ouest.

Jagr se redressa et adressa un signe au bâtard qui attendait.

— Commence à chercher une trappe.

En silence, ils fouillèrent tous les trois la cabane exiguë, à la recherche de l'entrée des souterrains. Ce fut finalement Tane qui trouva la porte secrète, près de la cheminée.

— Ici.

Sans prendre la peine de découvrir le levier qui en actionnait le mécanisme, Tane balança le bras en arrière pour frapper le panneau, qui s'ouvrit.

Aussitôt, les effluves de sang de garou saturèrent l'air.

Dans un hurlement de rage folle, Hess s'élança, ayant manifestement l'intention de se jeter à corps perdu dans le souterrain.

— Salvatore.

Jagr l'agrippa par le cou et le lança contre le mur opposé.

— Bon sang, si tu ne peux pas te contrôler, alors trouve-moi quelqu'un qui en soit capable. Salvatore a besoin d'être sauvé, pas d'être entouré d'une bande de bêtes enragées qui vont s'attirer une attention inopportune.

Hess se cogna la tête contre le mur, les muscles de son cou épais tendus, les yeux étroitement fermés, tandis qu'il luttait contre son envie instinctive de se métamorphoser.

Finalement, il se releva, haletant. Une lueur sinistre flamboyait toujours dans ses yeux mais son expression révélait une maîtrise de soi inflexible.

— Je ne le décevrai pas.

Tane renifla avec dégoût en examinant la porte secrète qui conduisait au tunnel enfoui à un peu moins de deux mètres sous terre.

— Je perçois une odeur de bâtard et quelque chose… (la contrariété durcit les traits dorés qui évoquaient les îles du sud du Pacifique) d'autre.

Jagr le rejoignit près de la cheminée.

— Une sorcière ?

— Une démone.

— Ça couvre un large éventail.

— C'est tout ce que je peux dire. (Il secoua la tête.) Je sais que c'est une démone, mais…

— Mais ?

— J'ignore de quel genre.

Jagr haussa les épaules. Un démon expliquerait l'air étrangement chargé d'électricité autour du loup mort. Rares étaient les espèces capables d'invoquer des pouvoirs qui ressemblaient de façon remarquable à une décharge électrique. C'était peut-être même ça qui avait tué Duncan.

— Il pourrait s'agir d'une hybride, suggéra-t-il. Elles laissent toujours une odeur déroutante.

Tane arbora un sourire redoutable.

— Il n'y a qu'une seule manière de le découvrir.

Jagr se figea.

— Tu comptes suivre cette piste ?

— Je n'ai rien de mieux à faire en ce moment.

Un grondement s'éleva derrière eux.

— Pas sans moi et les autres, affirma Hess avec stupidité. Nous nous sommes engagés sur notre vie à protéger notre roi.

— Et vous vous en tirez comme des chefs, railla Tane.

Puis, contre toute attente, le vampire grommela un juron et fit un geste de la main.

— Merde. Va chercher tes chiens et ne te laisse pas distancer.

Hess eut l'intelligence de ne pas tenter le sort et, tournant les talons, il partit en courant rassembler les autres bâtards. Resté seul avec Tane, Jagr s'appuya au manteau de la cheminée.

— Tu n'as pas à faire ça, Tane. C'est à moi que Styx a confié la tâche de retrouver Salvatore.

Tane rengaina son poignard et sortit une lanière de cuir de la poche de son short kaki pour attacher ses longs cheveux de jais.

— Ce qui ne fait que conforter ma théorie selon laquelle un vampire perd toutes ses facultés intellectuelles lorsqu'il s'unit, déclara-t-il d'une voix traînante.

Ce qui était parfaitement vrai. Regan lui avait volé tout espoir de former des pensées cohérentes depuis des jours. Bien sûr, être d'accord avec Tane ne signifiait pas qu'il allait supporter les moqueries d'un vampire deux fois plus jeune que lui.

— J'ignore si tu insultes le jugement de Styx ou mes aptitudes.

Tane haussa les épaules.

— Les deux.

— J'ai toujours entendu dire que les Charons nourrissaient un désir de mort.

— Rentre à Chicago, Jagr. Tant que cette femme ne t'aura pas accepté pour compagnon, tu ne seras bon à rien.

Le rire dur et sans joie de Jagr résonna dans la cabane dépouillée.

— Merci.

— Tu sais que j'ai raison.

Évidemment qu'il le savait. Il n'était pas idiot, même si son cerveau ne fonctionnait plus correctement. Regan représentait une distraction permanente. Qui pouvait faire la différence entre la vie et la mort face à un ennemi.

Mais qu'était-il bien censé y faire ?

S'enfermer dans son repaire et se transformer en ermite ?

Il s'écarta de la porte dérobée et marcha vers le centre de la pièce.

— Tu as peut-être raison, mais vu que cette femme n'a aucunement l'intention de s'unir à moi, je pourrais aussi bien…

Il s'arrêta net et se retourna pour foudroyer du regard son cadet qui, la tête rejetée en arrière, riait avec un plaisir évident.

— Qu'y a-t-il de si amusant ?

Tane rencontra sans ciller le regard brûlant de fureur de Jagr.

— J'essaie de décider si tu es aveugle ou juste idiot.

Jagr s'avança vers lui, les dents serrées.

— Tu fais vraiment preuve d'une attitude suicidaire.

— Merde, Jagr, cette femme met presque le feu à une pièce quand elle s'y trouve avec toi. J'ai peur de me faire cramer si je m'approche trop.

Jagr grogna sous l'afflux douloureux de souvenirs. Regan dans ses bras. Qui plantait ses ongles dans son dos. Ses doux gémissements qui lui caressaient la peau.

De minuscules tranches de paradis qui devraient lui durer le reste de l'éternité.

— Je ne nie pas son désir, mais nous savons tous deux que ce dernier ne suffit pas à nous unir, dit-il, la voix rauque.

—Merci les dieux, marmonna Tane en référence à ses propres appétits insatiables.

Le visage grave, il posa la main sur l'épaule de Jagr.

—Écoute, mon vieux, rares sont les démons possédant une plus grande expérience du désir dans toutes ses délicieuses formes que moi, et je sais quand une femme est simplement en rut. Jamais aucune femme ne m'a regardé comme Regan te regarde. Elle a beau ne pas encore le reconnaître, elle est à toi. (Il lui donna une tape dans le dos.) Retourne à Chicago et réclame son cœur.

Jagr recula vivement et secoua la tête pour repousser le besoin déchirant qui lui demandait à cor et à cri d'écouter Tane.

Bon sang.

Ce vampire tentait-il de lui faire péter les plombs ?

Il avait fait tout ce qui était en son pouvoir pour conquérir le cœur de Regan. Et tout au fond de lui, il était certain qu'elle l'aimait.

Cependant, après des années de captivité, elle était incapable de se lier à qui que ce soit.

Et surtout pas à un vampire excessivement possessif et arrogant qui se consumait de désir pour elle.

En bien des façons, il ne pouvait lui en vouloir. Il se souvenait des jours d'affliction qui avaient suivi son évasion des griffes de Kesi. La dernière chose qu'il aurait pu supporter, c'était une compagne qui compterait sur lui pour la rendre heureuse.

—Je ne peux pas l'obliger à s'unir à moi.

Tane lui décocha un sourire malicieux.

—Non, mais tu peux lui rappeler ce qu'elle perd.

Ils furent heureusement interrompus par le bruit de pas qui approchaient et, tournant la tête, Jagr regarda la bande de bâtards entrer en même temps dans la cabane, tous entièrement vêtus et équipés de suffisamment de puissance de feu pour détruire le Pentagone.

—Nous sommes prêts, dit Hess, énonçant l'évidence.

Tane grommela ce qu'il pensait de travailler avec de sales chiens, mais, avec une grimace empreinte d'ironie, il s'avança vers la porte et s'engagea dans l'escalier qui descendait dans le tunnel.

—Alors, allons-y.

CHAPITRE 22

Resté seul dans la cabane, Jagr envisagea rapidement les possibilités qui s'offraient à lui.

Il pouvait toujours rejoindre Tane sur la piste de Salvatore.

Caine avait enlevé un sang-pur de la puissance de Salvatore avec une aisance qui prouvait que ce bâtard – ou celui qui était à l'origine de ce dernier drame – était un adversaire dangereux. Et qui pouvait bien prédire les dégâts que la mystérieuse démone pouvait causer?

Malheureusement, il savait que Tane avait raison.

En ce moment, il était incapable de se concentrer sur cette chasse.

Pas alors que ses émotions étaient instables et que Regan consumait ses pensées.

Humiliant, mais vrai.

La seule autre possibilité était de retourner au repaire de Tane.

Il était bien trop tard pour tenter d'effectuer le trajet jusqu'à Chicago avant l'aube. Et s'il devait être totalement honnête, il ne se sentait pas prêt à se présenter au manoir de Styx pour lui faire son rapport.

Pas quand Regan ne manquerait pas d'y être.

Son désir pour elle était encore trop vif. S'il humait son parfum, rien ne pourrait l'empêcher de la jeter sur son épaule et de la traîner chez lui, qu'elle soit d'accord ou non.

Ce qu'il s'efforçait d'éviter.

En plus, il était complètement exténué.

Il avait besoin de se reposer et de s'alimenter.

Une fois sa décision prise, Jagr rebroussa chemin jusqu'au repaire isolé de Tane, et choisit une chambre éloignée de l'appartement qu'il avait partagé avec Regan. Ce vide cuisant lui était déjà suffisamment pénible sans qu'il soit entouré des évocations saisissantes du temps qu'ils avaient passé ensemble.

Après s'être obligé à se nourrir, il affronta les questions inquiètes des serviteurs de son hôte puis parvint à dormir quelques heures.

Il faisait les cent pas dans sa chambre lorsque le soleil se recoucha enfin et, dès qu'il estima ne plus courir aucun risque, il se précipita hors du repaire et fonça vers Chicago.

Le trajet se révéla heureusement éreintant. Il se rendit directement à l'immense manoir de l'Anasso au nord de la ville et fut conduit à son bureau.

À présent, assis sur un sofa en cuir près du sol, il regardait Styx arpenter la pièce d'un bout tapissé de livres à l'autre.

— Bon sang. Ces bâtards commencent à me porter sur les nerfs, marmonna l'imposant Aztèque lorsque Jagr termina son rapport.

Il ne semblait vraiment pas à sa place au milieu du mobilier en acajou poli et des délicats tapis persans. Un éléphant d'un mètre quatre-vingt-quinze revêtu de cuir dans un magasin de porcelaine.

— Il faut qu'on leur fasse la peau.

Jagr réprima un sourire lorsqu'il songea à la façon dont Salvatore devait prendre le fait d'être enlevé. Ce fier garou était certainement prêt à ordonner le génocide des bâtards.

— Je suppose que tu n'es pas le seul à en avoir envie, répondit-il d'un ton pince-sans-rire. Malheureusement ils semblent toujours avoir une longueur d'avance sur nous.

Styx renifla avec dégoût, les poings serrés le long de son corps comme s'il regrettait de ne pas tenir une arme dans ses mains.

— Tu sais si Salvatore est gravement blessé ?

Jagr haussa les épaules.

— Pas au point d'être vaincu par un simple bâtard.

— De la magie a été utilisée ?

— Tane a parlé d'une démone, sans parvenir à en déterminer l'espèce. Elle pourrait posséder des pouvoirs magiques.

Styx s'immobilisa près de son bureau massif, les sourcils froncés de frustration.

— Ça ne me plaît pas. Tane se jette peut-être dans un piège.

— Si tu veux, j'y retourne et…

— Non, tu en as assez fait, mon frère, l'interrompit-il. J'entrerai en relation avec mon Charon, même si tenter de le convaincre de rentrer à Hannibal serait comme me cogner la tête contre un mur. Il n'est pas jusqu'à moi que ce vampire ne terrifie quand il est en chasse.

Jagr n'en doutait pas. Il émanait de Tane une puissance qui effraierait n'importe qui.

— J'imagine que c'est pour cette raison que tu l'as choisi comme Charon.

— L'une des raisons, oui.

Jagr grimaça.

—Je crois que je préfère ne pas connaître les autres.

—Sage décision. (Styx croisa les bras.) Aucun signe de Levet ?

Contre toute attente, Jagr ressentit une petite pointe de remords en repensant à la disparition de cette gargouille exaspérante. Non que sa mort lui importe, s'empressa-t-il de se dire. Il ne pouvait pas avoir perdu la boule à ce point. C'était juste qu'il ne supportait pas l'idée que Regan pleure l'un de ses rares amis.

—Nous savons qu'il est entré dans la cabane et n'en est pas ressorti, reconnut-il.

Styx s'appuya contre le bureau, soudain las.

—Bordel, Darcy ne va pas être contente. Non seulement j'ignore où est séquestrée sa sœur, mais cette maudite gargouille a disparu. Les raisons pour lesquelles elle s'est attachée à cet agaçant morceau de granit défient la raison mais, bon, c'est une femme. Inutile de chercher à les comprendre.

Jagr grogna. Quel était ce dernier dicton… prêcher un converti…

—Ce n'est pas moi qui vais te contredire, marmonna-t-il.

—Non, j'imagine que non. (Styx s'interrompit, le regard d'une perspicacité troublante.) Regan est ici.

Jagr serra le bras du sofa jusqu'à ce que le bois menace de se fendre sous la pression.

Il n'avait pas besoin que Styx lui rappelle la présence de Regan. Son parfum lui avait fait l'effet d'un coup de poing dans le ventre lorsqu'il s'était engagé dans le parc vallonné qui entourait le manoir.

Heureusement, le vaste bureau était ensorcelé pour garantir la confidentialité des échanges et les effluves familiers de jasmin étaient suffisamment atténués pour apaiser le désir à l'état pur qui le tourmentait.

— Je sais.

Il se détourna pour regarder fixement les livres reliés en cuir qui s'alignaient sur les étagères. Il ne supportait pas de voir la compassion qui brillait dans les yeux de Styx.

— Elle… va bien ? ajouta-t-il.

— Elle guérit, répondit l'Anasso avec lenteur. Du moins, physiquement.

Incapable de retenir l'angoisse qui l'étreignait, Jagr le foudroya aussitôt du regard.

— Quelque chose ne va pas ?

Styx tira sur le médaillon ancien à son cou. Un signe certain de son inquiétude.

— J'ai beau ne pas posséder le talent de Viper pour lire dans les âmes, j'ai conscience que Regan porte un fardeau qui lui assombrit le cœur.

Jagr lutta pour ne pas réagir de manière excessive.

Cela lui avait déjà valu de provoquer des catastrophes particulièrement horribles.

— Elle vient à peine d'être libérée de l'enfer. Elle a besoin de temps.

— Se fermer à ceux qui pourraient l'aider ne va rien arranger, gronda Styx, manifestement contrarié que Regan n'accueille pas sa nouvelle famille avec l'enthousiasme qu'il avait espéré. Je suis bien placé pour le savoir. Des siècles durant j'ai erré, seul et malheureux. Ce n'est que quand l'Anasso précédent m'a pris à son service que j'ai pu accepter la brutalité de mon passé et commencer à envisager mon avenir.

Même si Jagr ne l'avait jamais entendu évoquer son existence passée, Styx était assez âgé pour avoir enduré le chaos et la violence qui étaient monnaie courante au sein des vampires dans les temps anciens. À cette époque-là, un jeune vampire survivait rarement plus de quelques années.

Ce que Styx avait consacré sa vie à changer.

Jagr se leva avec lenteur. Il se sentait las et éprouvait le besoin de retrouver la quiétude de son repaire.

— Qu'est-ce qui te dit que, si l'Anasso était venu te trouver plus tôt, tu aurais été prêt à le rejoindre ? demanda-t-il avec un sourire teinté d'ironie. Peut-être que notre maître a eu la sagesse d'attendre que tu sois en mesure d'accepter la place qu'il t'offrait.

Styx arqua les sourcils.

— Et Viper m'a affirmé que tu n'étais qu'un beau gosse de plus. Manifestement, toutes ces années de recherches érudites n'ont pas été une perte de temps.

Le rire mordant de Jagr résonna dans le bureau.

— Je ne tirerais pas de conclusions trop hâtives, si j'étais toi. Je peux me révéler d'une stupidité remarquable quand je m'y mets.

Styx vint se planter juste devant lui.

— Que vas-tu faire à présent ?

— Dans les prochaines heures ou du reste de mon existence ?

Styx le gratifia d'un de ses rares sourires.

— Tu es d'humeur à te lancer dans des considérations philosophiques, ce soir.

— Le cadre doit s'y prêter.

— Grands dieux, ne me le rappelle pas. (Il frissonna en jetant un coup d'œil dégoûté à l'élégant mobilier richement ornementé avant de reporter son attention sur Jagr.) Tu retournes à ton repaire ?

— Pour le moment.

— Tu n'as aucune raison de rester seul, tu sais. Viper m'a téléphoné un peu plus tôt pour t'inviter à séjourner avec lui et Shay. Et, bien sûr, tu es toujours le bienvenu ici.

Jagr plissa les yeux au ton bas, presque autoritaire de Styx. Pourquoi se préoccuperait-il de l'endroit où il vivait ? Dieu savait qu'on l'avait laissé tranquille dans son repaire sans…

Il croyait comprendre et se raidit d'humiliation.

— Ah, Regan t'a parlé de mon accès de folie, dit-il entre ses dents. Tu as peur que je dévaste Chicago ?

Styx libéra une infime partie de son pouvoir ; les picotements que Jagr ressentit lui rappelèrent sa force de façon cuisante.

— Si je craignais que tu sois fou, alors tu serais enfermé dans une cellule, pas en train de déguster mon meilleur cognac dans le repaire que je partage avec ma compagne.

Aussi rapidement que le châtiment avait commencé, il cessa, et Styx posa une main sur son épaule.

— Je ne me préoccupe que de ton bonheur, mon frère, ajouta-t-il.

Jagr secoua la tête et se détourna de la compassion troublante gravée sur le visage du vampire.

Bon sang. À peine quelques semaines auparavant, on avait presque oublié son existence alors qu'il vivait sous les rues de Chicago. Un excentrique solitaire doté du genre de vilaine réputation qui gardait les autres à distance.

Exactement ce qui lui convenait.

Puis, sans crier gare, on l'avait traîné à coups de pied au derrière dans un monde rempli de frères de clan, de politique démoniaque et d'une magnifique garou qui avait de nouveau insufflé la vie dans son âme gelée.

Il ignorait s'il avait envie d'enfoncer un pieu dans le cœur de Styx ou de tomber à genoux pour le bénir.

Peut-être les deux.

— J'ai besoin de… m'éloigner, reconnut-il enfin.

— De Regan ?

— Oui.

Un long silence s'installa puis Styx prit place à son bureau.

— Tu peux quitter la ville si tu veux, dit-il d'une voix douce.

— Pas sans affronter tous les chefs de clan des territoires que je traverserai. C'est pour cette raison que je suis venu trouver Viper, au départ.

— En tant que Corbeau, tu pourrais parcourir le monde sans craindre d'être attaqué par les autres vampires.

Jagr se retourna brusquement et rencontra le regard posé de Styx avec une stupéfaction non dissimulée.

Nom de Dieu. Il ne l'avait pas vue arriver, celle-là.

— Un Corbeau ?

L'Anasso s'enfonça dans son fauteuil, le menton appuyé sur ses doigts tandis qu'il observait Jagr.

— Il est rare que je croise un guerrier de ton talent et de ta loyauté. Et quand j'en rencontre un, j'ai l'intelligence d'essayer de m'allouer ses services.

— Ma loyauté ?

Jagr se demanda si cet homme était devenu fou. Sinon, de quoi pouvait bien souffrir ce vampire habituellement sensé pour lui faire une offre si dangereuse ?

— Au cas où tu l'aurais oublié, je n'obéis pas aux ordres, lui rappela-t-il.

— La loyauté n'est pas l'obéissance aveugle, répliqua Styx. Je confie souvent des tâches délicates à mes Corbeaux.

J'ai besoin de soldats capables de penser par eux-mêmes et de prendre des décisions seuls quand ils ne peuvent entrer en contact avec moi.

Jagr renifla avec dérision.

— J'ai la délicatesse d'un marteau de guerre.

— Il arrive qu'une mission nécessite une rapière, et d'autres fois un marteau de guerre. (Styx tapota des doigts la surface brillante du bureau.) C'est mon boulot de déterminer l'arme qui convient mieux.

— Et mes accès de folie ? s'enquit-il. Je n'en fais pas souvent mais…

— Il ne s'agit de rien de plus que ce contre quoi tout démon lutte, y compris moi, déclara Styx, balayant son argument.

Jagr secoua la tête.

Un Corbeau.

Une partie de lui-même avait envie de rire face à cette absurdité absolue.

Il était un vampire à moitié sauvage qui avait consacré ses premiers siècles à haïr ceux qui l'avaient torturé, et les derniers à abhorrer la bête qu'il était devenu.

À présent, le roi des vampires lui offrait une position hautement respectée au sein du monde démoniaque.

Si ce n'était pas ironique.

Mais une autre partie de lui-même, celle qu'il avait gardée verrouillée jusqu'à ce que Regan entre en force dans sa vie, se révélait étrangement tentée par cette proposition.

Il avait toujours compté sur ses études pour donner un but à son existence. Non seulement amasser des connaissances était passionnant, mais ces dernières constituaient une arme aussi meurtrière que son épée ou ses poignards.

En plus, sa vaste bibliothèque lui apportait une certaine quiétude. Surtout que, bien sûr, ses livres avaient l'avantage de ne pas essayer de le tuer.

À présent, cependant, il ne pouvait s'empêcher de se demander si l'heure n'était pas venue pour lui de mettre un terme à l'exil qu'il s'était imposé.

Sans vanité excessive, il savait être l'un des vampires les plus puissants à fouler la terre. Et ses études variées l'avaient familiarisé avec le monde humain aussi bien qu'avec le monde démoniaque d'une façon rarement égalée.

Des aptitudes qui serviraient l'Anasso.

Plus important, devenir un Corbeau lui fournirait sans doute l'occasion de se consacrer à autre chose qu'à regretter l'absence de sa compagne.

Comme s'il percevait ses émotions conflictuelles, Styx se leva et contourna le bureau pour se planter juste devant lui.

— Ne me réponds pas tout de suite. Prends le temps de réfléchir à mon offre, lui conseilla-t-il. Elle tiendra toujours.

— Merci, mon seigneur. (Jagr lui adressa un signe de tête.) Je devrais y aller.

— Certainement, tu dois avoir hâte de retrouver ton repaire. (Lorsque Jagr parvint à la porte, Styx s'éclaircit la voix.) Sache que Viper va faire ingérence dans ta vie privée, ainsi que Dante et Cezar.

Jagr lui jeta un regard par-dessus son épaule, les yeux plissés.

— Pourquoi ?

Styx haussa les épaules.

— Parce que ce sont des mères poules fouineuses.

— Génial.

Persuadé que l'Anasso ne bougerait pas le petit doigt pour lui épargner l'ingérence imminente de ses frères, Jagr sortit du bureau, aussitôt submergé par le parfum puissant de jasmin.

Immédiatement, ses canines s'allongèrent et il banda les muscles, assailli par un désir désespéré.

Merde.

Il devait vraiment s'en aller.

Regan sut tout de suite quand Jagr entra dans le manoir.

Incroyable, vu qu'elle somnolait à des kilomètres de là – ou, du moins, c'était l'impression qu'elle en avait –, dans une chambre située dans l'aile la plus éloignée.

Ou peut-être pas tant que ça, reconnut-elle avec ironie en enfilant en vitesse un jean délavé et un tee-shirt jaune.

Après tout, ce n'étaient ni le son de sa voix ni son parfum exotique qui l'avaient arrachée à son sommeil léger. Non, c'était la froide vague de pouvoir qui avait déferlé dans toute la maison qui l'avait incitée à s'habiller en hâte avant de se précipiter dans les couloirs silencieux.

Ce devait être Jagr.

Regan dévala les volées du grand escalier pour découvrir que le vampire avait disparu dans le bureau de Styx. Marmonnant un juron, elle s'affala sur la dernière marche, prête à attendre toute la nuit si nécessaire.

Elle aurait dû s'inquiéter des raisons pour lesquelles elle était disposée à patienter.

Heureusement, elle développait une excellente aptitude à l'auto-aveuglement. Après s'être dit qu'elle tenait simplement à savoir s'il avait appris quoi que ce soit sur sa sœur, elle se rongea l'ongle du pouce en faisant semblant d'ignorer que son cœur battait la chamade.

Le temps que la porte du bureau s'ouvre enfin et que Jagr sorte de la pièce, il ne restait pas grand-chose de son ongle malmené. Cachée par la rampe en chêne sculptée, Regan eut l'impression de recevoir un coup qui lui coupa le souffle.

Bon Dieu, avait-il vraiment besoin d'être si terriblement séduisant ?

Luttant pour respirer, elle laissa son regard se délecter de ces traits pâles et ciselés avec une perfection sauvage ainsi que de ces cheveux dorés coiffés en une longue tresse.

Beau, mais dangereux à en être terrifiant.

De plus d'une façon.

Perdue dans ce douloureux enchevêtrement d'émotions, elle mit un moment à s'apercevoir que Jagr se dirigeait droit vers la porte de derrière.

Eh bien, quel pauvre type.

Il devait savoir qu'elle se trouvait juste derrière lui.

Par l'enfer, il était probablement capable de l'atteindre avec une flèche à une centaine de kilomètres de distance, les yeux fermés.

Ce qui signifiait qu'il faisait délibérément semblant de ne pas avoir senti sa présence.

Et pourquoi se comporterait-il autrement ? chuchota une toute petite voix au fond de sa tête.

C'était un vampire fier et magnifique qui lui avait offert son cœur. Elle, d'un autre côté, était une garou complètement perturbée qui avait pris peur.

Elle ne lui reprocherait pas de ne plus jamais vouloir la revoir.

Bien sûr, cela ne l'empêcha pas de se précipiter après sa silhouette qui s'éloignait.

Perturbée, en effet.

—Jagr, attends.

Il s'arrêta quand elle l'appela doucement, le dos raide, comme s'il luttait pour ne pas continuer à avancer.

Puis, avec une réticence manifeste, il se retourna avec lenteur pour lui faire face.

— Regan. (Son expression était aussi froide et distante que son ton.) Comment vas-tu ?

Tenaillée par l'angoisse, elle inspira profondément. Mon Dieu, elle préférerait qu'il la frappe plutôt que de la traiter comme si elle était une étrangère.

— Je vais bien, parvint-elle à articuler d'une voix rauque. Tu reviens de Hannibal ?

— Oui.

Brusque. Concis.

Impassible.

Elle humecta ses lèvres sèches, un regret poignant lui nouant le ventre.

— Tu as découvert quelque chose sur ma sœur ?

— Non, je suis désolé. (La frustration assombrit ses yeux pâles.) Salvatore a disparu, ainsi que Levet.

— Bon sang. (Elle se raidit, choquée, oubliant momentanément ses propres problèmes.) Duncan les a trahis ?

— J'en doute. Il était mort quand nous avons trouvé la cabane où ils étaient censés se rencontrer.

Regan porta une main à son cœur. La mort du bâtard et la disparition du puissant Salvatore n'étaient déjà pas de bonnes nouvelles, mais le pauvre Levet…

Bon Dieu, elle n'aurait jamais dû insister pour qu'il accompagne Duncan à ce satané rendez-vous.

Il semblerait que tout ce qu'elle entreprenait ces derniers temps se termine en fiasco.

La reine des fiascos.

Elle devrait mettre un diadème et une écharpe.

— Ce doit être Caine, marmonna-t-elle.

— C'est ce que nous avons supposé.

— Ce salaud aurait bien besoin qu'on lui botte le cul.

Jagr haussa les épaules ; ses muscles durs ondulèrent sous son tee-shirt noir moulant.

Waouh. Il était à croquer.

Regan eut la bouche sèche.

— Je crois que Styx a l'intention de lui faire la peau.

— Ça marche aussi.

— Tane est sur sa piste. Je suis sûr qu'il préviendra Styx s'il découvre quoi que ce soit.

Il lui adressa un signe de tête avec raideur et se tourna vers la porte.

Laisse-le partir, laisse-le partir, laisse-le partir…

— Tu t'en vas ?

Les mots s'échappèrent directement de ses lèvres, sans passer par son cerveau.

De nouveau, il s'arrêta à contrecœur et lui fit face.

— Je possède mon propre repaire. Ou, du moins, c'était le cas. (Tout à coup, elle vit cette esquisse de sourire qui lui était propre apparaître sur ses lèvres, et elle sentit son cœur s'emballer.) Les rats l'ont peut-être envahi pendant mon absence.

Timidement, elle s'avança vers lui, ayant presque peur qu'il disparaisse dans la nuit si elle s'approchait trop.

— Ils n'oseraient pas.

Il arqua ses sourcils dorés.

— De toute évidence tu n'as pas l'habitude des rats de Chicago. Ils ne redoutent aucun démon.

— Peut-être, mais toute créature craint un gigantesque chef wisigoth.

Délibérément, il caressa du regard son visage pâle, s'attardant sur les ombres sous ses yeux.

— Pas toutes.

— Eh bien, je n'ai jamais été bien maligne. Si j'avais un cerveau, je serais certainement terrifiée.

Il baissa son superbe regard bleu sur ses lèvres et serra les dents, comme s'il souffrait.

— Je devrais y aller.

Elle leva la main pour le toucher, et la laissa aussitôt retomber quand il recula brusquement d'un pas.

— Tu vas revenir ?

— Pas à moins que Styx me le demande.

Elle déglutit péniblement.

— Oh.

Il y eut entre eux un silence tendu et embarrassé qui donna envie à Regan de se cogner la tête contre le mur.

Avant ce soir-là, elle avait ressenti de nombreuses émotions lorsque Jagr se trouvait près d'elle.

De la rage, de la frustration, un désir brûlant et une tendresse à faire fondre le cœur.

Jamais, au grand jamais, de la gêne.

Qu'est-ce qu'elle avait fait, bon sang ?

Peu à peu, il releva les yeux pour les plonger dans les siens.

— Tu comptes rester ici ?

— Non. Je… (Elle haussa les épaules, incapable de lui expliquer la panique ridicule qui s'emparait d'elle chaque fois que Darcy tentait de l'attirer davantage dans leur sympathique clan.) Non.

— Où vas-tu aller ?

Malgré toute sa détermination à partir, elle n'avait guère réfléchi à ce genre de détails fastidieux.

—Je ne peux pas aller bien loin. Du moins, pas tant que je n'aurai pas trouvé un emploi et mis quelques économies de côté.

Il fronça brusquement les sourcils. Regan découvrit avec un plaisir pitoyable ce premier signe d'émotion véritable.

—Tu n'as pas à travailler…

—Darcy m'a déjà offert de l'argent, s'empressa-t-elle d'avouer, certaine qu'il s'apprêtait à lui en proposer.

—Que tu as refusé.

—Ce n'est pas parce que je suis têtue, Jagr.

—J'ai dit que tu l'étais ? répliqua-t-il.

—Tu n'en as pas eu besoin, railla-t-elle d'un air contrit. C'était écrit au néon sur ta figure.

Il ne se dérida pas.

—C'est hautement improbable.

Elle soupira et se passa une main dans les cheveux avec nervosité.

—Je veux voir si je suis capable de me débrouiller dans le monde comme une personne normale. Est-ce si surprenant ?

Les émotions du vampire, qui avaient transparu un instant, furent balayées. Remplacées par un masque glacial.

—Tu ne seras jamais une personne normale.

—Bon, comme un démon normal alors. (Elle serra les mains, espérant parvenir à se faire comprendre de quelqu'un, n'importe qui.) J'ai besoin de savoir que je peux le faire.

—Qui tentes-tu de convaincre, Regan ? demanda-t-il avec douceur. Moi ? Ou toi-même ?

—J'essaie d'expliquer… (Elle secoua la tête.) Ça ne fait rien.

Pour toute réponse, Jagr serra les dents, puis tourna les talons.

—Je dois y aller.

—Jagr.

—Bon sang, Regan, qu'est-ce que tu me veux ? s'écria-t-il d'une voix sifflante, en lui présentant toujours le dos.

Bonne question.

Malheureusement, elle n'en avait pas la moindre fichue idée.

Tout ce qu'elle savait, c'était que le voir partir lui déchirait le cœur.

—Je... je veux te remercier.

Il se raidit, refusant encore de lui faire face.

—Me remercier ?

—Si tu n'avais pas été là, je me serais jetée droit dans le piège que Sadie me tendait.

—Je ne pense pas que tu te serais laissée si facilement attraper, dit-il avec flegme.

Elle pinça les lèvres. Son orgueil avait beau avoir envie de le croire, elle avait eu largement le temps de repenser à sa fuite imprudente à Hannibal.

—J'apprécie ta confiance en mes capacités, mais nous n'ignorons pas tous les deux que mon désir de vengeance me consumait au point de m'empêcher d'avoir les idées claires. Si tu n'avais pas été là, je...

—Je n'ai que faire de ta gratitude, Regan, l'interrompit-il brusquement, la voix dure. Prends soin de toi, c'est tout.

Et sur ce, il ouvrit la porte avec violence et disparut dans les ténèbres.

Abasourdie par son départ abrupt, Regan s'agrippa à une statue de marbre alors que ses genoux menaçaient de se dérober sous elle.

Tous ses instincts lui hurlaient de courir après Jagr pour le prendre dans ses bras. De le supplier de la jeter sur son épaule pour la transporter jusqu'à son repaire caché.

De…

Dans un craquement assez bruyant pour réveiller les morts, le bras de la statue lui resta dans la main. Grommelant un juron, elle lança vivement le membre cassé sur le sol.

— Mon Dieu, je suis tellement idiote.

CHAPITRE 23

Un mois plus tard…

L e pub pittoresque situé près du stade de baseball Wrigley Field était le genre d'établissement branché qui attirait les gens du coin ainsi qu'un certain nombre de touristes qui venaient pour les ailes de poulet épicées et restaient pour la bière froide.

Regan était presque littéralement tombée sur ce bistrot alors qu'elle cherchait un endroit où vivre et, en moins de temps qu'il n'en fallait pour le dire, elle avait loué l'un des appartements à la décoration rétro aménagés à l'étage et faisait la plonge pour compléter l'argent que Darcy l'avait pratiquement obligée à accepter avant qu'elle quitte le manoir.

Non qu'elle regrette son choix.

La propriétaire du pub, Tobi Williams, était une petite femme dans la trentaine aux cheveux roses courts et hirsutes, aux yeux sombres et couverte d'assez de piercings pour faire exploser un détecteur de métaux.

En bien des façons, elle lui rappelait sa sœur. Pleine d'entrain et optimiste incorrigible, elle était pourtant une femme d'affaires suffisamment habile pour avoir transformé un bâtiment délabré qu'elle avait hérité de son père en un établissement qui rencontrait un succès prodigieux.

Elle avait également un cœur de la taille de Chicago.

Deux jours après l'emménagement de Regan, Tobi lui avait non seulement proposé un poste de plongeuse, mais l'avait aussi harcelée pour pouvoir vendre les dessins sans prétention qu'elle faisait pour remplir ses longues nuits solitaires.

Au départ, Regan s'était montrée réticente.

Les croquis des rues du quartier et de divers sites touristiques ressemblaient davantage à des gribouillis qu'à des chefs-d'œuvre. Qui voudrait dépenser son argent durement gagné pour les acheter ?

À peine une semaine plus tard, cependant, Tobi était parvenue à vendre dix des plus petits tableaux et quatre des plus grands, et avait remis à Regan une liasse de billets qu'elle s'était empressée d'ajouter à son pécule. À présent elle réussissait tout juste à satisfaire la demande.

Après avoir rangé les dernières assiettes, elle essuya les éviers en inox. Il était minuit passé et on avait fermé la cuisine une heure auparavant. Le bar resterait ouvert jusqu'à 3 heures, mais Regan avait terminé son travail.

Pourtant, elle ne fit pas mine de grimper l'escalier de derrière menant à son appartement.

Non qu'elle n'adore pas son nouveau chez-soi, se dit-elle avec détermination.

Certes, c'était petit, meublé dans le style rétro des feuilletons des années 1970 et imprégné en permanence de l'odeur des ailes de poulet frites, mais c'était à elle. Complètement à elle.

La preuve formelle de son indépendance.

Hip, hip, hip, hourra.

Alors qu'elle tentait de se débarrasser de son étrange sentiment de mélancolie, Regan tira sur le grand tablier qui couvrait son short en coton et son tee-shirt minuscule. Le temps de l'Illinois s'était mis au printemps, et rester des heures devant un évier fumant n'arrangeait rien. Si cela n'avait pas choqué les autochtones, elle serait venue travailler toute nue.

À peine avait-elle lancé le tablier dans le panier à linge qu'elle vit les portes battantes s'ouvrir et Tobi entrer en sautillant dans la cuisine, en brandissant une petite carte de visite.

— Je te l'avais dit, je te l'avais dit, je te l'avais dit, chanta-t-elle en s'arrêtant en tournoyant devant Regan.

Cette dernière roula des yeux face aux pitreries de son amie.

— Bon Dieu, Tobi, tu me donnes le tournis.

Tobi lui décocha son grand sourire charmant ; elle avait l'air d'avoir seize ans dans sa petite robe d'été à pois qui dévoilait ses nombreux tatouages.

— Je te l'avais dit.

— Oui, eh bien, tu m'as dit que le vieil homme qui vivait dans l'appartement 4B était en fait un extraterrestre qui avait raté le vaisseau-mère qui devait le ramener chez lui. Tu m'as dit que les terroristes dressaient les requins à attaquer nos plages. Et que ta mère décédée communiquait avec toi par le biais des feuilles de thé, répliqua Regan d'un ton pince-sans-rire. Il va te falloir être un peu plus précise.

— Tiens.

Elle prit la carte que Tobi lui fourra dans la main et observa le nom doré inscrit en relief sur le papier de qualité supérieure.

— « Charles Rosewood ». (Les sourcils froncés, elle releva la tête pour rencontrer le regard impatient de son amie.) Qui est-ce ?

—Il t'attend au bar.

—Pourquoi voudrait-il me voir?

—Il possède des dizaines de boutiques pour touristes à Chicago. Toutes dans les endroits les plus fréquentés, ajouterai-je. (Elle exhala un soupir mélancolique.) Mon Dieu, je tuerais pour son magasin sur Michigan Avenue.

D'accord. Cela n'expliquait pas grand-chose.

Rien d'inhabituel de la part de Tobi.

Elle avait beau être dotée du sens aigu des affaires d'un dirigeant d'une des plus grandes entreprises américaines, elle papotait comme une vraie écervelée.

—C'est un de tes amis?

—Absolument pas. (Elle passa une main dans ses cheveux fuchsia.) On ne joue pas vraiment dans la même cour. Je l'ai juste reconnu pour avoir lu son nom dans les chroniques mondaines.

Regan remua, mal à l'aise à l'idée qu'un étranger souhaite la rencontrer.

S'agissait-il d'un autre piège? Caine espérait-il encore l'enlever?

—Alors, qu'est-ce qu'il fait ici? s'enquit-elle, ouvertement méfiante. Et pourquoi veut-il me voir?

—Il est là parce qu'il a remarqué tes croquis dans la devanture et qu'il a désiré saluer l'artiste.

—Pourquoi?

—Nom de Dieu, pour une femme de ton intelligence, tu peux te révéler incroyablement bouchée. (Avec des mouvements brusques qui amenaient parfois Regan à se demander si Tobi n'était pas plus qu'humaine, elle l'agrippa par le bras et lui fit franchir les portes battantes.) Va lui parler.

—Mais…

—Vas-y, chuchota Tobi en la poussant si fort qu'elle surgit en trébuchant dans la salle principale.

Ayant une conscience aiguë qu'une dizaine de clients s'étaient retournés pour la regarder en haussant les sourcils, Regan n'eut d'autre choix que de lisser les boucles humides qui s'étaient échappées de sa queue-de-cheval et de marcher aussi dignement que possible vers le bar.

D'un pas mesuré, elle traversa les box en bois et contourna les petites tables qui luisaient sous l'éclairage discret installé dans le plafond aux poutres apparentes.

Une fois parvenue à l'espace ouvert réservé aux piliers de bar, elle n'eut aucun mal à identifier son homme.

Pas juste à cause de son costume fait sur mesure qui lui allait comme un gant ni de ses cheveux argentés à la coupe parfaite qui encadraient son visage fin encore séduisant. Mais en raison de la façon dont il se tenait et de l'arrogance calme avec laquelle il regardait autour de lui.

« Sale riche » aurait aussi bien pu être imprimé sur son front.

Certainement pas un de leurs clients noceurs et libres d'esprit.

Décrivant un angle pour s'approcher de lui par-derrière, Regan ouvrit ses sens et inspira profondément. L'odeur qui émanait de l'inconnu était sans l'ombre d'un doute humaine. Pas même un soupçon de sang démoniaque. Étrange, vu que la plupart des dirigeants de commerces prospères étaient au moins en partie sidhes.

Bien sûr, cela ne signifiait pas qu'elle baisserait sa garde.

—Monsieur Rosewood ?

L'homme se retourna avec lenteur, un charmant sourire déjà sur les lèvres. Un sourire qui ne masquait en rien la vive intelligence qui brillait dans ses yeux.

—Je vous en prie, appelez-moi Charles.

—Tobi m'a dit que vous souhaitiez me parler ?

—Oui, mademoiselle… ?

—Regan, répondit-elle sèchement sans se donner la peine de dissimuler sa méfiance.

—Regan. (Il lui prit la main pour la porter à ses lèvres.) Un prénom magnifique pour une jeune femme magnifique.

Elle le laissa lui tenir la main un instant avant de la retirer.

Ouais. Assurément humain.

—En quoi puis-je vous aider ?

Il indiqua d'un doigt manucuré les dessins disposés dans la devanture du pub.

—C'est vous qui les avez faits ?

—Oui. Tobi m'autorise à les vendre ici, moyennant une petite commission, afin d'arrondir mes fins de mois. Y a-t-il un problème ?

—Bien au contraire. Je les trouve ravissants.

—Merci. (Sa voix était polie, prudente.) Seriez-vous intéressé pour en acheter un ?

—À vrai dire, je souhaiterais tous les vendre.

—Les vendre ? (Elle secoua la tête.) Je ne comprends pas.

—Comme je vous l'ai dit, je les trouve ravissants mais, plus important encore, je suis sûr que mes clients n'en penseront pas moins. (Presque comme si on avait appuyé sur un bouton, l'expression charmante de l'homme devint rusée.) À quel rythme travaillez-vous ?

Regan cligna des yeux, sentant qu'elle était sur le point de se faire écraser par un rouleau compresseur.

— Je peux faire un ou deux petits croquis par jour. Les plus grands m'en prennent au moins deux.

— Donc… quatre petits et deux grands par semaine ?

— À peu près, oui.

— Bien. (Il la regarda droit dans les yeux.) Je veux les acheter.

— Tous ?

— Tous, chaque semaine. Et je souhaite payer au prix fort le droit d'exploitation exclusif de votre œuvre. Disons…

Il saisit la carte de visite qu'elle tenait et, sortant un stylo de sa poche, il écrivit au dos. Puis, avec un léger sourire, il la remit dans sa main.

— Qu'en pensez-vous, pour commencer ?

Un rouleau compresseur, effectivement.

Pas étonnant que cet homme possède la moitié de Chicago. Les pauvres sidhes ne faisaient pas le poids.

Déconcertée par les manières brusques et décidées de Charles Rosewood, Regan baissa les yeux sur la carte ; elle sentit son cœur pratiquement s'arrêter en découvrant le nombre qu'il avait griffonné.

— Bon Dieu.

— Tenez. (Se tournant vers le comptoir, Charles versa une bonne mesure de whisky dans un verre qu'il lui tendit.) Vous avez l'air d'avoir besoin d'un peu d'alcool.

— Merci. (Elle vida d'un trait la boisson qui lui brûla la gorge.) C'est un tel choc.

— Un choc agréable, j'espère ? murmura-t-il.

— Oui, je…

Brusquement, la devise « si c'est trop beau pour être vrai… » lui revint à l'esprit. Cette soudaine aubaine semblait tomber bien trop à propos.

— Attendez, se reprit-elle. Vous ne connaissez pas Styx, par hasard, si ?

— Styx ? (L'homme fronça les sourcils, déconcerté.) Comme le fleuve légendaire ?

— Et Jagr ?

Il secoua la tête.

— Je suis désolé, je n'ai jamais entendu ces noms. Ce sont des artistes du coin ?

Elle grimaça. Il paraissait sincèrement perplexe.

— Ça ne fait rien.

Il haussa les sourcils face à l'étrange comportement de la jeune femme mais, après lui avoir ôté le verre vide des mains pour le poser sur le comptoir, il poussa son avantage avec détermination.

— Alors, Regan, vous voulez bien me rencontrer à mon bureau pour que nous officialisions mon offre ?

— Vous êtes sérieux ?

— En matière d'affaires, toujours, lui assura-t-il. Appelez le numéro qui se trouve sur ma carte et voyez ça avec ma secrétaire.

Sur un signe de tête, Charles se retourna et se dirigea vers la porte du pub.

Regan le regarda s'éloigner, écrasant la carte de visite dans ses doigts tout en tentant d'identifier ce qu'elle ressentait.

De la surprise, bien sûr. Elle n'avait jamais rêvé que ses croquis tout simples puissent valoir un clou, et encore moins une petite fortune. Ainsi que peut-être un peu de fierté. Par l'enfer, elle n'était pas dénuée de quelques défauts.

Mais ne devrait-elle pas éprouver autre chose ?

Être heureuse de savoir qu'elle aurait bientôt une sécurité financière ? Impatiente de planifier son avenir ? Envahie d'une joie irrésistible et d'un sentiment d'épanouissement ?

Tobi qui, de toute évidence, l'avait espionnée depuis la cuisine, se précipita vers le bar avant même que la porte se soit refermée sur Charles.

S'arrêtant brusquement, elle dévisagea Regan avec une expression pleine d'attente.

— Alors ?

Regan secoua la tête, déconcertée.

— Il veut acheter mes dessins.

— Waouh ! (Indifférente aux regards curieux qu'elle s'attirait, elle agrippa Regan pour la serrer dans ses bras à lui briser les côtes.) Je le savais. Ne t'avais-je pas dit que tu étais une artiste géniale qui n'allait pas manquer d'être découverte ?

Après s'être dégagée avec douceur pour pouvoir remplir d'air ses poumons comprimés, Regan étira les lèvres en un sourire figé.

— Je ne suis pas sûre que vendre de l'art à des touristes équivaille à être découverte, mais il est vrai que tu as toujours plus cru en mes croquis que moi.

— Parce que je reconnais le talent quand je le vois.

Avec un sourire sincère, Regan ébouriffa les cheveux roses hérissés de la jeune femme.

— Tu as été une amie si merveilleuse, Tobi. Si tu ne m'avais pas laissée…

— Bla, bla, bla. (Elle leva les mains pour écarter ses compliments, puis écarquilla brusquement les yeux.) Tu sais, tu devrais sortir pour fêter ça. Boire du champagne, manger du chocolat, te trouver un bel étalon qui te fera divinement l'amour toute la nuit. (Elle grimaça en montrant le bar de la main.) Je t'aurais bien accompagnée mais Carly est encore aux abonnés absents et je dois fermer.

C'était exactement ce qu'elle devrait faire.

Sortir. Peut-être faire la tournée des bars. Se trouver un adorable beau gosse pour...

Son esprit se ferma.

Il refusa catégoriquement de se rendre là où les adorables beaux gosses rôdaient, même si ce n'était que dans ses fantasmes.

Elle soupira.

—En fait, je crois que je vais juste rentrer chez moi savourer mon coup de bol.

Tobi leva les bras en l'air ; ses bracelets en argent s'entrechoquèrent.

—Putain, qu'est-ce que je vais bien pouvoir faire de toi ? Tu es belle, intelligente et terriblement sexy mais tu ne sais pas du tout t'amuser. (Elle inclina la tête et son sourire disparut pendant qu'elle observait Regan avec un sérieux inhabituel.) Cet appartement pourrait aussi bien être une prison, Regan. Sors. Vis. Tu ne peux pas mener indéfiniment une vie d'ermite.

Une prison...

Regan tressaillit à ce mot repoussant.

Parce que c'était vrai.

Oh, cela n'avait rien à voir avec ce qu'elle avait enduré avec Culligan.

Elle pouvait aller et venir à sa guise. Porter ce qu'elle souhaitait, manger ce qu'elle voulait et prendre ses propres décisions.

Elle était indépendante. Possédait un appartement, un emploi, la promesse de tout l'argent dont elle aurait jamais besoin.

Mais où était la merveilleuse liberté qu'elle avait recherchée?

Elle travaillait, elle dessinait et elle dormait.

Pas exactement le genre d'existence à cent à l'heure dont elle avait rêvé pendant toutes ces années derrière les barreaux.

Elle avait échangé une prison pour une autre.

Et pourquoi?

Parce qu'à chaque instant de chaque jour Jagr lui manquait. Par l'enfer, même Darcy et le terrifiant Styx lui manquaient.

Elle leva les mains pour masser ses tempes douloureuses.

Durant tant d'années, elle s'était imaginé échapper à Culligan et être son propre maître. C'était la seule chose qui lui avait permis de conserver la raison.

Et elle s'était accrochée à ces fantasmes comme une femme qui se noie à une bouée de sauvetage.

Même quand le bonheur, authentique et indéniable, lui crevait les yeux.

Nom de Dieu.

Elle était vraiment idiote.

—Regan? Quelque chose ne va pas?

Elle fut arrachée à ses pensées douloureuses. Clignant des yeux, elle se concentra sur Tobi et découvrit sans surprise qu'elle la dévisageait avec inquiétude.

Regan était restée immobile comme un vrai zombie.

—En fait, je vais bien. (De manière impulsive, elle se pencha pour embrasser Tobi sur la joue.) Et tu as raison. Ce dont j'ai besoin cette nuit, c'est d'un bel étalon.

Tobi arqua les sourcils.

—On dirait que tu sais où en trouver un.

—Pas exactement, mais je sais par où commencer à chercher.

Un nouveau but merveilleux dans sa vie. Regan redressa les épaules et marcha droit vers l'entrée principale. Elle se rendit vaguement compte que Tobi l'appelait, mais elle franchit la porte sans hésiter et s'engagea dans la rue sombre.

Elle avait pris sa décision.

Et pour la première fois, peut-être bien la toute première de sa vie, elle était absolument sûre que c'était la bonne.

Elle descendit la rue en courant, sans son sac à main, sans les clés de son appartement ou même son téléphone portable, et se dirigea plein sud. Elle ignorait l'emplacement exact du repaire de Jagr mais, comme Darcy lui avait parlé du quartier, elle avait au moins une vague idée de l'endroit où elle allait.

Bien sûr, une vague idée dans une ville de la taille de Chicago signifiait néanmoins des heures perdues à zigzaguer dans des ruelles miteuses et bordées d'ordures, sans compter devoir apprendre à des agresseurs occasionnels les dangers encourus à s'en prendre à une sang-pur en mission.

Alors même qu'elle commençait à se demander si Jagr avait déménagé ou même quitté la ville, elle perçut la trace légère d'un pouvoir froid.

Regan ralentit et traversa la chaussée sinistrement déserte pour rejoindre l'entrepôt abandonné.

Jagr n'était pas loin.

Même si elle n'avait pas senti sa présence, elle l'aurait su au fait que même les souris refusaient de s'attarder près de cet endroit. Ce qui était certainement lié à toute cette ambiance à *La Nuit des morts-vivants*.

Parfait pour garder à distance des visiteurs importuns.

Comme elle ?

Cette pensée décourageante venait à peine de lui effleurer l'esprit que la température chuta brusquement et qu'une voix basse familière flotta dans l'air.

—Tu t'es perdue, Regan?

Lorsqu'elle se retourna vivement, Regan ne distingua que des voitures délaissées et des poubelles vides. Jagr était là, mais il s'était enveloppé dans ces maudites ténèbres de vampires.

Pourquoi ne possédait-elle donc pas de ces satanés pouvoirs romuliens?

S'armant de patience, elle ne prêta pas attention à son besoin cuisant de le voir et parla en regardant dans sa direction.

—Ouais, on dirait bien, répondit-elle doucement. J'espérais rencontrer quelqu'un qui pourrait m'aider à retrouver mon chemin.

—Dans ce quartier, tu as plus de chances de te faire trancher la gorge. Si tu veux vivre à la dure, tu ferais mieux de te dénicher un endroit moins dangereux.

La voix de Jagr était froide et distante mais le cœur de Regan se réchauffa de joie. Mon Dieu, le simple fait de le savoir près d'elle la rendait plus heureuse qu'elle ne l'avait été en un mois.

—Je n'ai pas peur.

—Tu devrais. (Elle sentit qu'il bougeait et tournait autour d'elle avec lenteur, comme un prédateur en chasse.) Par ici, des choses rôdent vraiment dans la nuit.

Elle demeura parfaitement immobile, s'interdisant de montrer des signes de malaise. Elle avait beau être un peu lente – d'accord, très lente –, elle était absolument certaine que Jagr ne lui ferait jamais de mal.

—Des choses comme des vampires?

—Ainsi que d'autres démons.

Elle haussa les épaules.

—Dans ce cas, je devrais très bien m'intégrer.

—Je pensais que tu avais décidé de vivre comme une humaine.

Elle fronça les sourcils à son ton railleur.

—Comment tu le sais ?

En entendant le rire doux du vampire, elle sentit des frissons dégringoler le long de sa colonne vertébrale et une vague de désir lui serrer le ventre.

—Tu ne peux pas être naïve au point de ne pas t'être doutée que Styx te ferait surveiller en permanence.

—Impossible, souffla-t-elle, refusant de reconnaître tout le temps qu'elle avait passé à sa fenêtre, à chercher un signe de Jagr, ou même de Darcy. Si un vampire était là, il ne m'aurait pas échappé.

—Tous les serviteurs de Styx ne sont pas des démons.

—Des humains ?

—Parmi les meilleurs de Chicago.

La surprise que Regan éprouva en apprenant que l'arrogant Styx s'abaissait à traiter avec de simples humains fut atténuée par une vague de contrariété hypocrite.

D'accord, la pensée qu'on l'ait si aisément oubliée l'avait peut-être blessée, mais cela ne signifiait pas qu'elle souhaitait qu'on l'espionne.

—Comment a-t-il osé ? (Incapable de voir Jagr, elle regarda d'un air furieux la poubelle la plus proche.) Je ne suis pas l'un des sujets de Sa Majesté.

—Non, mais tu fais partie de sa famille, et aux dernières nouvelles Caine complote toujours pour t'enlever. (Sa voix semblait provenir de plus près, comme s'il décrivait des cercles sans cesse plus petits autour d'elle.) Darcy le castrerait s'il t'arrivait quoi que ce soit.

— Et il t'a rapporté mes moindres faits et gestes ? accusa-t-elle.

— Il m'a dit que tu avais un emploi et un appartement la dernière fois que nous nous sommes rencontrés. Rien de plus.

Elle se mordit la lèvre à son ton dédaigneux. *Bon Dieu.* Avait-elle commis une terrible erreur en venant là ? Jagr avait peut-être décidé que sa vie était bien mieux sans une garou qui le rendait cinglé. Et qui pourrait bien le lui reprocher ?

— Ainsi… tu passes beaucoup de temps avec Styx et Darcy ?

— Plus que je l'avais prévu, répondit-il avec flegme.

— Oh. (Une pensée lui vint soudain.) Est-ce qu'on te punit de ne pas m'avoir obligée à te suivre à Chicago ?

— Je suppose que c'est une question de point de vue. (Il s'interrompit un court instant.) Il m'a demandé de devenir l'un de ses Corbeaux.

Elle inspira brusquement.

— Un Corbeau ?

— Tu ne peux pas être plus choquée que je l'ai été.

Regan secoua la tête. Elle n'était pas choquée. Mais terrifiée.

— Tu réfléchis à sa proposition ?

— Oui.

La voix de Jagr provenait de juste devant elle.

Tout le corps de Regan se tendit d'inquiétude.

— Darcy a dit que les Corbeaux sont chargés de remettre à leur place les vampires et les autres démons. Comme des sortes de super-gardiens.

— Ça fait partie de leurs fonctions.

Si elle l'avait aperçu, elle l'aurait frappé pour son ton cavalier.

D'après le peu qu'elle avait appris de sa sœur, les Corbeaux constituaient le service de protection de Styx et risquaient régulièrement leur vie sous ses ordres.

Jagr était censé être un érudit. Un reclus. Un vampire bien trop intelligent pour aller au-devant des ennuis.

— Ça a l'air dangereux.

— Qu'est la vie, sans un peu de danger ?

— Sûre ? répliqua-t-elle entre ses dents.

— Chaque jour est un jeu de hasard. Ce que j'ai oublié en cours de route, dit-il sans dissimuler son autodérision. Et au moins, de cette façon, je me tiendrai toujours sur mes gardes.

— Jagr… (Elle s'arrêta de parler tant elle était frustrée.) Bon sang, pourquoi tu te caches ?

— J'essaie de décider si tu es une amie ou une ennemie.

Elle tressaillit à cette réponse prononcée d'une voix suave.

— Je n'ai jamais été ton ennemie.

— Non ? Je me rappelle distinctement que tu as menacé de me foutre un pieu dans le cul.

Elle s'en souvenait, elle aussi.

Très nettement.

Cela s'était passé au cours de leur première rencontre et, sur le moment, elle n'avait cherché qu'à se débarrasser de lui.

À présent…

À présent, elle brûlait de le tenir dans ses bras pour l'éternité.

— Je t'ai prévenu que je n'étais pas très maligne.

Elle crut entendre siffler tout bas.

— Pourquoi es-tu venue, Regan ?

Sachant que le moment était arrivé, son unique chance de tout arranger, elle énonça les mots qui étaient marqués au fer rouge dans son cœur.

— Parce que je t'aime.

Jagr était âgé de plusieurs siècles.

Il avait regardé des nations naître et s'éteindre. Il avait vu les épidémies, le feu et la guerre balayer le monde en décimant tout sur leur passage. Il avait enduré des tortures et des combats sanglants qui retourneraient l'estomac de n'importe quel démon.

Mais rien ne l'avait ébranlé.

Jusqu'à ce que Regan murmure ces douces paroles.

Son pouvoir vacilla ; ses ténèbres protectrices se déchiquetèrent et ses barrières glaciales s'abaissèrent. Toute la force de la présence de Regan le percuta de plein fouet.

Il grogna tout bas en se délectant du parfum nocturne du jasmin qui déferla sur lui.

Au cours de ce dernier mois, il avait mené une lutte incessante pour s'interdire de la retrouver et de hanter chacun de ses pas.

Un instinct vampirique de garder sa compagne près de lui. Par l'enfer, à une époque, les siens séquestraient une compagne réticente dans leur repaire.

Seul le retenait le fait de savoir que, s'il rôdait autour d'elle, elle risquait de fuir carrément Chicago sur un coup de tête.

Ainsi que Styx qui lui assurait sans cesse qu'elle était bien surveillée et semblait heureuse dans sa nouvelle vie.

À présent il s'approchait suffisamment d'elle pour que sa précieuse chaleur réchauffe son cœur gelé.

— Qu'as-tu dit ? demanda-t-il d'une voix rauque, sans quitter des yeux sa pâle beauté dorée.

Elle s'humecta les lèvres avec nervosité.

— Ton grand âge t'aurait-il rendu dur d'oreille ?

— Regan.

Elle soupira à son ton menaçant.

— J'ai dit que je t'aimais.

Il trembla, souhaitant désespérément la croire.

— Pourquoi ?

— Faut-il que je remette sur le tapis toute cette histoire selon laquelle je suis idiote ?

Il ne prêta pas attention à sa raillerie, ayant besoin d'être sûr.

S'il la perdait encore, il n'y survivrait pas.

— Explique-moi pourquoi.

Sans crier gare, elle s'avança et lui prit le visage entre ses mains.

— Je t'aime car tu es fort, loyal, tendre et honorable.

Il frissonna à son léger contact, ses appétits trop longtemps réprimés l'empêchant de se soucier de sa sincérité.

— Et ?

— Terriblement sexy.

Il grogna. Elle ne l'aidait pas.

— Et ?

Il vit toutes les émotions qu'il recherchait assombrir les yeux d'émeraude de la jeune femme.

— Et, quand je suis avec toi, je suis de nouveau complète.

Il cessa brusquement de se maîtriser. Elle était là. Elle disait qu'elle l'aimait.

Que lui fallait-il de plus ?

Il se pencha pour réclamer ses lèvres en un baiser presque brutal.

— Regan.

— Tu m'as manqué, chef, chuchota-t-elle contre sa bouche.

Elle eut le souffle coupé quand il la souleva du sol pour la serrer contre son torse avec délicatesse.

— Qu'est-ce que tu fais ?

Sans hésiter, Jagr se dirigea vers l'entrepôt abandonné.

— Ce que j'aurais dû faire dès l'instant où tu as surgi dans ma vie.

Elle renifla avec dérision, mais il aperçut son sourire heureux.

— Un vrai homme des cavernes. Et, pour ton information, c'est toi qui as surgi dans ma vie.

Il sentit s'éveiller en lui des envies coquines aux paroles délibérément provocatrices de Regan.

— Tu n'as encore rien vu, petite, gronda-t-il.

Une rougeur délicieuse apparut sur les joues de la jeune femme.

— Des promesses, toujours des promesses.

Oh, il n'allait pas en rester à des promesses, se jura-t-il en silence.

Il allait la mettre dans son lit et profiter d'elle pendant le prochain millénaire.

Lorsqu'il atteignit le centre du bâtiment délabré, Jagr se baissa pour repousser la lourde trappe. Puis, Regan étroitement serrée dans ses bras, il se laissa tomber près de deux mètres plus bas.

Il atterrit sans secouer la jeune femme et emprunta le tunnel étranglé à longues enjambées. Lorsqu'il fut obligé de s'arrêter devant les épaisses portes d'acier qui protégeaient son repaire, il laissa échapper des jurons.

Alors qu'il déverrouillait les diverses serrures et désamorçait les différents sortilèges et détecteurs, Regan réprima un rire.

— Waouh. On est parano, hein ?

— Deux précautions valent mieux qu'une.

Il parcourut des yeux son visage adoré. Il ne reculerait devant rien pour garder cette femme en sécurité. Sa femme.

— Surtout maintenant.

Franchissant le seuil, il claqua la porte derrière eux et fit appel à ses pouvoirs pour illuminer la pièce allongée. Regan eut le souffle coupé en découvrant la dizaine de rangées d'étagères qui débordaient de livres reliés en cuir. Il ne s'agissait que d'une petite partie de sa collection. Les manuscrits les plus fragiles et les plus rares étaient conservés dans une chambre forte sous son repaire. Bientôt il avait l'intention de partager ses trésors inestimables avec sa compagne.

Bientôt, mais pas tout de suite.

Sans tenir compte des tentatives de Regan pour apercevoir les nombreuses cartes encadrées qui tapissaient les murs d'acier, il entra dans ses appartements privés. Comme il l'avait escompté, la jeune femme découvrit, interloquée, le système informatique high-tech qui occupait un coin de la pièce et l'écran plasma tourné vers le canapé d'angle.

La plupart de ceux qui le rencontraient supposaient qu'il vivait dans un cachot avec des chaînes qui pendaient du plafond.

— Attends, Jagr, je veux voir…

Il l'interrompit par un baiser bref et intense.

— Plus tard.

— Mais…

Il l'embrassa de nouveau. Plus longtemps. De façon plus appuyée.

— Beaucoup plus tard, chuchota-t-il, s'écartant pour regarder avec plaisir un désir enthousiaste assombrir les yeux de la jeune femme.

Lorsqu'il atteignit le fond de son repaire, il ouvrit la porte blindée de sa chambre et se dirigea directement vers le grand lit bas drapé de draps de satin doré et d'une épaisse couverture de fourrure. Sur les murs, des tapisseries du XIIe siècle luisaient à la lueur des bougies, masquant les lourdes vitrines qui abritaient sa redoutable collection de poignards, épées, lances et pistolets.

Pas précisément le cadre le plus romantique qui soit mais Regan ne parut pas s'en apercevoir alors qu'elle levait les yeux vers lui, un sourire terriblement sensuel se dessinant avec lenteur sur ses lèvres.

Un genou posé au bord du lit, il se pencha au-dessus d'elle et tira sur le ruban qui retenait ses cheveux. Il sentit son sang brûler tandis qu'il passait les doigts dans les mèches dorées et effleurait du regard les rondeurs de la jeune femme.

— Bénis soient les dieux, tu es si belle.

Le sourire de Regan s'élargit tandis qu'elle tendait les bras et, avec une force inattendue, lui arrachait son tee-shirt.

— Je suis loin de l'être autant que toi, murmura-t-elle, suivant des doigts les cicatrices qui s'entrecroisaient sur son torse.

Il frissonna ; ses canines s'étirèrent et son corps se durcit partout où il le fallait.

— J'ai toujours entendu dire que l'amour est aveugle. Maintenant, j'en suis sûr.

— Ne joue pas les innocents.

De ses doigts, elle traça un chemin de feu sur son ventre ferme, fit sauter le bouton de son jean et ouvrit sa braguette. Jagr grogna d'approbation. Elle prenait la situation en main. Et il aimait ça.

— Tu sais parfaitement que tu rends les femmes toutes choses.

Lui ?

Eh bien, par l'enfer. Si elle souhaitait croire qu'il était une sorte d'aimant à filles, libre à elle.

Après avoir envoyé valser ses lourdes bottes, Jagr se débarrassa de son jean et grimpa sur le lit pour l'enlacer.

Il avait autrefois maudit un sort qui ne lui offrait que cruauté et solitude absolue. À présent il ne pouvait que s'émerveiller de son extraordinaire coup de bol.

Faisant courir ses mains sur le corps chaud aux formes délicieuses, il lui ôta son short bien trop court et son tee-shirt bien trop moulant, et admira un instant son soutien-gorge et sa culotte assortis avant de les jeter à leur tour par terre.

Lorsqu'elle fut exposée dans toute la gloire de sa nudité, il se força à prendre son temps, savourant la sensation de sa douce peau d'ivoire sous ses doigts.

— Es-tu toute chose ? s'enquit-il, la voix rauque.

Elle leva les bras pour les enrouler autour du cou du vampire, la respiration irrégulière tandis qu'il caressait de ses doigts baladeurs la rondeur de ses seins.

— Je m'en approche.

Il baissa la tête et suivit des lèvres l'arête de son nez, puis tourmenta avec douceur le coin de sa bouche.

— Regan, tu es sûre ? s'obligea-t-il à demander. Une fois que nous serons unis, je ne serai pas capable de te laisser partir.

Il lut un regret douloureux dans les yeux de la jeune femme.

—Je suis tellement désolée, Jagr.

—Tu n'as pas à t'excuser. Tu as fait ce que tu avais besoin de faire.

—Non, j'ai été une putain de grosse lâche. (Elle grimaça.) Je ne cherchais pas à prouver que je pouvais me débrouiller seule. Je fuyais mes sentiments car ils me terrifiaient.

Il s'écarta, les sourcils froncés.

—Ils te terrifiaient ?

—Je sais être seule. Je m'en sors même très bien. (Un sourire mélancolique se dessina sur ses lèvres alors qu'elle faisait descendre ses mains le long de son dos.) J'ignore complètement comment être une compagne ou une sœur.

Un gémissement s'échappa de la gorge de Jagr, qui lui couvrit la joue de baisers avant d'enfouir le visage dans la courbe de son cou.

—On va y réfléchir ensemble, lui assura-t-il doucement.

Délibérément, elle se frotta contre toute la longueur de son érection.

—Mmmm. C'est une idée qui me plaît.

Oh, il n'aimait pas juste l'idée.

Il aimait la sensation, le goût et…

Il sentit monter en lui un appétit brutal et, d'une main tremblante, il repoussa les cheveux de Regan, lui dénudant la gorge.

—J'ai besoin de te goûter, petite, dit-il d'une voix rauque. Je veux être ton compagnon.

Il s'attendait à ce qu'elle hésite. Qu'elle s'écarte, même.

Après tout, il ne demandait rien de moins que son cœur et son âme.

Mais elle plongea les doigts dans son épaisse chevelure et l'attira à elle.

— Maintenant, Jagr.

Cette invitation délicieuse fut plus qu'il ne pouvait en supporter, et emporta le peu de bon sens qui lui restait.

Il lui avait fallu patienter plus de mille ans pour trouver sa compagne.

Il ne patienterait pas un instant de plus.

Lui inclinant le menton, il dénuda ses canines et les enfonça dans sa chair douce et vulnérable. *Oh… grands dieux!* Il ferma les yeux lorsque l'élixir riche et puissant lui coula sur la langue et descendit dans sa gorge.

Le goût du sang de Regan était tout aussi érotique, tout aussi enivrant que dans son souvenir.

Mais cette fois, c'était plus que ça.

Plus qu'un aliment. Plus qu'un moyen de guérir ses blessures. Même plus qu'une étreinte.

Une magie éblouissante qui tourbillonnait dans son corps et vibrait dans ses veines. Comme si l'essence même de la jeune femme affluait en lui, et le transformait jusqu'à ce qu'ils se fondent en une seule et même personne.

Sous lui, il la sentit trembler et son gémissement de plaisir résonna dans la pièce.

— Jagr. (Elle planta les ongles dans son dos, la voix rauque.) J'ai besoin de toi.

Désireux et impatient de satisfaire ses moindres désirs, il se détacha de sa gorge, léchant avec douceur les deux petites piqûres pour les refermer, avant d'éparpiller des baisers sur sa clavicule et sur le renflement de ses seins.

— Chacun de tes souhaits est un ordre, mon amour, lui assura-t-il en se positionnant entre ses jambes. Maintenant et à jamais.

Elle referma les mains sur ses hanches, sa peau crémeuse empourprée par la passion.

— Une promesse dangereuse, chef.

Il plongea le regard dans les profondeurs voilées de ses yeux d'émeraude, capable de ressentir la vive douleur de son désir.

— Tu ne m'effraies pas, garou.

— Non? Peut-être que tu devrais…

Ses paroles se muèrent en un gémissement bas lorsqu'il s'enfonça en elle. Il fut submergé de pures sensations. Il sentit ses muscles se contracter. Il était enfin réchauffé jusqu'à la moelle. Un instant il s'immobilisa pour savourer simplement le fait d'être si intimement lié à elle.

— Je devrais faire ça? chuchota-t-il en baissant la tête pour s'emparer de ses lèvres douces. Et peut-être ceci?

Avec lenteur il recula les hanches puis il la pénétra de nouveau profondément.

— Oh, oui, souffla-t-elle.

Jagr laissa échapper un grognement guttural quand elle souleva le bassin et que son sexe glissa jusqu'au plus profond d'elle. Si proche de la perfection.

Tellement. Proche.

— Regan.

Les yeux de la jeune femme étaient étroitement fermés tandis qu'il allait et venait en elle.

— Mmmm?

De la langue il suivit le contour d'un bout de sein.

— Il est temps d'achever la cérémonie.

— Bon Dieu. (Au prix d'un effort manifeste, elle ouvrit les yeux.) Ça ne peut pas attendre?

Il rit tout bas en lui effleurant les joues des lèvres avant de lui mordiller délicatement le lobe de l'oreille.

— Tu fais partie de moi, petite. Maintenant, je veux faire partie de toi.

Il lut une tendresse déchirante sur les traits adoucis de Regan.

— Tu feras toujours partie de moi, Jagr. (Elle lui prit le visage entre les mains.) Maintenant et à jamais.

Il l'embrassa lentement puis, glissant une main derrière sa tête, il la poussa à poser sa bouche contre son cou.

— Mords, l'encouragea-t-il à mi-voix.

Après un instant d'hésitation, il sentit qu'elle écartait les lèvres et plantait les dents profondément dans sa peau.

Jagr cria d'un plaisir absolu tandis qu'elle suçait délicatement la blessure, prenant son sang en elle.

Il n'avait jamais autorisé quiconque à absorber son essence. Il ne s'était pas imaginé à quel point cet échange était intime.

Une passion primitive monta en lui. C'était sa femme.

Sa compagne.

L'incitant à continuer à boire, il balança les hanches, allant et venant en elle à un rythme de plus en plus désespéré.

C'était cela.

La perfection.

Arrachant la bouche du cou du vampire, Regan cria d'extase. Jagr frémit en sentant ses ongles lui labourer le dos, lui procurant une pointe de douleur divine.

Jagr n'avait jamais rien vu de plus beau que la vision de la jeune femme qui atteignait la jouissance et, dans un dernier coup de reins, il la rejoignit dans l'orgasme.

Le dos cambré, il savoura le pouvoir absolu de cette explosion.

Rien n'avait jamais été aussi bon.

Regan lutta pour reprendre son souffle.

Waouh.

L'expression « casser la baraque » revêtait une tout autre signification.

Assurément, elle avait l'impression que le toit s'était écroulé sur sa tête.

De la meilleure des façons possibles.

Lorsque Jagr roula sur le côté et l'attira dans ses bras, elle soupira en se pelotonnant contre son corps froid. Elle se sentait comblée jusqu'au bout des orteils.

Et plus encore, elle percevait…

Jagr.

Bon Dieu, c'était incroyable.

Il était comme un bourdonnement sourd dans le fond de son esprit.

Elle avait conscience du paisible rayonnement de sa félicité, de son vif besoin de la protéger et, surtout, de l'amour farouche qui chatoyait dans son âme comme des fils d'or.

Emerveillée par la sensation d'être aussi intimement liée à un autre, Regan suivit distraitement du doigt une cicatrice gonflée qui courait sur son torse. Aussitôt elle ressentit la passion avec laquelle il réagissait à son contact. Ainsi que, à sa grande surprise, un soupçon de vulnérabilité à voir ainsi caressée la peau qu'il avait gardée cachée pendant si longtemps.

Regan sentit son cœur fondre.

Comment avait-elle pu perdre ne serait-ce qu'un instant avec ses peurs idiotes ?

Culligan et les maudits bâtards avaient fait d'elle une captive, mais c'était bien elle qui avait fait le choix de rester prisonnière.

— C'est étrange, murmura-t-elle.

Après l'avoir embrassée sur le front, Jagr s'écarta pour l'observer, les sourcils haussés.

— Étrange ? Pas exactement ce qu'un vampire viril désire entendre après avoir fait l'amour avec sa compagne.

— Je veux dire que c'est étrange de te sentir. (Elle lui prit la main pour la poser sur son cœur.) Ici.

Elle vit les yeux d'un bleu éclatant du vampire briller d'un feu qu'il réservait à elle seule.

— Le lien de l'union. (Il dégagea sa main pour lui faire épouser la rondeur de son sein en un geste possessif.) À partir de maintenant tu sauras toujours où je me trouve, ce que je ressens, si j'ai besoin de toi.

— Besoin de moi, hein ?

Il tourmenta la pointe sensible de son téton et son corps se durcit avec une ardeur qui la fit glousser.

— Constamment, confirma-t-il, la voix rauque.

Regan baissa délibérément le regard sur l'érection parfaite qui appuyait contre sa hanche.

— C'est ce que je vois.

Ces mots venaient à peine de sortir de sa bouche qu'elle se retrouva allongée sur le dos avec un vampire plein de suffisance juché sur elle.

— Ça te dirait de ne pas te contenter de voir ?

Oh, oui, ça lui disait.

Elle voulait le lécher de la tête aux pieds, s'attarder pour mordiller tous les endroits les plus intéressants. Elle voulait passer des heures à explorer son corps ferme et musclé. Elle voulait oublier le monde et…

Presque comme si le seul fait de penser au monde avait permis à ce dernier de se rappeler à elle, ses merveilleux fantasmes se dissipèrent soudain.

—Nom de Dieu, marmonna-t-elle.

Le fantôme d'un sourire joua sur les lèvres de Jagr.

—Encore une fois, pas vraiment ce qu'un vampire viril désire entendre. (Il lui caressa la joue.) Qu'est-ce qui ne va pas ?

—Je n'arrive pas à croire que j'ai oublié de te demander des nouvelles de Levet. Sais-tu ce qu'il devient ?

Jagr renifla avec dérision, baissant la tête pour répandre des baisers légers et aguicheurs sur son visage et sur la ligne de son cou.

—C'est une histoire que je te conterai plus tard.

Esquivant aisément sa question, il entreprit de lui changer les idées à force de délicieux coups de langue qui descendaient toujours plus bas.

Elle tenta de s'accrocher à une once de raison.

—Mais…

—Plus tard, petite. (Il lui écarta les cuisses et sourit avec une intention coquine.) Beaucoup plus tard.

Et ce fut le cas.

EN AVANT-PREMIÈRE

Découvrez un extrait de la suite des aventures
des Gardiens de l'éternité :
SALVATORE
(version non corrigée)

Traduit de l'anglais (États-Unis) par Hélène Assens

Chapitre premier

Il avait connu des jours meilleurs, devait admettre Salvatore Giuliani, le puissant roi des garous.

À vrai dire, sa journée prenait un tour carrément merdique.

Revenir à lui pour découvrir qu'il était allongé dans l'obscurité d'un tunnel crasseux, que son costume Gucci était foutu et qu'il ne se souvenait pas exactement de la manière dont il s'était retrouvé là était bien assez pénible.

Mais ouvrir les yeux et se servir de la parfaite vision nocturne dont il avait hérité de ses ancêtres pour voir une gargouille d'un mètre de haut avec des cornes atrophiées, un vilain visage gris et de délicates ailes dans des tons de bleus, d'ors et de cramoisis qui voltigeait au-dessus de lui suffisait à rendre son humeur, qui n'était déjà pas bien bonne, massacrante.

— Réveille-toi, s'écria Levet d'une voix sifflante empreinte d'un fort accent français, agitant les ailes de peur. Réveille-toi, espèce de chien galeux, ou je te fais castrer.

— Traite-moi encore de chien et je t'assure que tu ne tarderas pas à être concassé en gravier pour recouvrir mon allée, gronda Salvatore, sa tête l'élançant au rythme des battements de son cœur.

Qu'était-il arrivé, bon sang?

Il se rappelait s'être rendu dans une cabane isolée au nord de Saint-Louis pour rencontrer Duncan, un bâtard qui avait promis de lui donner des informations sur son chef de meute dissident. Puis il avait recouvré ses esprits, avec Levet qui voletait au-dessus de lui comme un gigantesque papillon extrêmement laid.

Dieu tout-puissant. Quand il sortirait du tunnel, il retrouverait Jagr et lui arracherait le cœur pour lui avoir fourré cette gargouille agaçante dans les pattes. *Maudit vampire.*

— Tu ne feras rien si tu ne te bouges pas, prévint Levet. Remue ta queue, Roi des Larves.

Sans tenir compte de la douleur insoutenable qui irradiait de ses articulations, Salvatore se leva, lissa en arrière ses cheveux de jais qui lui effleuraient les épaules mais ne prit pas la peine d'épousseter son costume de soie : il partirait dans le feu le plus proche.

Ainsi que la gargouille.

— Où sommes-nous ?

— Dans un sale tunnel.

— Quelle brillante déduction. Que ferais-je sans toi ?

— Écoute, Médor, tout ce que je sais c'est qu'à un moment on était dans une cabane avec un Duncan parfaitement mort, et celui d'après une femme séduisante mais *très*[*] mal élevée m'a frappé à la tête.

Bizarrement, la gargouille se frotta les fesses plutôt que la tête. Bien sûr, elle avait le crâne bien trop épais pour qu'on puisse lui faire mal à cet endroit-là.

— Cette femme a de la chance que je ne l'aie pas transformée en chatte, ajouta Levet.

— Il devait s'agir d'un sort. Était-ce une sorcière ?

— *Non*[*]. Une démone, mais…

— Quoi ?

— C'est une hybride.

Salvatore haussa les épaules. Le métissage était répandu au sein du monde démoniaque.

— Rien d'inhabituel.

— Mais son pouvoir l'est.

Il fronça les sourcils. Il avait beau avoir envie d'étrangler cette minuscule gargouille, contrairement à lui, elle possédait la faculté de percevoir la magie.

— Qu'a-t-il de particulier ?

— C'est celui d'une djinn.

Un frisson descendit avec lenteur le long de l'échine du garou, qui balaya rapidement le tunnel du regard. Au loin, il sentait approcher ses bâtards et un vampire. La cavalerie qui se précipitait à leur secours. Mais il se concentra plutôt pour tenter de déceler un signe de la démone.

Les djinns de sang-pur étaient des créatures cruelles et imprévisibles capables de contrôler la nature. Ils pouvaient faire tomber la foudre, transformer le vent en une puissance meurtrière et raser une ville entière d'un tremblement de terre. Ils pouvaient également disparaître dans un nuage de fumée. Heureusement, ils s'intéressaient rarement au monde et préféraient rester à l'écart.

Les hybrides…

Il frémit. Ils ne possédaient peut-être pas les pouvoirs d'un djinn à part entière, mais leur incapacité à maîtriser leur énergie instable les rendait encore plus dangereux.

— Les djinns ne sont pas autorisés à se reproduire avec d'autres démons.

Levet renifla avec dédain.

— Beaucoup de choses ne sont pas autorisées, ici-bas.

— Il faut en informer le Conseil, marmonna Salvatore.

Il faisait référence aux mystérieux oracles, les dirigeants suprêmes du monde démoniaque. Plongeant la main dans sa poche, il l'en ressortit vide.

—*Cristo*.

—Quoi?

—J'ai perdu mon portable.

—Bon. (Levet leva les bras au ciel.) On enverra une dépêche. Pour l'heure on doit partir d'ici.

—Détends-toi, gargouille. Les secours arrivent.

Les yeux plissés, Levet huma l'air.

—Tes bâtards.

—Et une sangsue.

Levet renifla de nouveau.

—Tane.

S'attendant à voir Jagr, Salvatore fronça brusquement les sourcils. Tous les vampires se valaient, mais Tane avait la réputation de tuer d'abord et poser des questions ensuite. Pas vraiment de quoi mettre du baume au cœur d'un garou.

—Le Charon? demanda-t-il.

Les Charons étaient des assassins qui traquaient les vampires parias. Dieu seul savait ce qu'ils faisaient aux démons inférieurs. Et, pour les vampires, tous les démons étaient inférieurs.

—Une saucisse arrogante et condescendante, grommela Levet.

Salvatore roula des yeux.

—Une andouille, espèce d'imbécile, pas une saucisse.

Levet le fit taire d'un geste de la main.

—J'ai une théorie selon laquelle plus un démon est grand, plus grande est sa suffisance et plus petite est son…

—Continue, gargouille, gronda une voix froide dans l'obscurité, la température chutant brusquement. Je trouve ta théorie fascinante.

—Aah !

Battant des ailes, Levet se précipita derrière Salvatore. Comme s'il était stupide au point de croire que le garou lui éviterait une mort certaine.

—*Dio*, ne reste pas là, maudit casse-pieds, grogna Salvatore.

Il tenta de frapper la gargouille, le regard rivé avec méfiance sur le vampire qui surgit d'un coude du tunnel.

Il y avait de quoi se méfier.

Bien que d'une stature inférieure à nombre de ses frères, ce vampire qui avait hérité de la peau dorée de ses ancêtres polynésiens arborait une musculature redoutable. Il avait le visage d'un prédateur, fin et dur, avec des yeux légèrement bridés de la couleur du miel et d'épais cheveux noirs rasés sur les côtés pour former une longue crête iroquoise qui lui retombait au-delà des épaules. En l'occurrence, il ne portait rien d'autre qu'un short kaki, ne partageant manifestement pas le penchant de Salvatore pour les vêtements de grands couturiers.

Évidemment, le gros poignard qu'il tenait à la main lui garantissait que nul ne remettrait en question ses goûts en matière de mode.

À moins de souhaiter mourir.

Salvatore perçut un bruit de pas et quatre de ses bâtards apparurent. Le plus grand s'élança avant de tomber à genoux et de coller sa tête chauve à ses pieds.

—Sire, êtes-vous blessé ? s'enquit Hess.

—Seulement dans mon orgueil.

Salvatore reporta son attention sur le vampire alors que Hess se relevait pour se dresser de toute son imposante hauteur près de lui.

—J'ai trouvé le cadavre de Duncan dans la cabane et après ça, je ne me souviens de rien. Non, attendez. J'ai entendu une voix, et… (Il secoua la tête, contrarié par son trou de mémoire.) Bon sang. Vous nous avez suivis ?

D'un air distrait, Tane caressa le manche de son poignard.

—Quand nous nous sommes aperçus que la cabane était vide, Jagr s'est dit que vous étiez en difficulté. Comme votre bande d'abrutis semblait incapable de former la moindre pensée cohérente, j'ai accepté de partir à votre recherche.

Guère étonnant. Contrairement aux sang-pur qui étaient issus de garous à part entière, les bâtards étaient des humains transformés en loups-garous à la suite d'une morsure. Hess et les autres étaient d'excellents tueurs. Ce qui expliquait qu'il les ait choisis comme hommes de main. Mais quant à faire usage de leur cerveau… eh bien, il réfléchissait à leur place. Ce qui évitait bien des problèmes.

—Alors, que sont devenus nos ravisseurs ?

—Nous n'avons cessé de gagner du terrain sur vous depuis une demi-heure. (Tane haussa les épaules.) De toute évidence, ils ont préféré s'enfuir que de conserver leurs otages.

—Vous ne les avez jamais aperçus ?

—Non. Un bâtard s'est échappé par une galerie transversale à un peu moins de deux kilomètres d'ici et la démone a tout simplement disparu.

Salvatore vit la frustration briller dans les yeux couleur de miel du vampire. Il le comprenait. Il avait hâte lui aussi de se battre et faire couler le sang.

—Seule une poignée de démons sont capables de se volatiliser sans laisser de traces, ajouta Tane.

—La gargouille pense qu'il s'agit d'une djinn hybride.

—Hé, la gargouille a un nom. (Levet surgit de derrière Salvatore, les poings sur les hanches.) Et, non seulement je ne le pense pas, mais je le sais.

Tane plissa les yeux.

—Comment peux-tu en être sûr?

—J'ai eu un léger malentendu avec un djinn, il y a de cela quelques siècles. Il m'a arraché une aile. Elle a mis des années à repousser.

Tane resta absolument de marbre.

—Je ne vois pas le rapport.

—Avant de me lâcher et de disparaître comme par magie, la démone m'a laissé un petit cadeau.

Levet se retourna pour leur montrer l'empreinte d'une main parfaitement dessinée sur ses fesses. Le rire de Salvatore résonna dans le tunnel et la gargouille lui décocha un regard à la fois blessé et furieux.

—Ce n'est pas drôle.

—Cela ne prouve toujours pas qu'il s'agissait d'une djinn, fit remarquer Tane, réprimant un sourire.

—Être frappé par la foudre n'est pas quelque chose qu'on oublie aisément.

D'instinct, Tane jeta un coup d'œil par-dessus son épaule. Nul démon ayant toute sa tête ne souhaitait croiser le chemin d'un djinn.

—Comment sais-tu que c'était une hybride?

Levet grimaça.

—Je suis encore en vie.

Le vampire se tourna vers Salvatore.

—Le Conseil doit en être informé.

—En effet.

—Cette affaire concerne les garous. C'est à vous de vous en charger.

—Je ne peux pas me permettre de perdre la piste du bâtard, avança Salvatore d'un ton doucereux.

Ah! Rien n'était plus agréable que d'avoir le dessus sur une sangsue.

—Il s'est révélé ne pas constituer un danger que pour les garous, poursuivit-il. Je ne doute pas que le Conseil reconnaisse qu'il est de mon devoir de mettre ce traître hors d'état de nuire.

Une vague d'air glacial emplit le tunnel. Salvatore sourit et libéra sa propre énergie pour repousser le froid avec sa chaleur cuisante.

Les bâtards s'agitèrent, perturbés par cette épreuve de force entre deux redoutables prédateurs. Salvatore ne détourna jamais les yeux de Tane. Rares étaient les garous capables de battre un vampire, mais Salvatore n'était pas juste un garou. Il était roi. Il ne se laisserait intimider par aucun démon.

Finalement, Tane fit claquer ses crocs dans la direction de Salvatore puis recula. Salvatore ne put que supposer que le Charon avait reçu l'ordre de verser un minimum de sang.

—Je m'en souviendrai, chien, l'avertit Tane avant de tourner les talons et de disparaître dans la galerie.

—Bon débarras, sangsue.

Après avoir attendu suffisamment longtemps pour être certain que le vampire ne changerait pas d'avis et ne reviendrait pas lui arracher la gorge, Salvatore se tourna vers ses bâtards, qui luttaient pour ne pas se transformer.

Il grimaça. En tant que sang-pur, il contrôlait ses métamorphoses, excepté lors de la pleine lune. Au contraire des bâtards, qui se trouvaient à la merci de leurs émotions.

Hess frissonna, parvenant enfin à se maîtriser, et prit une profonde inspiration.

—Alors?

Salvatore n'hésita pas.

—On suit le bâtard.

Hess, les bras le long de son corps, serra ses gros poings.

—C'est trop risqué. La djinn…

Ses paroles se muèrent en un cri perçant quand Salvatore déploya de nouveau son pouvoir et le cingla comme d'un coup de fouet.

—Hess, combien de fois vous ai-je dit que quand je voudrais connaître votre avis je vous le ferais savoir? rappela-t-il d'une voix traînante.

Le bâtard baissa la tête.

—Pardonnez-moi, sire.

—Ce crétin servile n'a pas complètement tort. (Levet s'avança en se dandinant, remuant sa longue queue.) Ce doit être cette démone qui a tué Duncan et nous a assommés tous les deux.

—Personne ne te demande de te joindre à nous, gargouille, répliqua Salvatore d'un ton brusque.

—*Sacrebleu*[*]. Il est hors de question que je reste seul dans ces tunnels.

—Alors rattrape le vampire.

La maudite gargouille refusa de bouger d'un pouce, une lueur narquoise dans ses yeux gris.

—Darcy ne serait pas heureuse s'il m'arrivait quoi que ce soit. Et si Darcy n'est pas contente, Styx ne le sera pas non plus.

Salvatore fit claquer ses dents. Darcy était l'une des sang-pur qu'il avait recherchées au cours des trente dernières années. Il ne la craignait pas le moins du monde mais elle venait de s'unir au roi des vampires.

Et il craignait Styx.

Hé, il n'était pas stupide.

Grommelant un juron, Salvatore s'engagea dans le tunnel. Déjà qu'il était énervé, il était à présent en rogne.

— Si tu te mets sur mon chemin, je te couperai en morceaux que je jetterai aux vautours. Compris, gargouille ?

Il sentit que ses bâtards lui emboîtaient le pas et que Levet fermait la marche.

— Les chiens galeux n'ont qu'à aller se faire voir, marmonna le petit démon.

— Un djinn n'est pas la seule créature capable d'arracher une aile, l'avertit Salvatore.

Un silence béni envahit la galerie plongée dans l'obscurité et, enfin en mesure de se concentrer sur la légère odeur de bâtard, Salvatore accéléra.

C'était en des moments semblables qu'il regrettait d'avoir quitté l'Italie.

Dans son élégant repaire près de Rome, nul n'osait le traiter autrement que comme le maître de l'univers. Sa parole faisait loi et ses sous-fifres se précipitaient pour exécuter ses ordres. Cerise sur le gâteau, aucun maudit vampire ni gargouille naine ne se trouvait dans les parages.

Malheureusement, il n'avait pas eu le choix.

Son peuple était en voie d'extinction. Les femmes sang-pur n'étaient plus capables de contrôler leurs métamorphoses durant leur grossesse et perdaient le plus souvent leurs enfants avant leur naissance. Même la morsure des garous n'était plus ce qu'elle était. Cela faisait des lustres qu'un nouveau bâtard n'avait pas été créé.

Salvatore devait agir. Après des années de recherches, les scientifiques qu'il payait à prix d'or étaient enfin parvenus à modifier l'ADN de quatre petites sang-pur pour qu'elles ne se transforment pas.

Leur existence tenait du miracle. Nées pour sauver les garous.

Jusqu'à ce qu'on les enlève dans la pouponnière.

Il poussa un grondement guttural, sa colère toujours aussi vive même après trente ans. Il avait perdu bien trop de temps à les chercher en Europe avant de se rendre en Amérique, où il était tombé sur deux d'entre elles. Malheureusement, Darcy était sous l'emprise de Styx, tandis que Regan s'était avérée stérile.

À Hannibal, cependant, il avait appris que les petites étaient passées, à un moment ou à un autre, entre les mains de Caine, un garou suicidaire persuadé de pouvoir se servir du sang de ces dernières pour changer de simples bâtards en sang-pur. *Le crétin.*

Achevé d'imprimer en décembre 2011 par Hérissey/Qualibris à Évreux (Eure)
N° d'impression : 117827 - Dépôt légal : janvier 2012
Imprimé en France
81120657-1